枯木開花

歷史與現場 123

枯木開花

聖嚴法師傳

施叔青 著

謝啓文攝影

上圖：一九七五年東初老人初訪紐約菩提精舍。
下圖：與點燈的恩人沈家楨居士漫步在紐約莊嚴寺。

上圖：禪境愈深愈平淡。
下圖：廣開方便隨緣攝化。

上圖：點亮心燈，在微塵裡轉大法輪。
下圖：「我的生命是用來報三寶恩的……」
隨緣弘化，繞了大半個地球。

法鼓山山清水秀，地勢渾然天成。

聖嚴法師與法鼓山僧團全體常住眾。

上圖：一九九三年八月三十日，法鼓山動土典禮。

下圖：師父就像一盞明燈，燃燒自己，照亮別人。

上圖：那爛陀大學後側舍利弗之舍利塔。

下圖：帶領印度朝聖團禮拜釋尊於鹿野苑說法處。

上圖：二〇〇〇年春節時至花蓮靜思精舍探望印順導師。（右為惠敏法師）

下圖：一九九八年五月在紐約與達賴喇嘛共同主持「漢藏佛教世紀大對談」。

上圖：一九九七年與教宗若望保祿二世在國際各宗教和平會議後會晤。

下圖：陳水扁總統受法師示意親題「利益眾生」，並允將台灣建設成人間淨土。

上圖：法師不僅提倡心靈環保，更希望大家重視保育護生。（吳春福攝影）

下圖：柏林古堡環境清幽，有如置身化境。

上圖：紐約象岡道場的寂靜之美。（釋聖嚴攝影）
下圖：一九九八年冬與打七禪眾攝於象岡道場禪堂前。
（施叔青攝影）

拈「花」微笑，垂手可得。（Edward Peters攝影）

枯木開花

聖嚴法師傳

目錄

第一章

震災・水災・兵災

台灣電通提供

罹難者是大菩薩

「九二一」百年來的大地震搖醒了聖嚴法師，他摸黑起身，想到驚懼無助的災民，最需要的是心靈的依靠，當下決定到災區關懷。天矇矇亮，法師趕到新莊「博士的家」現場，安慰憂心如焚的親屬，祈願他們受困的親人及時獲救，他又合掌一一爲亡者祝禱。

台北省立醫院，法師走過每一張病床，仔細慰問每一位劫後餘生，爲這突來的劇變驚嚇過度的傷患，經過一個從瓦礫堆被挖出，在死亡邊緣掙扎的小女孩，全家只賸下她和一旁哀慟欲絕的母親，法師上前柔聲地給小女孩打氣，鼓起她活下去的意志力：

「小菩薩，妳一定要勇敢，媽媽需要妳照顧，她就靠妳來安慰了！」不能言語的小女孩，對著法師眨了眨眼，緊鎖的雙眉稍稍舒展了開來。

一個胸部被嚴重擠壓的老人，整個臉被痛苦扭曲得變了形，無法承受那巨大苦楚，老人掙扎著想拔掉呼吸器，雙手卻被護士綁在病床兩側的護欄。聖嚴法師俯下身，勸慰老人不要掙扎，那會使腹腔的創傷更痛楚，要他默念阿彌陀佛。

板橋殯儀館內，伴隨遺體的家屬哀嚎痛泣聲，撕裂著法師的心，他想到受創最深的中部，有更多罹難者的亡靈需要勸慰安息，更多的受難災民需要慰安與支持。

震災後五天之內，法師南北往來奔波於災區之間，四度南下深入關懷。台中殯儀館一位年輕的母親，撫摸一只冰櫃，臉上深沉的傷慟，令法師久久不能自已。痛失六歲的愛女，做母親的無法接受這個事實，她懇求法師透過冰櫃的小孔看她的孩子，法師安慰她小女兒已經到了佛國淨土，並為她念佛。

觸目盡是斷垣殘壁的中部各災區，路旁見不到一棟完好如初的民宅，從碎磚露出冰冷的鋼筋，猙獰而恐怖，有如經歷過戰爭的摧殘。各個醫院停屍的太平間、殯儀館早已不敷使用，只好將屍體一排排蓋著往生被，放在庭院廣場，任陽光曝曬。

幾天來，法師駝著背，神情凝重地穿行在一間間的停屍間，一處處臨時搭的停屍棚，堅持在每一個靈

法師駝著背，神情凝重的穿行在九二一災區，撫慰災民

位前，分別爲亡靈誦經超度，一次次主動上前，撫慰因家破人亡而六神無主的災民，親手爲他們掛佛牌，發揮救拔眾生苦難的大悲心。

東勢大雪山林務局場地，瀰漫著屍臭的臨時停屍棚，面對五百多位罹難者，法師的心哭了。

「罹難者是大菩薩，代替兩千三百萬人受災、受難，用他們寶貴的生命當做教材，向人們示現這個世界由於人心的貪婪、無知，卻帶給人類無窮無盡的災難，我們應該從過去的錯誤中學習重生、感恩，讓社會充滿祥和與善良。」

（聖嚴法師沉痛的這一段話，被李登輝總統在「九二一大地震全國追悼大會」致詞中引用。）眼前屍橫遍野的慘狀，與聖嚴法師長年來揮之不去的記憶重疊：他年少時所經歷過的大災難，一是水災，一是兵災。長江大浪捲起，轉瞬間所有的家當化爲烏有，兩天後，水裡岸邊躺著一具具腫脹的浮屍；日本侵略，國共內戰，他的家鄉經過一次又一次的戰火洗禮，城廓外護城河全是死屍，血肉模糊，至今聖嚴法師回想起來，猶是不寒而慄。

水災、兵災、震災令聖嚴法師感慨生命的脆危，人生的無常，有如佛陀所說：「只此世間，無不是眾生受苦之處。」

「我家的窮，第一是由於水災，第二是因爲戰亂兵災。」

聖嚴法師的俗家姓張，祖上幾代原本是居住在長江三角洲崇明島的腳盆圩，種田爲生的農民。

長江一場鋪天漫地的大水災，奪走了張家賴以爲生的田地，張姓族人被水患趕到江北南通山腳下重新落戶。

民國十九年農曆十二月初四，張保康在狼山小娘港的茅屋裡呱呱墜地，他是父親張選才，母親陳氏最小的兒子，上面有三個哥哥、兩個姊姊。

張保康猶在襁褓中，民國二十年長江空前的大水災，把張家靠近江邊的房屋洗劫得片瓦不存，洶湧的洪峰組成一股股巨大的漩流，像巨型的挖土機，把江岸邊的土地從根底挖掘掏空，啃光了張家的家園田地。這次水患造成了長江北岸地形塌陷下來，洪水捲走的泥沙，使狼山對面的江南淤積成新生地。滄海變桑田莫過如此。

劫後餘生的張家幾口人，被水患趕到長江對岸的常熟縣落腳。打從張保康一有記憶，就知道他的出生地早已被洪水吞噬，淹沒到江心裡去了。

張家先後遭到兩次水難洗劫，歷經兩度遷徙，淪爲赤貧。生下他時，母親已經四十二歲，鄉下操勞的貧婦，懷孕時營養不良，保康下地時，比一隻貓大不了多少，先天不良，從小體弱多病，他遲至六歲才會走路說話，出門到外邊和童伴們玩耍。

一家八口人，僅僅耕種幾分薄田，到了農閒時節，他的父兄還得出外做苦力，小保康記得小時候，到江邊幫人築堤，或是內陸開港的父兄，晚上回來時，都會遞給他一截雪白粉嫩的蘆葦根，吃

起來像藕，也像甘蔗，香甜可口。

他喜歡吃麵，可是米賤麵貴，家裡窮，平常吃不到，只有生病時，疼愛他的母親才會煮麵給他吃。為此小保康常常裝病，母親發覺了，不但不罵他，反而輕聲對他說：

「你要吃麵，就說要吃麵，何必要用害病來嚇人！」

父親是個道地的老實人，保康不怕他，倒是怕母親。她能幹精明又仁慈，除了不能推車挑擔，幾乎樣樣都會，在鄉間算得是全才的女子。

八歲那年，保康目擊了水災的恐怖。

夏秋之際，雨傾盆而下整月不停，長江的水肆無忌憚的急劇上升，沖潰了江邊的土圩，漫過家門。水災第二天，他隨父母去探望災情最嚴重的二姨，觸目所及，汪洋一片，一畦畦的農田浸泡在黃濁濁的江水裡，農舍房屋全都被水淹得只賸青瓦屋頂，災民們爬到屋頂上，伸手乞待救援。

八歲的他，睜著童稚清純的眼睛，過早地目睹了人世間的悲慘景象：污濁的水面漂流著奄奄一息的貓、狗，更多的是雞鴨、豬羊等家畜的浮屍，淹死的大人、小孩的屍體，一具具直挺挺地浮在水面上，泡久了，已經開始膨脹發臭……鴨子無所顧忌地啄食童屍的眼珠，女屍的長髮在水中飄散開來，隨著屍身幽幽地漂蕩過來……看得保康怵目心驚。回家後，一連好幾夜，不斷從夢魘中驚醒，那恐怖的景象，總是揮之不去。

由於病弱，一直到了九歲才開始讀書，上了村子裡的私塾，先生給他取了學名，叫張志德。第一天唸的是：「上大人，孔乙己，化三千，七十七……」，照著先生寫的紅字，在上面描，回家後，背給母親聽時已琅琅上口。隨著家中時好時壞的環境，張志德讀讀停停，前後一共換了四個私塾。

他很討厭學堂，也怕背書，常常逃學，早上把書包一背，就跟拾狗屎或刈豬草的野孩子們，找一個好玩的所在去玩了。有一次被母親在路上撞到了，氣得她老淚縱橫，雙手顫抖，他從此不敢逃學了。

樂於助人的母親

水患才過，鄉下的兵災接踵而至。張家被水難洗劫一空後，在江南租了幾畝地，搭建三間草屋重起爐灶，一邊做佃農，一邊做散工，胼手胝足地從一無所有的貧困中稍稍掙扎了過來，立刻又碰到日本軍國主義者的侵略。

日本人的可怕，遠遠超過洪水的侵襲，大水來了，總還可設法躲避，日本人的殘暴，卻令他們躲無可躲。

在日本軍閥戰略物資的需求下，張家的幾畝薄田，常常是一年種稻，另一年被指定種薄荷，一

年種豆，一年種棉花，不論種什麼，扣去地主的租糧，軍隊徵收的軍糧，一家人總是吃不飽。小小年紀，張保康就被軍隊徵去當軍事工程的小工勞動。

十二歲那年，他好容易爭取到鎮上讀小學，接受新式教育，插班到三年級，每天穿著母親用青色粗布手縫的短褲褲，走幾哩路去上學，嚐到求學讀書的樂趣。

遺憾的是，四年級才讀了一個學期，又因家裡年景不好，只有輟學在家，他跟著父兄到江邊新生地當小工，用木鎚鎚防洪堤，使新的堤不留江水入侵的孔隙，每天起早，天黑回家，雙程來回，一天要走二十里路。

農忙時，幫著下田，除草、拾棉花、種豆樣樣得做，自家的田忙完了，還得去幫人家做，掙工資。

當他從田裡，看到上學的同學們，心裡難過極了。

總算運氣不錯，這一年田裡種的香瓜和西瓜，收成好，張志德幫著去賣瓜，家境好轉，父母讓他回學校讀書，這時他知道隨時有輟學的可能，因此努力用功，初小畢業時，得到的獎品是進入高小的所有課本。

然而，張志德被迫放棄了那份獎品，他沒有升入五年級，從此失學了。

家裡雖窮，甚至連過年敬神用的香燭都買不起，可是志德從沒聽到他父母向外人喊過窮。

「我母親心地很仁慈，見了比我家更窮的人，寧可省下自己的口糧，也會去接濟人家。」

日本軍閥擾亂不安的時期，志德家常受斷炊的威脅，他親眼看到母親把僅賸下的食糧，拿了一部分偷偷送給鄰居了。

母親樂於助人的慈悲心，深深地影響了他。

日軍姦殺擄掠，慘無人道，有血性的中國人組織游擊隊抗日，夜夜常有槍戰發生。有一晚，槍聲隆隆，張志德一家伏在桌子底下，上面用好幾條棉被蓋住防彈。

第二天，日軍拉了許多民伕清理戰場，游擊隊的屍首有幾十具。由於經常有人死於非命，村子裡到處鬧鬼，走夜路的人往往會看到武裝的軍隊迎面而來，一轉眼，卻消失不見了，嚇得婦女孩子一入夜，就不敢單獨出門。

汪精衛叛國，組織了和平軍，鄉間又多了一份負擔，老百姓被和平軍與游擊隊輪流徵糧徵草，像是蝗蟲過境，一批又一批。

「有一次到我家裡，一下子就把全部的柴草搬了去，我只好去撿些枯葉荒草，甚至挖草根，母親看我骨瘦零丁地夯著枯枝亂草回來，常常偷著擦拭她的眼睛。」

年長志德十來歲的二哥，年前到台灣來探望聖嚴法師，兄弟之間顧盼有幾分酷似，他回憶弟弟小時侯：

「家裡苦，弟弟撿了幾個哥哥穿過的舊衣服穿，從不抱怨，也不多說話，喜歡一個人，他有他自己的想法，比較孤單。」

二哥張志明先生記得小弟從小愛讀書，他自己到上海當學徒，賺了工錢也會買書給弟弟。

和生命中的威脅接近

除去天災人禍肆虐，張志德的童年也不乏農家田園生活情趣，他家屋前屋後有兩條小河溝，春天他坐在洗澡盆裡，採河中的菱角，夏天跳入水中戲游，在河邊種桃樹。

張志德的工作是負責養家中的雞鴨，他拎著竹籃到河邊田頭割草餵羊、餵鴨子。有一種叫馬蘭頭的野草，春天來時在河畔抽長，志德割了回家，捨不得飼豬餵羊，讓姊姊炒熟當野菜佳餚。

每年端午節之前，他就跟著母親及二姊，採摘河邊的蘆葦葉，一片片地重疊成捆，載到市集去賣，換幾文錢買斤把鹽回家，貼補家用。

母親下田耕作，他就坐在田埂上的蠶豆稭下，聞著紫色漂亮的蠶豆花的香氣，聽它們的對話。秋天原野一大片黃色的油菜花怒放，小麥也到抽穗時節，放眼看去，金黃與翠綠相互交映，美得不可思議！

一次父親帶著他經過一條河邊，驚動了一群鴨子，牠們紛紛下了河，往對岸游去。父親指著河

中的鴨子說：

「孩子，看到那群鴨子嗎？牠們在河中游水，大鴨游出大路，小鴨游出小路，不論大鴨小鴨，大路小路，都能游過河，如果自己不游，就沒有路，也過不了河。」

父親告訴他：做人也一樣，不管才能大小，不論地位高低，只要盡心盡力，總會走出一條路來，不要羨慕別人，也不要小看自己。

張志德把這些話當做他一生的警語。

鄉野自然界物競天擇的現象，開啓了他對生命的沉思。十歲那年，一次水災過後的稻田裡，張志德看到一條長長的水蛇，正在追逐一隻半個手掌大的青蛙，跳著逃命的青蛙，突然間停了下來，轉過身，對著也停下來的水蛇，然後，一跳一躍地過去，讓水蛇把牠給一口吞了下去。

「我在一旁看到，有一股衝動，想拿起一隻桿子打蛇。」

念頭一轉，爲了救青蛙，搶走水蛇口中的食物，這樣對嗎？結果張志德放下手中的桿子，眼睜睜地看著青蛙被吞到水蛇的肚子裡，蛇與蛙融在一起，合爲一個生命。如果我是青蛙，志德自問：我現在是在何處？

青蛙顯然很怕水蛇，爲什麼不急著逃走？

十歲的孩子困惑著。

另有一次是他親身的經驗，下田時走過一段獨木橋，橋下溪中有兩隻水牛在泡水，他經過時，其中有一隻突然站了起來，牠的頭突出獨木橋，噴了他一身水，嚇得志德僵立在橋中央，一個不留神，竟然人跌到水牛頭上，幸虧哥哥看到，上前一把拉走他。

意外過後，他想，自己最怕水牛，當時非但不逃開，反而接近牠，才因害怕而跌了下去。

「我和青蛙一樣，對生命中的威脅，雖是害怕，反而愈去接近。」

十歲的張志德開始想到死亡。

由於母親是村子裡觀音會的成員，張志德從小接觸到民間信仰，每年一度的觀音法會輪到張家舉行，信徒們拜佛念觀世音聖號，令他心生歡喜。法會結束

張家港

後，志德拿了一張白紙，畫一尊佛像貼在牆上，雙手合十地念起佛來。

從小他從母親那兒聽來的神蹟故事，無不圍繞著長江北岸的佛教聖地——南通狼山的廣教寺。

狼山與江南常熟的福山隔著長江遙遙相對，廣教寺是蘇北信眾的朝聖之處，終年香火鼎盛。天晴的日子，志德站在長江岸邊眺望，北岸南通聳立的五座山的山影清晰可見。當中靈峰獨秀的那座，便是五山之首的狼山，山勢陡峭險峻，露出綠樹叢中的巖石，在陽光下閃爍著一種紫色的光，整座山的形狀像一隻狼，狼山因此而得名。

狼山的神話，志德最愛聽的是：幽靜的古木深處，有一個少為世人知的山洞，洞裡坐著十八尊金羅漢，十八尊銀羅漢，十八尊銅羅漢，十八尊石羅漢，還有十八隻狼。見到金羅漢的人，會得到好運，如果貪心起了妄想，把十八尊金羅漢據為己有，搶回家去，結果羅漢會變成十八隻兇猛的狼，把全家吃掉。

他還聽說古時候狼山整座山都被狼群所盤據，到了唐朝，從西域泗國來了一位高僧僧伽大師，他雲遊到狼山，看山勢靈秀，有意在此落腳，於是向狼王情商，借一席之地打坐修行。

狼王以為僅區區一小塊地，便慨然允諾。沒想到僧伽大師顯現神通，披衣一展，竟然舖蓋了整座山。狼王敬畏之餘，率領狼群下山渡江而去，從此江北不再有狼。

僧伽大師在世時常顯靈異，曾示現十一面觀音相，被指為觀音菩薩的化身，他也被認為是大勢

至菩薩，唐中宗皇帝尊崇僧伽大師爲國師，封號「大聖國師王菩薩。」

狼山的大聖菩薩顯靈的故事，最爲蘇北信眾津津樂道的，是有關一個推獨輪車的車伕，碰到一個既臭又髒的和尚要坐他的車到狼山，好心的車伕可憐和尚，把他送到山腳下，和尚脫下一隻破鞋交給車伕，要他憑鞋上山去拿車錢。車伕心想，既然已經到了山腳下，應該上去拜拜大聖菩薩，於是帶著和尚的破鞋上山，當他見到大聖菩薩的像，奇蹟出現了，手上的破鞋變成了金鞋。車伕壯著膽子仰望聖容，發現與那個坐他車的和尚面龐一模一樣，這才知道是菩薩顯了靈。

包括張志德的家人在內，大家都相信狼山大聖菩薩有求必應，聽說不管住得多遠，有人病了，只要點燃香燭，向狼山的方向祈求，取些香灰，沖了開水，一喝就好。遭遇到任何危難，祈求大聖，便可逢凶化吉。船隻在長江碰到了海難，只要求菩薩保佑，必可平安。

每年夏冬兩季，蘇北各地的信眾到狼山朝聖進香的，一隊隊背著香袋，手敲木魚，口念聖號的香火客，絡繹不絕地前來朝山。

第二章

狼山出家

出家廣教寺

去年（一九九九）十月，聖嚴法師剛剛抵達紐約上州的象岡道場，獲悉他十四歲出家的狼山廣教寺的育枚長老圓寂的消息，法師本來約好要在長老九十歲生日時，專程回狼山拜壽，沒料距離長老壽辰前兩個月，他就捨報了。

古稀之年的聖嚴法師，收到訃告，也不管剛從台北飛抵紐約長程旅途的勞累，隔天，摒除萬緣，一氣呵成地完成了一篇長文，追悼感念恩師：

……育枚長老在我生命中，是相當重要的恩人之一，如果不是他鼓勵我狼山的師長——貫通及朗慧二位老人說：「法聚庵也應該培養個把小和尚讀書」，恐怕我只有在滬西的大聖寺趕經懺的份；如果不是育枚長老正好擔任靜安寺佛學院的教務主任，憑我當時的程度是無法成為該院學僧的。

回憶往事，已然年邁的聖嚴法師，猶是不勝唏噓。

中共文化大革命結束後，開始了對外開放，聖嚴法師曾經從美國寫信給狼山的貫通、蓮塘兩位

師祖、師父，狼山的住持育枚方丈因文革期間慘遭批鬥，餘悸猶存，不敢回法師的信，但托回大陸的人帶口信到紐約東初禪寺，希望聖嚴法師回到狼山廣教寺，探看劫後餘生的師祖、長老們。

「盼望在遷化之前，能夠再見一面。」信中如此懇切的祈求。

台灣開放大陸探親政策的隔年，法師如願以償，帶著三位弟子，回到一別四十多年魂繫夢縈的出家之處。

一到狼山腳下，法師迫不及待地鑽出車子，擅長攝影的他舉起相機，從各個不同的角度把狼山納入鏡頭，一面將每一個景、每一面山巖與他夢魂中的記憶逐一對照。相機的快門不停地按著，婆娑的淚眼使得鏡頭外的景色漸漸模糊了……

攝於狼山廣教寺前

擦拭濡濕的眼角，法師放下相機，赫然發現周遭的風情已然面目全非。他出家時沿街幾十家香燭店，全都不見了蹤跡，卻換上一條新開鑿的小河，岸邊桃花開得正燦爛。昔日香客從四面八方來進香的這個佛教聖地，在無神論的中共政權統治下，已然淪爲供遊客買門票遊覽的公園。

法師夾在觀光客的人潮中，悵然若失地逐級走在狼山的登山道上。

一步一石階往上走著，時光倒流，那年他十四歲，也是同樣沿著這條登山道，一步步上了狼山。

民國三十二年（一九四三）一個秋高氣爽的午後，張志德揮淚拜別了父母，跟隨姓戴的鄰居搭帆船，從江南的任家港渡過長江，來到南通的狼山出家。

一場雨造就了他出家的機緣。

夏日的午後，牛蠅粗的大雨，傾盆而下，鄰居戴漢清到他張家港的家躲雨。等待雨停的間隙，隨口與張志德的母親閒聊，也順便問他將來想做什麼？

十三歲的張志德默然不作聲。當時讀小學四年級的他，又一次因家中年成歉收而輟學在家。好學不倦的張志德失去了上學的機會，令他滿腹委屈，對未來更是一片茫然。

倒是做母親的嘆了一口氣說：「這孩子投錯了人家，身子單薄，讀書倒是很用功，可惜我們栽

培不起。看樣子，只有去當和尚了！」

最後一句話，觸動了戴漢清。他老家在南通狼山腳下，與山上的和尚相熟，正巧狼山廣教寺的方丈囑咐他到江南物色個小和尚。

姓戴的於是追問道：「讓這孩子當和尚，您捨得？」

張志德的母親不加考慮，隨口回答：

「有什麼捨不得，但也要孩子自己甘願啦，保康，你想當和尚嗎？」

做兒子的不假思索地說：

「當然想做。」

原以爲只是一句玩笑話，沒料得到如此認眞的反應，母親一時愣住了。

戴漢清一旁察顏觀色，意識到機不可失，說起狼山出家的諸般好處：比如不必做苦力，連掃地抹桌子都可免，除了佛前照應香火，便是念書、念課誦。

母親聽了，果眞把兒子的生辰八字開好，讓姓戴的送去狼山給山上的方丈在佛前請示。

「我的父母並不把我出家的事當眞，」志德卻把它當成一大喜事：「天天希望著好消息的來臨。」

張志德眞的如願以償，上狼山出家了。從山門極目往上看，參天古木綠葉叢中，巍峨的廟宇大

殿一座座沿著山麓一路築建上去，雄偉的氣勢令十四歲的張志德又是懾伏又是嚮往。

狼山眞正的開山祖師是宋代的知幻禪師。他俗姓田，還是個進士，因讀《楞嚴經》而有所感悟，慨嘆人世榮華終不如無爲長久，於是盡棄所愛，落髮爲僧。北宋太平年間，有高僧率眾，請知幻禪師到狼山主持廣教禪院，傳臨濟宗的法脈。

知幻禪師主持狼山期間，爲僧伽大師在山頂造塔，又築建大雄殿、藏經殿、大悲殿、輪藏殿等。隨著時代變遷，沿著狼山山坡陸續增建了關神廟、靈官殿、文昌殿，混入了民間信仰，香火愈來愈盛。

那一天，十四歲的張志德，隨著姓戴的鄰居上山，一過山門，看到供奉釋迦牟尼佛的大殿外，一個小沙彌在撞幽冥鐘，他梳著瀏海頭，身穿長領寬襬的和尚衣，張志德恨不得自己也能立刻改裝，和他一樣打扮。

進入大雄寶殿，張志德從沒見過這麼大的佛像，即使是站在大殿前，也得仰起頭來，才看得見佛面，志德不由自主地雙手合十，恭恭敬敬地拜了下去。

走過藏經樓，向上是幻公塔，來到山頂的大聖菩薩正殿，殿內供奉身披龍袍、頭戴五佛冠的僧伽大師坐像，正前方矗立橙黃的琉璃銅瓦寶塔，金色的塔頂在陽光下閃閃發光，輝煌一片，從鄉下貧窮的農村，張志德一下到了佛教聖地，眞以爲上了天堂。

「狼山給我的第一個印象，是山好高、人好多、香火好盛，和尚們也就很忙。」

四十年後，聖嚴法師舊地重遊。靈官殿已然不見靈官像，原本是念佛堂的萃景樓，現在被改爲貴賓接待室，大雄寶殿本來供奉的釋迦巨佛，他出家上狼山那天第一尊跪拜的佛像，連同廟內的海島觀音、十八羅漢，都已經不知去向，徒賸空盪盪的大殿。大聖殿後本有的文昌殿，被電訊單位所建發射台的天線柱佔用，杜子比支雲塔還高出許多，喧賓奪主，聖嚴法師看了，感到無比的刺眼。

夾在觀光客的人潮中，聖嚴法師遊魂似的踽踽走著，毫無回家的感

「育枚長老在我生命中，是相當重要的恩人之一……」

覺。

「到了山頂，我被引至供著觀音像的偏殿，發現觀音像右側供著上中下三排黃紙牌位，我不等別人說明，已知道是什麼地方。」

這位別後多年，白了頭的狼山法聚庵弟子，在師祖貫通、師公朗慧、師父蓮塘的牌位前老淚縱橫，跪下地連連三拜。他只恨來得太晚了，來不及報答恩師們栽培的大恩大德，而只能默默地對著三個牌位念佛。

文革期間，貫通老人還俗，到工廠做工，最後回到狼山往生，朗慧老人的遭遇更為悽慘，他被中共以抗議共產黨的罪名，送到新疆勞改，結果死於該地。當年剃度法師，給了他常進法名的蓮塘老人，臨老病後才被找回狼山捨壽。

聖嚴法師見到了七十九歲的住持育枚長老，他患著嚴重的腳疾，寸步難行，和法師敘舊時，老人還提及當年解放軍曾經上山詢查常進的下落，幸虧法師到了台灣二度改名，親人也以為他早已死於戰亂，才沒有連累狼山的師長。

隨著國民黨軍隊逃難到台灣的沙彌常進，有好長一段時間，夜夜為惡夢所苦。他夢見回到殿宇猶在而人已全非的狼山，四周都是穿著人民裝的俗人，一見到他，便大叫：捉拿奸細，常進總是在奔逃或受審之際，驚醒過來。

文革破四舊，狼山的經像、法物、寺院遭到前所未有的破壞，大聖菩薩被紅衛兵抬下山來，在南通城裡遊街公審。十年浩劫過後，被趕下山強迫還俗的僧侶們，才又重新穿回僧服，由育枚長老出任住持。

回到山上，目睹荒廢失修、滿目瘡痍的殿宇，僧侶們無不心痛神傷。狼山原有七個房頭，也只賸下三房的建築，連育枚長老出家的白衣庵也已不見蹤影。

「開放後上山來，寺裡頭空無一物，連雙碗筷都沒有，要吃飯還得下山去借，也沒有床，大家一起睡地舖。」

育枚老人執著聖嚴法師的手，敘述重回狼山的那段辛酸史，仍不禁老淚縱橫。

聖嚴法師當年出家的法聚庵，可幸沒被拆除，房舍依然，重新整修後，卻已經改名爲「紫琅園」素菜館。從前他習誦、朝暮課誦的新、舊佛堂，現在是食堂的販賣部，原來的住持寮，變成了大餐廳，法師當年住的小廂房，門窗緊閉，闃然無人，內側原本立了座法聚庵的祖師塔，也被拆除了。

千里迢迢回來尋根訪舊的聖嚴法師，佇立蔓草叢生、荒蕪零亂的後院，面對這一片滄桑，心痛如絞。撫著院中看似別來無恙的老銀杏，回憶四十多年前，當他還是沙彌常進，在法聚庵後院蒔花澆水、種菜的時日，頗有隔世之感。

一模一樣的柳枝

狼山廣教寺雖屬宋代臨濟宗派下，到了明清，卻變成為子孫世代繼承的子孫廟，而非十方寺院。清末得狀元的南通聞人張季直，曾於民國九年請太虛大師到狼山講〈普門品〉，有意整頓道場，把子孫承繼的寺院改回十方禪林，可惜未竟成功。

民國三十二年，常進出家時，狼山一共有七個房頭，法聚庵是其中之一，各個房頭經濟各自獨立，唯恐子孫接任住持時發生糾紛，向來都是單傳，一個師父只許收一個徒弟，如果同時收兩個小和尚，則以先進山門者為師，後來者為徒弟。

常進出家時，大他一歲的師父雖未上山，但年齡大了他一歲，也因為他是師祖俗家的親戚，所以人沒上山，便已成為常進的小師父。後來小師父上山當了半年和尚，就被母親勸回去與喪夫的嫂子成婚，師祖貫通於是為常進收了一個弟子。

每日除了在佛堂早晚課誦，撞鐘擊鼓，常進小沙彌的工作一樣也少不得，每天打掃庭院、清理廚廁、燒飯、為老僧們洗衣服、倒夜壺，閒時還得在後院蒔花種菜。

上山沒多久，一次舉行法會，師父命常進到山下河邊採三支一模一樣的柳枝，每一支必須有三片葉子。他去採了回來，師父卻搖搖頭，說：

「它們不是一個模樣。」

師父命常進再去尋找，如此河邊來回好幾趟，他所採的柳枝仍然是不符合師父的要求。

「看，這支葉子一片大，一片小，兩支枝幹也不一樣！」

最後一次到河邊尋尋覓覓，常進差點失足掉到水裡去，最後還是只好空手而回，準備接受師父的懲罰。出乎意料之外的，師父非但沒責怪他，反而告訴他：

「世界上沒有兩種東西是完全相同的，所有的東西無不都是同中有異、異中有同。」

常進小沙彌聽了這番似乎含有哲理的話語，似懂非懂。

師父吩咐他照料摘來的柳枝，供明天法會上用。

隔天一看，柳枝乾枯了，他沒把它們放在水中。師父搖搖頭說：

「唉，這就是無常！」

法會過後，常進歪著頭思索，既然世界上沒有兩樣東西是一模一樣的，師父先叫他去找，找回來又說不一樣，會不會是他老人家用心良苦，有意借此點化他？

另有一事更令常進困惑不已：

上山出家第三個月，他被師祖叫去，質問他偷了多少香客的香油錢？狼山各個殿的廟，每座佛像前都設有賽錢箱，有些香客把鈔票扔在錢箱上面，或只塞進一半，這正是跟在一旁照料的小和尚

偷香錢的最好機會。

常進每次從正殿送香客，一路送到山門，看到扔在錢箱上面或塞進一半的香錢，也不免心動過，可是心中害怕，從來也不敢下手。

「如果你不說實話，明天就送你回家，你說你沒偷錢，也要送你回家。」

老和尚的話令常進十分難以捉摸：說謊，要送他回去；不偷錢，也要送他回去。小沙彌只好默不作聲。沒料老和尚轉而和顏悅色地對他說：「你不要怕，我看你很老實，是怕你香錢偷得太少了。我們狼山，除了香火，既不做經懺，也不容易找護法，常住也不發單銀，零用金靠自己，不偷一點香錢，靠什麼呢？」

經老和尚這麼一說，常進還是困惑不解，當和尚偷香錢是被長老默許的，這對嗎？

還有寺裡老和尚也看閒書。一向喜歡讀書的常進，偷偷讀起老和尚、居士們的藏書。

拜佛開啓智慧

「《水滸傳》、《西廂記》、《紅樓夢》看得是一知半解，《三國誌》、《隋唐演義》、《薛仁貴征東》、《薛丁山征西》、《羅通掃北》等通俗演義，卻讀得津津有味。」

當時以為讀的就是正史，不過，還是培養了以後對歷史的興趣。常進感激師祖們對他的栽培，

法聚庵原來的寮房，如今已成為倉庫

為他請了一位還俗的秀才，教他讀四書五經、老莊、易經，彌補他失學的缺憾。

另一位老師則是教他唱誦念經，當常進聽說宋代的永明延壽禪師向觀世音菩薩求智慧得智慧的故事，他聽了十分歡喜。故事是說：永明延壽禪師，在法華懺法二十一天，夢見觀世音菩薩以甘露灌頂，使他辯才無礙，而且終於寫出佛教史上不朽的名作《宗鏡錄》一百卷及《萬善同歸集》。常進自覺對觀世音菩薩特別有感應，他早晚拜二百拜，邊拜邊作觀想：觀世音大士手執楊枝，以甘露清涼淨水，灑在他的頭上。

果真觀世音菩薩回應了常進的祈請，幾個月不到他就把一本厚厚的《禪門日誦》背熟了。聽師父講《華嚴經．淨行品》中的「毘尼日用」諸偈，憑他小

學四年級的程度，居然也聽得懂，這使常進驚喜不已，同時也發現佛經是可以講的。

「佛經是可以講給大眾聽，可用佛教義理來度化世人，而不只是誦給亡靈做超度之用的。」

可惜狼山的僧侶沒有一位受尊崇的大德法師，能夠講經說法。小沙彌常進在當時便有一種不能自我控制的願望，他要盡己之所能，讀懂、讀通佛經，來日講經說法度人。

他終於實現了年少時發下的願心。如今，聖嚴法師名揚國際，集文學博士、宗教家、教育家、禪師於一身。

撫著法聚庵前院一株倖存的老銀杏，法師心念一轉，或許不必太爲昔時的僧院道場淪爲今日的素齋館，及祖廟祖塔被毀而如此黯然神傷吧，狼山廣教寺最早從無到有，後來又從有到無，已經歷劫無數次，他自己不也曾經眼看狼山由盛而衰，甚至走向敗亡，而體悟到世事的無常嗎？

佛陀早就說過「諸行無常，諸法無我」，三千大千世界，都逃不出成住壞空的四大過程。

當年出家後，母親想念她最鍾愛的小兒子，還特地過了江上狼山來探望，看兒子長高了，也胖了一些，心中很是歡喜。當她發現寺裡的伙食，比她想像中的要差很多，令這位窮人家的農婦大感詫異不解。

在她心目中，狼山是一座香火鼎盛的錢山，和尚個個是財神，兒子出家，就等於送他登天享福。做母親的哪裡料得到，狼山的氣勢早已走向下坡，兒子一上山就成了末代子孫。那時抗日戰爭

已到了末期，狼山的香火已然疏疏落落，常進趕上了日落前，夕陽迴光返照的瞬間光華景象。

雖然如此，比起他俗家的生活，還是好過些。所以母親在狼山住了一夜，還是高高興興地下山回去了。

香火一天不如一天。到了民國三十三年農曆新年，山上已經冷冷清清了。共產黨新四軍和日軍經常發生槍戰，人心惶惶。抗戰勝利後，恐怖的氣氛蔓延開來，山下附近的青年無緣無故失蹤，甚至不明不白地被暗殺了，幾乎每天晚上，常進在法聚庵的寮房，都可聽到悽厲的狗吠，和令人毛骨悚然的槍聲。

似乎大聖菩薩的化緣盡了，又要把山還給「狼」了。常進眼見狼山已被國民黨軍隊連番駐防，弄得只見軍隊不見香客，只見兵器不見法物，連門窗、桌椅都變成了軍眷的床鋪和伙房的柴火。

各房頭的出家人一個個往外走，只留下幾個老和尚、老道人留守道場。民國三十五年春天，常進跟著朗慧師父逃到上海，棲身於憶定盤路的大聖寺，那是法聚庵的下院。

屈指算算，從上山出家到離開，他在狼山前後才住不到兩年。狼山，畢竟又變成了狼的世界。

第二章 上海趕經懺、當學僧

趕經懺的日子

自從出家之後，沙彌常進極少想到俗家，回俗家探親的次數更是屈指可數，只有在母親病重時，被三哥帶著從上海又是坐火車又是坐船的趕回老家鄉下，沒想到那會是與母親最後一次相見。母親去世後兩個多月，他才在上海聽到噩耗，立刻決定回鄉哀悼祭拜亡母，從上海坐火車到無錫，發現共產黨的新四軍已經佔據了他的家鄉，內港沒有船，公路也不通汽車，不得已常進被迫折回上海。

回俗家的路就此斷了。

隨著軍隊撤退到台灣後，他常在夢裡回到了俗家，夢中遠遠地見了親人的身影，竟然不敢走進家門，驀地有親人看見了他，卻不敢上前和他相認，甚至還用眼色示意他趕快逃走，他正拔腳要走，卻被共軍逮個正著，敲鑼打鼓大喊：

拿住一名國特，公審國特唷！

這是聖嚴法師的歸鄉夢。

踏上歸程，一圓多年歸鄉夢

一直到一九八五年，接到俗家姪兒張裕生寄到紐約東初禪寺的一封家書，離家多年的法師終於和大陸的親人聯繫上了。

當他們獲悉法師尚在人間，而且獲得博士學位，全家族人「不勝驚喜，竟夜難寐」。法師從信中知悉父親張選才患了骨髓癌，藥石罔效，於天翻地覆的文革期間去世。

姪兒在家書中寫道：

……慈祥的祖父在世時，與我等經常講起您因何出家，又是怎樣的聰明。一九五四年，祖父住的小岸上的三間茅屋遭回祿，他老人家別的不搶，只搶您留下的兩箱子書，結果因門狹、箱大終未

搬出，他自己卻被燒得滿頭水泡，數月乃癒……祖父在彌留之際，仍不住的叨唸：「不知保康在不在了，保康哪裡去了？」現在好了，我們可以告慰祖父在天之靈，他的小兒子安然無恙。

在父母墳前哀悼

聖嚴法師握著家鄉親人寄來的家書，淒然落淚。茅屋失火，父親別的不搶，只搶救他的那兩箱子的書，只因那是生死下落不明的小兒子唯一留下的憑藉，做父親的拚了命也要去搶救。

俗家的哥哥們說：能得見他一下，是此生最大滿足。

法師淚眼朦朧地端詳老哥哥們的近照，努力捕捉記憶中的印象，依稀似曾相識，卻又感到陌生，畢竟他離家太久了。

對著照片，法師心中懷念珍惜的並非毀於祝融的那兩箱子書，而是箱子裡父母和他童年時的照片，特別是鍾愛他的母親的遺照。

接獲家書後的第三年，法師回到了上海。見到久別的親人，第一個被他認出的是二哥，當他用上海話叫了一聲「貳阿哥」，使做哥哥的高興得老淚縱橫。接下來，他被涕泗滂沱的大哥抱住，也見過枯瘦的三哥。

多年來，法師為父母及俗家親人該流的淚，早已流乾了，未見面之前，他已有不陪他們相擁飲泣的心理準備。然而，當他默默地聽著親人們遭逢的變故，尤其是聽到大姊臨終前，還念念不忘失蹤三十多年的小兄弟，法師兩眼不由自主的模糊了起來，又是酸淚連連。

他跟俗家三代親人說：他帶回來最好的禮物，不是物質，而是佛法。希望五、六十個族人，因法師回來，都開始信佛、念佛，而且以「聖嚴法師」來稱呼他。

法師回上海，一天從龍華寺驅車造訪圓瑛老法師創立的道場——圓明講堂，車子經過江蘇路，原名愷定盤路，法師心中一動，狼山在上海的下院大聖寺就在這條路上。他心裡有一股衝動，想停車在巷口下來看看。

陪同的人員漠然地說：「沒有什麼好看的，那是一個工廠。」

法師拉下車窗，望著窗外巷口的車道，心中很是惆悵，又感到無限悽然。當年他還是小沙彌常進，單薄的身子雜在師父們之中，天天出堂做佛事、趕經懺，不分晝夜地穿梭往返於大聖寺與殯儀館之間，沒日沒夜地在這巷口、街道轉進轉出，其間的辛酸痛苦，簡直太不堪回首了。

狼山在上海的下院大聖寺，是抗戰期間由一班在上海經商的南通人發心籌建的，聘請常進的曾師祖貫通老人擔任住持。當狼山的廣教寺重爲狼群佔據之後，山上的僧侶倉皇逃離，常進隨著朗慧老人來到憶定盤路的大聖寺，投靠貫通老人。

滬西的大聖寺，重疊建起的一座大殿，以及一座既高又大的天王殿，比三層樓還高，共分三大間，當中供奉彌勒與韋陀，兩邊兩間可容納二、三十桌的筵席，正殿兩側有兩排廂房，供十幾個人住宿。

大聖寺是一個純粹以經懺來謀生的道場，剛一住下，對經懺還一無所知的常進，就被當家的曾師祖貫通老人叫著跟著師父們到施主家裡消災祈福，爲亡靈超薦誦經、拜懺、放焰口。

常進說他還不會，要曾師祖教會了再去。

「我哪來這個閒空，哪家趕經懺的小和尚不是跟著大家拖出來的！」

貫通老人振振有詞地說。

上圖：與俗家三位哥哥在上海龍華寺

下圖：在上海圓明講堂與方丈明暘法師及俗家族人合影

常進雖然出了家，卻尚未改裝穿上僧服。他拉拉身上那件補了又補的俗服，反問貫通老人：

「我這個樣子，齋主會讓我去做佛事嗎？」

原來狼山有一個不成文的規定，小和尚落髮改裝時，應由俗家做全套的僧裝，還要俗家拿錢來辦素筵供養師長，大宴親友，慶祝一番。只可惜常進的俗家實在太窮，一直到他離開狼山到了上海，從來都沒有能力給他做一件新衣，更甭提爲他做僧服、擺素席宴請了。

貫通老人嘴裡唸著要爲他改裝，又捨不得花錢買布爲他做僧服，他叫常進不用擔心。

「鄰庵西方寺的小和尚，前幾年還只有一個桌面高，就把紅桌幃當衣用，披起來像模像樣的做佛事了。」

常進於是別無選擇地走入趕經懺，爲大聖寺牟利的行列了，每天在俗服外披上水紅色的麻布七衣，奔街走巷，馬不停蹄地過起經懺僧的生涯。

常進的父親不願讓兒子受太大的委屈，冒著斷糧挨餓的勇氣，賣掉了幾擔麥子，請鄉下的土裁縫，做了幾件僧裝的棉衣，親自送到上海來，才讓他改了裝。這還是後來的事。

大聖寺的佛事，隨著抗戰勝利，市面恢復繁榮，漸漸做出了名，除了到寺裡來做的，也有到齋主家中去做的，遠到江灣、青蒲等地都去，殯儀館的佛事也增加了好幾家。本來除了貫通老人，誰也不會趕經懺，在現實生活的壓迫下，常進的師父、師公、太師祖，以及他和他的徒弟也學會了經

懺。大聖寺加起來一共不過八、九個和尚，佛事一多，用一堂的人做兩家以上的佛事，叫做「翻堂」。

「這一家念完一卷經，馬上趕到另一家去，然後又趕回來，接續剛才的念，」聖嚴法師解釋：「或者在寺裡與殯儀館之間的兩個乃至三個廳之間『翻堂』。近的靠兩條腿，遠的也捨不得坐小汽車，怕賠了老本。」

也不知哪來的力氣，不論天寒地凍、積雪三尺、狂風暴雨，常進跟著師父們，有求必應天天趕進趕出，白天翻了三個堂，晚上又要放燄口，下台已經是十點多鐘，拖著兩條腿回寺，正想倒頭睡覺，偏偏又接到殯儀館的臨時通知，要和尚繫念伴屍，別家殯儀館也來了電話，於是，夜裏也得翻堂。

實在是疲累不堪，常進在繫念台上，往往白了一段，就昏昏沉沉的睡了過去，旁邊的人推了他一把，朦朧睡眼中找不到下文。

「小和尚要跌下來啦！」

他經常在這樣的叫聲中驚醒過來。

可憐常進自幼病弱，十五、六歲發育期間，過的是這種苦不堪言的日子。

「如果我告訴母親，相信她一定會勸我還俗，種田再苦，也不致有這樣的苦。」

然而，好勝心強的他，絕口不向俗家親人吐露他的苦楚。一到農曆七月，一家又一家，一處又一處地疲於奔命地趕經懺，差點沒把他累死。

仰人佈食的生涯，除了透支體力，心裏所受的委屈，更是無處傾訴。常進學會了一般佛事，從未想到要專門拜師學習那些花式吹打演唱。有一次，一邊敲敲打打，一邊以陣式隊形穿插變化的表演，臨時缺了一個人，硬把他拉進去湊數，結果讓他出盡洋相，給旁邊看熱鬧的男女拍手取笑，當時常進恨不得地上有個洞。

又有一次齋主要和尚們唱曲，點他唱《小尼姑下山》，常進不會，拉拉扯扯、弄得大家沒趣，也著實傷了他的心。事後，貫通曾師祖還訓了他一頓，要他趕緊學唱曲。

佛事雖多，經懺僧的日子並不好過。一個和尚念一天經，還不如一個小工的工資，殯儀館的佛事，還得被帳房間扣去佣金，更可悲的是經懺僧憑著年紀輕，相貌嗓子好，會唱會念會演，受寺廟、齋主歡迎，但一過中年就乏人問津，老了如果沒有小廟可依，更是晚景悽涼。常進聽過常州天寧寺的老和尚說過，往往天亮後，山門一開，會看到出家人的屍體，趕了一輩子的經懺，死無葬身之處，只好到廟門口來死，希望天寧寺布施幾十斤柴，抬到化身窰裡燒掉。

經懺危害了數百年來的佛教，從清代乾嘉以來，民間以爲佛教除了經懺薦亡，別無其他。聖嚴法師回憶少年時代大聖寺趕經懺的辛酸時日，強調他並非反對經懺佛事，佛教本來具有祝生、度

亡、消災、祈福的功能，然而、僧尼如果僅以經懺做爲謀生的工具，寺院僅以經懺做爲牟利的行業，那就太罪過了。

兩年經懺趕下來，使常進這個小和尚，變成了老疲參。

最近聖嚴法師在台大演講，提到大聖寺的這段日子，他還說：「這是我生命中最黑暗的兩年，如果繼續下去，我不做和尚了。」

堅決無比的口氣，反映出早年趕經懺的生涯，是何等的痛苦不堪。

點香夜讀，讀出三界如火宅

常進在大聖寺趕經懺，後來進了靜安寺做學僧，還是沒離開經懺。上海的靜安寺，歷史極爲悠久，從三國的孫吳建寺以來，雖經歷代的戰亂重建，仍是上海最古老悠久的名剎。

大陸變色後，這座古剎的命運也一如滬西的大聖寺，被改成堆棧的倉庫。文革結束後不久，聖嚴法師曾趁著日本立正大學的同學到上海訪問時，請他特別到靜安寺探視，當時寺前還掛著倉庫的牌子，對外不開放。

一九八八年聖嚴法師回到上海探親時，靜安寺才重又恢復爲寺院，只是他早年當學僧，早、晚課誦及誦經拜懺的大殿已被燒毀，正在重建中。其他廳堂房舍，除了學僧寮已被拆掉之外，其餘仍

保存原貌，課堂則已變爲做佛事的往生堂，寺前路中的古井也被塡平，井邊的仿阿育王石柱，也不知去向。

法師舊地重回，來到靜安寺大院，眼前浮現他當學僧時，每天清晨由武術老師帶著同學們，比手畫腳地練拳的情景，眞是如幻似眞。

抗戰勝利後，靜安寺發生了十方派與子孫派的糾紛，最後十方派佔了上風，開始力圖改革整頓寺規，爲了爭取社會輿論的支持，民國三十五年秋天，靜安佛學院應運而生。

一向好學的沙彌常進聽到了這消息，心中開始打妄想，希望自己也能夠當學僧，再三請求師公讓他去讀書。貫通曾師祖以他程度不夠爲由拒絕了他，事實上是不肯放他走，不願大聖寺少了一個爲常住免費趕經懺的小和尚。

跟師父們跟了一些時候，常進除了不能戴毗盧帽和敲磬領單子，普通做佛事用的法器犍椎已經拿得起手了，除此之外，他還懂得掌管燄口台上的電器設備。如果放他走，無異是一大損失。

經過半年多不斷的爭取，狼山鄰庵的育枚法師也從旁再三鼓勵，勸說貫通老人應該送一個小和尚去讀書。

「讓法聚庵也有個出人頭地的人才！」

貫通老人終於被說服了。這時大聖寺又從南通帶來一個小和尚，常進便有了替身。

民國三十六年春天，常進離開大聖寺，到靜安寺佛學院當一名插班的學僧。為了應付插班考試，他的師公朗慧代他做了一篇短文，題目是「我的志願」。常進把它背得滾瓜爛熟去赴試，結果出的題目卻是「我對佛教將來的看法」。

這下子糟了。常進天天趕經懺，連一個佛字，還不懂解釋，哪能看到佛教的將來呢！幸虧擔任靜安佛學院教務主任的育枚法師慈悲，通過了考試。

入學後，他是班上最小的學生，實足年紀還不滿十七歲。最初幾個月，常進在課堂上如坐針氈，天天打算退學，程度不夠，加上聽不懂教師們的方言。

「南亭法師的泰州話，白聖法師的湖北話，聽得我一頭霧水。」

憑小學四年級的學歷，勉勉強強應付國文、英文、數學，對大學程度的佛學可就不知從何下手了。

「圓明法師講八識規矩頌，聽得我如入五里霧中。」

廟院傳統式的師徒相傳，不求理解的教學方式也令他納悶而無所適從。

「沒有人告訴我們，在印度的大乘佛教，有中觀、唯識、如來藏等三大系統，〈八識規矩頌〉的唯識思想，和《大乘起信論》的如來藏思想，究竟有什麼不同之處？中國的大乘佛教，有八大宗派：律、法相、三論、天台、華嚴、淨土、禪、密，它們之間又有什麼相異之點？」

聖嚴法師回述靜安佛學院的這一段學思歷程。

「爲什麼同樣是發源於印度的釋迦牟尼佛，竟然會出現了這麼多不同的觀點？究竟誰前誰後？孰高孰低？」

畢竟常進是爲求學而來的。他用心的博聞強記，聽不懂教師們的方言，他抄黑板、向同學借筆記，也努力嘗試爲困惑他的佛學問題理出一條思路，可惜限於認識，依然不解經典奧義，對此，法師有一妙喻……

我只知道有幾粒桃子長在哪棵桃樹上，光欣賞桃子的形狀、色澤，卻沒有嚐過它的滋味。

雖然如此，常進每學期考試成績，都在五、六名之前。現爲桃園「佛緣講堂」的守成長老，是當年靜安佛學院的教師，雖然事隔多年，對常進當學僧時的模樣卻印象深刻：

「他年紀最小，長得很莊嚴，很聰明，功課進步很快，總是在人前面，」守成長老形容常進：「人並不木訥，也不多講話，身體不很瘦，後來當了兵，才瘦了的。」

年長聖嚴法師十歲的仁俊長老，曾經任教靜安佛學院，教的是國文。回憶陳年舊事，禁不住感嘆：

「那是半個世紀以前的事了，當時學生很多，記得他很用功。」

這一對師生之緣始於上海，而延續至今。聖嚴法師回台期間，紐約東初禪寺講經弘法的重任，由仁俊長老慨然承擔。

學僧們上課之外，還是離不開經懺佛事，佛學院的開支教育費是靠著佛事的收入來維持。靜安寺的另一項收益是農曆四月初八的佛誕節，打從初七到初九，前來敬香還願，看熱鬧的，簡直人山人海，靜安寺在這廟會香期出租攤販的位置，是一筆可觀的收入。

趕經懺做佛事的學僧，每個月都可分到單銀，當時常進一個月到手的，只能買到三、四條的固本牌肥皂，想買一部《辭海》，得積蓄好幾個月，要添一件長衫，幾乎得等上半年。不過，比起南京、上海其他佛學院，靜安寺學僧的生活算是得天獨厚，天天都有四菜一湯，也常有信眾來打羅漢齋與豆腐齋。

一有空閒，喜歡閱讀的常進，從《小說日報》、《新月》雜誌上讀魯迅、巴金、茅盾、冰心……的小說。

「翻譯小說像高爾基的《初戀》、歌德的《少年維特之煩惱》，也偷偷地讀，結果挨了訓導主任的揍，小和尚怎麼還看《初戀》？」

朗朗笑聲中，躲在被窩偷看小說的往事，歷歷如在眼前：

「……把被窩的空間弄大一些，手裏拿著一根香，逐字讀下去，線香的光線很微弱，古人鑿壁偷光也比點香還亮！」

饒是光線不足，香火繚繞薰得被窩裡的他淚眼婆娑，法師還是一個字一個字往下看。除了正逢求知若渴的年歲，總會另有支撐他好讀不倦的力量吧？

「興趣。」法師不假思索的回答。「被故事情節吸引著往下看，章回小說不是有『欲知後事如何，且看下回分解』嗎？就這樣一路看下去嘍！當然，挨揍是難免的！」

重讀《紅樓》、《西廂》，體味自是不同。

畢竟法師天賦異稟，不具凡骨，雖然讀遍情痴愛恨的中外言情小說，又正值容易身陷沉迷的年紀，點香夜讀，卻讓他讀出了三界如火宅。閱遍滿紙通篇的辛酸淚，字裡行間躍現的只有塵世苦海。法師透過小說來看人世眾生相，經由故事人物，體悟了生命的浮沉，人世的虛幻無常。

「覺得世間很苦，愛得很辛苦，很可憐，維特最後還自殺！」

倘若沒經歷年少閱讀文學的因緣，對他往後求道證悟普度眾生，是否會有差別？

「沒有絕對的關係。不看那麼多文學作品，只從佛學入手，觀察人世間，悲天憫人的心一樣會出現。」

聖嚴法師承認涉獵文藝作品，對他往後寫作及表達方式，「特別是通俗的說法，運用比喻、說

故事來宣揚佛法，深入淺出幫忙不小。」

經由小說閱讀，也敏銳了法師的思考，訓練了他對人世間無微不至的觀察力。民國三十七年元月，靜安寺的學僧創刊發行《學僧天地》，一共出了六期，常進發表了三篇短文。

未來何去何從？

遺憾的是，這一種值得追憶的日子並沒能維持下去。隨著愈來愈動盪的時局，學僧們的情緒也跟著浮動不安，人人都為未來的前途而憂心。他們知道即使佛學院畢業了，在這動亂的時代，也沒有機會當講經說法的法師，以後社會變了，也不見得容許出家人趕經懺為生。

常進的同學，開始還俗的還俗，有的乾脆去工廠做工，有一個畢業生拿到畢業證書時，竟當場撕毀，第二天，捲起舖蓋當兵去了。

前途茫茫，究竟對將來有什麼打算？這一個念頭早在太虛大師圓寂，從玉佛寺送遺體到海潮寺火化回去的路上，常進就已經想到。太虛大師為僧伽教育奔走一生，當他捨報之時，還是看不到一絲值得樂觀的希望。出家人該怎麼辦？

常進為自己未來的何去何從而苦惱著。

民國三十七年下半年後，國民黨軍大勢已去。佛學院的長老教師們，一個個乘船搭飛機坐火車

離開上海。一向有上海的地痞流氓與他作對的白聖法師，自知如果不及時走，共產黨得勢後，勢必死路一條。他帶著妙然法師先到台灣，頂下台北的十普寺，做爲後退之路。

就在這亂紛紛的時刻，常進聽到母親在鄉下病危的消息，他向學校請了假，跟著來接他的三哥氣急敗壞的連夜趕回家鄉。第一次坐上京滬線的火車，到了無錫又換了內港航行的小火輪，趕到家門已是午夜時分。

夜色深沉，俗家的四周，除了唧唧的蟲鳴聲，寧靜得令他感到恐怖，常進一心念著佛號，祈請佛菩薩保佑，但願沒有不幸的事等著他。放開喉嚨喊了三聲，父親才來應門，說母親天天念著她的小兒子。

「……你們娘已經盼望好幾天了，她說今晚你一定能夠到家，一直沒睡著等你，剛才我沒聽到叫門，還是你們娘把我推醒的哩！」

感謝佛菩薩，母親還能見到他，昏黃的油燈光中，看見母親水腫得像小山的大肚皮，襯托著那張焦黃、乾癟的臉龐，常進忍不住淚，暗暗地飲泣，怕病人傷心。

做兒子的想不出話來安慰床上的母親，倒是病人反過來安慰他，說是已經找到了治水腫的秘方，吃了些時日就會好；又說早知道這兩天精神好多了，就不會讓三哥急急忙忙把他帶回家。

「……生病等於享福，我一生難得休息十天半月的，這一來，倒可安安靜靜什麼事都不用做了，

只是辛苦了你們爹……」

母親的病這麼沉重，始終沒爲自己擔憂，反倒體惜她的兒女，體惜她兒女的父親。

一直到現在，聖嚴法師回憶當時的情景，仍是泫然欲泣。

天天陪在病塌旁，常進聽母親說了好些童年往事，做兒子的笑，母親也笑，他勸她念佛，母親回答念了很久了，拿過常進那串玻璃念珠，不斷的數。

住了半個月，母親不希望小兒子離去，卻又矛盾地天天問他爲什麼還不走。

回上海兩個月後，二哥告訴他喪母的噩耗。哥哥們已經把後事料理妥當，因爲遵照母親遺命，沒有通知常進回鄉奔喪，一則顧慮他的學業，再則顧慮路上太亂。

然而，常進深深的抱怨，家裡爲什麼連信也不給他一封？可憐他連母親的忌日是哪一天都不知道啊！

最後一次回俗家，是在民國三十七年的秋天。

母親去世後，常進心中已無牽掛。佛學院的教師守成法師平常很愛護照顧他，爲此還惹來同學們的嫉妒，說是常進要認他做乾師父。

時局繼續惡化，守成法師離開了上海。

「我到了台灣，寄了兩封信給他，要幫他辦理入境手續，他回信說沒錢買船票，來不了，」桃園

「佛緣講堂」的守成長老搖搖頭：「我答應幫他，他很固執，不讓我幫。」

那時候一張船票漲到二十五個大頭，對常進而言是筆天文數字。愛讀書的他，把每個月作佛事的幾個單銀，都用到舊書攤買書去了。

「當時，我的全部財產是兩箱子書，當做廢紙拍賣，人家也嫌沒有地方來堆哩！」聖嚴法師苦澀地笑。

回滬西大聖寺向師公與曾師祖開口，他們卻說：「這個年頭，往哪裡逃也是一樣，如果靜安寺解散了，你可以回來住。」

共黨份子在上海罷課、遊行、請願、鬧學潮，國民政府保衛大上海的決心也相當堅定，上海的市民凡是及齡的壯丁都必須接受軍事教育，常進是靜安寺學僧中第一批被訓練中的一個。

時局已經緊得不能再緊，郊區國共內戰砲聲隆隆，傳到上海市民的耳裡，大家如臨大敵，在街頭巷尾堆起沙包，準備巷戰。

靜安寺的大門口懸掛著台灣新軍的生活照片，看起來一個個生龍活虎，朝氣蓬勃。本來佛學院的學生還在觀望，再說和尚當兵，總覺得不是辦法，然而，到了這個關頭，也顧不了許多，先後好幾個脫下僧服報名當青年志願軍，等船到台灣去。有一個同學鼓舞常進：

「你去當兵，我也去。」就這樣決定了。

臨離開前，他把比較重要的書籍，送到上海近郊曹家渡俗家哥哥處去。民國三十八年農曆新年一過，他俗家的親人多半逃難到上海，鄉下只剩常進的父親一個人。共產黨在鄉下鬧得天翻地覆，國軍又不時開了大隊人馬去清剿，老百姓都活不成了，他的家人親屬冒著生命的危險，晝伏夜行，忍飢耐餓，從家鄉走了半個多月才走到上海。

「可是，當我報名從軍的前夕，他們聽說共產黨對於自動還鄉的一律寬恕，否則，等到迫令還鄉，性命就難保了。」

五月間，常進離開上海時，俗家的人只剩下一向在上海擺豆漿攤的大哥。他把書留在那裡，請大哥代他向父親告別，說他去了台灣，還俗當了兵，請老人家保重。

依依不捨地告別師長、同學，常進很想痛痛快快地大哭一場，想到自己是去當兵，勉強忍住了。

「然而，當我乘著三輪車，帶著一捲極其簡單的行李，出了靜安寺的大門，回頭再看我那生活了兩年半的學僧天地，發現好幾個同學還在向我連連搖手時，我的眼淚再怎麼也忍不住了。」

第四章

十年軍旅生涯

脫下僧服換軍裝

「軍人給我的印象，從小就是不好的，我們鄉下只要軍隊一到，便會鬧得雞犬不寧，但我自己，竟又自動自發地當了兵。」

民國三十八年春天，國共內戰火併激烈，國民政府的軍隊節節敗退，終於撤離大陸，神州變天。列寧一句：宗教是人民的鴉片，使沙彌常進對共產黨不存絲毫幻想。眼看國軍雖然毀了他出家的狼山，但是還沒有用思想政策來取締宗教，直覺告訴他，應該跟著國民黨到台灣來。

「那個動亂的時代，我沒有信徒，也沒有錢買船票，也找不到資助，要到台灣唯一的辦法，就是從軍，跟著軍隊來。」

常進毅然跟著佛學院的了中法師，背了二十幾本書，帶著一捲簡單的行李，和幾套僧服，報名青年軍。

兵荒馬亂中，常進居然還背著書逃難，既然已經決定從軍，脫下僧裝換軍裝，為什麼還帶了幾套僧服？

「當時我還是抱著強烈的願望和信心，認為國軍到了台灣，重新整頓之後，一定很快就會反攻大陸，佛法重光，所以我把僧服帶著。」

從軍後，沙彌常進捨去出家的法名，改名軍人張採薇。典故來自商朝孤臣伯夷、叔齊，不肯吃周人送來的食物，寧願在首陽山下採野莞豆充飢，終至餓死。他要「張大」兩人「採薇」的忠義節操精神。

張採薇聽從招兵站軍官的建議，選擇了通信連。

「你們出家人當通信兵最適合了，出家人慈悲爲懷，不殺生，通信兵很少有機會拿槍直接殺人的！」

對一個昨天前還每日拜佛茹素，心存慈悲，主張戒殺放生的和尚，要他立刻成爲一個荷槍實彈的軍人，實在與佛教的信念大相違背，當通訊兵做軍中後勤工作，似乎是勉強折衷之道。

這年他二十歲。

從上海外灘的碼頭上了登陸艇，張採薇和他的同學搭了極可能是從上海開出的最後一艘輪船。兩天的航程，一團新兵中，混著從北方南下集體從軍的女流亡學生，和一些據說是戰場中撿到的年輕女人，一起擠在貨船改造的船上。

這些女人平日的矜持與羞恥心，在殘酷的戰亂中蕩然無存。張採薇眼見她們把暈船嘔吐弄髒的上衣，當著眾人面前脫光，或是逼於內急，顧不得羞恥的種種形狀，看得他既感痛心，又領悟到象徵美麗的女性，情急之下顧不得羞恥，保不住矜持之際，是多麼的醜怪與可憐！

傳說佛陀還是釋迦太子時，當他看到白天妖嬈多姿的嬪妃們，夜晚放恣不堪的睡態，從中覺悟到色相的虛妄。

船上逃難的女人迫於環境，剝下平日裝飾的外表，回歸到以赤裸的原始面目示人，對二十歲的張採薇，也起了與釋迦太子一樣的感悟吧！

橫渡台灣海峽，寶島在望。原本預備在基隆港上岸，不知什麼緣故，改航到高雄港。下船後，在班長的監視下一個個「新兵」上了運貨的火車。半昏睡中，張採薇和新兵們做著同樣的夢，憧憬著即將抵達的營地美麗得像花園，所有的裝備都是美國式的，士兵的生活像學生一樣，國軍的招兵站上是這麼寫的。

幻想中的花園洋房，是新竹一家設備極差的玻璃廠的廠房。

「宿舍是兩層高的大廠棚，樓板是用木條釘成的，有點像蒸籠底下的蒸盤，上下可看得清清楚楚，」多年後聖嚴法師依然印象清晰深刻：「住在樓下的，祇要樓上一有動作，就準備閉起眼來，承受天女散花式的塵土供養。」

營房四周圍著一丈多高的竹籬，出入受管制，門禁森嚴。當時的國勢危險到了極點，蔣介石總統下野了，國家群龍無首，前方節節失守，補給困難，軍中日子過得極爲艱苦。

一日兩餐，每餐都是糙米飯和兩三隻葫瓜做成一百多人的菜。油，只能在水面上飄著幾點小

花，喝的是混濁的井水，睡的是磚地鋪稻草，連蓋的也是稻草，三個人共用一條棉紗氈。

上等兵的張採薇和其他的新兵頂著烈日，赤膊在野外受入伍訓練。

「爲了節省，軍中提倡三光運動，光頭、光背、光腳，在硬梆梆的黃土地上操練，要不是腰間還有一條短褲，簡直就像一群原始的野人。」

法師存有當時的兩張團體照片：

「看起來像一群猿猴！」

靜安佛學院投軍的七個人，有兩個被調出通信連，撥進砲兵連，後來他們趁著月黑風高、眾人熟睡之際，溜出營房。

「同學們一個個逃走了，我心裡也盤算著究竟是留下來，還是離開的好，就這樣，一天又一天地在軍中待了十年。」

語氣中有太多的無奈。

「不過，雖然換了軍服，我還是和尚。十年內，每次升遷調單位我都會主動聲明：原來我是和尚，將來還要做和尚！」

這句話倒成了張採薇的護身符，免掉許多不必要的麻煩和困擾，同袍外出吃喝玩樂，不會把他算在裡頭，星期假日也可利用長段時間自修。

今年六十七歲的唐佳珪先生，曾與張採薇軍中同事，他負責的是無線電。

「長官告訴我們說他是和尚，當時年輕，弄不清楚什麼是和尚，他看起來不也和我們一樣，有說有笑的？」

聲如洪鐘的唐佳珪先生是安徽人，他記得聖嚴法師總是和上海掛的在一起。

「像了中、王文伯，他們靜安佛學院的同學，師父——」唐佳珪先生後來皈依了法師：「那時候，師父文質彬彬，說話聲音很輕，文謅謅的，不一樣就是不一樣！」

唐先生讚嘆著。

軍中時期的張採薇

軍中生活枯燥，除了偶爾拿勞軍票看電影、上館子，消遣的去處有限。

「有一陣子，很流行打彈子，就是撞球啦，一放假，大夥往彈子房去，裡頭有小姐計分，」唐佳珪先生說：「有一次，師父也跟著來了，他站在彈子房門外看一看，笑了笑，不肯進去。不一樣就是不一

樣！」

又一次讚嘆。

幸虧張採薇留在軍中，才得以平安無事。當時大陸來台的出家人，台灣的寺院都拒絕收留，景況十分艱難，外省法師自顧不暇。他的兩個逃兵同學北上投奔十普寺的白聖法師，只讓他們逗留一宿兩餐，就請他們走路，因為害怕收留逃兵會惹來麻煩。更可怕的是國民政府受了謠言的愚弄，民國三十九年雷厲風行地到處搜捕和尚。一時之間，從南到北風聲鶴唳，許多大陸來的法師，包括頗享盛名的慈航法師，以及他的出家徒弟律航法師等數十人，都曾被逮捕監禁在看守所，沒有被下獄的大陸籍法師，也有不少暫時換上俗服，才敢出外走動。

人在軍中的張採薇幸運地避過了這些風波。果真在兵荒馬亂的時代，最危險的地方，就是最安全的地方。

軍中生涯也有令他痛苦不堪的經歷。因為國軍太窮，從上海入伍到台灣，伙食幾乎見不到葷腥，一向茹素的張採薇，也可以湊合著過。有年端午節，軍長犒賞軍人，有魚有肉也有酒，眾人吃得津津有味，他卻不敢動筷子，覺得連飯筐、飯匙、菜盤都沾了腥臭味，尤其是那盤鯊魚，更讓他作嘔。

端午節這天，他足足餓了一天。那時張採薇還沒學到吃肉邊菜、不吃菜邊肉的工夫。

因緣實在不可思議。

活動圖書館

張採薇隨著軍隊，從新竹到北投，從北投到新莊，從新莊到淡水，調來調去都是靠兩條腿徒步行軍。有一次，夜裡行軍，從金山走到北投，路經金山鄉一個叫「三界村」的村莊，一路上一直默念佛號的張採薇，聯想到出了三界，就是西方淨土的蓮池，當下心中起了大感動。

沒想到四十年之後，金山三界村山上兩個山谷之間隆起如半島形的丘陵地，會是他籌建法鼓山的所在。從這次夜行軍與金山結下了緣，之後他所屬的通信連又被派到金山鄉的海邊，住在鄉公所的樓上，無線電排住在天后廟裡。

「是借，也是強佔，明知不受歡迎，還是硬住進去，要不然豈不是在野外日晒雨淋喝西北風了。」

張採薇這才明白軍隊喜歡住廟的原因了。

那時候，軍隊窮到一日兩餐米不夠吃，必須和著甘薯吃，當時的陸軍總司令孫立人，用心良苦地鼓勵士兵吃甘薯，說是營養價值豐富。

「我們窮得連鞋子也穿不上，要自己到河邊採野生的美人蕉，剝了皮，晒乾了，打草鞋穿。」

這年的中元節，民間相傳的鬼節，他就是在金山海邊度過的。那天夜裡下著毛毛細雨，張採薇被排午夜十二點到凌晨兩點的衛兵。

「還沒到十一點，我就被上一班的衛兵喊醒了，要我陪他，也不說明理由。十二點以後只賸我一個人站衛兵。」

他先是聽到屋後大樹下一聲怪叫，既不像人，也不像獸，又聽到無數的小鴨在叫。「明明就在跟前叫，卻看不見小鴨的蹤影，我用手電筒照到右邊，聲音就到左邊，照到左邊，聲音又到了右邊。」

嚇得張採薇急忙念觀世音聖號，才把那很長很長的兩個小時熬過去了。隔天，連上的同袍說他聽到的是「好兄弟」的鬼叫聲，令他毛骨聳然，也慶幸菩薩庇佑，讓他安然度過中元節。

去年（一九九九），聖嚴法師應金山的鄉民代表之請，在法鼓山的所在地，為北海岸四個鄉鎮歷年來車禍的亡靈做佛事超薦。

法鼓山全體僧眾，於中元節那天，在金山鄉夜市舉行了三大士燄口和普施甘露的平安超度大法會。聖嚴法師借這個活動勸導鄉民，一律用素果鮮花和簡單的飲料祭拜孤魂，不燒冥紙、棒香，也不點蠟燭，提倡環保。

法鼓山為鄉民而設的一萬多個牌位，完全免費，那天前來參與的人數高達五、六千人，為北海

岸有史以來最大的一次平安法會。聖嚴法師上台開示：「法會的目的是祈求平安，以佛法的法食供養冥界孤魂，讓他們得到慈悲的溫暖，智慧的清涼，而來參加法會的人，也因此有聽聞佛法的機會，人人得到健康、平安、自在。」

法師也希望藉著這次法會，提供鄉民對佛法的正知正見，也希望達到敦親睦鄰的目的，把法鼓山「提昇人的本質，建設人間淨土」的理念，普遍深入推廣到四鄉鎮的每一個家庭。

離開金山海邊，張採薇除了背包，背著通訊的器材之外，他從上海隨身帶來的幾十本心愛的書籍，始終捨不得丟，因此，拔營徒步行軍時，他的負擔總是比別的軍人沉重。

「軍中沒有書，連報紙都沒有，帶書的只有我一個人，每一個地方住定之後，大家跟我借書，一到移防拔營，書全部還給我，背來背去也捨不得丟，我變成了活動的圖書館。」

二十幾本書，包括翻譯的西方哲學、佛學等文史書，成為軍中夥伴的精神食糧。這些書他一直背到當上了上士報務員，移防的時候，有權交託部隊卡軍運送為止。

自己的二十幾本書反覆讀得滾瓜爛熟，剛巧，台北市立圖書館提供一種巡迴讀書車，卡車上載著幾千本書，穿城走鄉，張採薇成為長期借書閱讀的讀者，利用操練賸下的時間，分秒必爭地啃書，別人一遇星期假日，或下雨天無法出操，不是呼呼大睡，就是到電影院消遣，他總是一卷在手。

白天讀了還不夠，晚上吹過熄燈號之後，又重施上海被窩裡看書的故技，這一次不是用線香，而是向廚房的伙夫同志討一些花生油，盛在墨水瓶裡，在瓶蓋上鑽個洞，用破布條當燈蕊，找一個不妨礙他人睡覺的角落，點著看書。

這時期所讀的書，也從早年的文藝愛情小說，轉爲歷史哲學、社會科學的論述。「羅素的《西洋哲學史》、房龍的《人類的故事》等書深深的影響了我。」影響了他的思想，也開闊了他的視野。

「巡迴車一個星期換一次書，我連自然科學、天文、解剖學的書都看。」龐雜的閱讀中，少不了對唐詩宋詞的吟哦推敲，白居易的《長恨歌》能倒背如流。詩詞裡不乏詠嘆哀怨情愁的艷語，脫下袈裟的軍人，正值青春期的張採薇，讀了這些濃詩艷詞，是否爲之心情起伏不已？聖嚴法師搖搖頭。他是以出世之心，讀入世之作，仍舊是採取疏離的態度，讓自己與感染力最強的情愛詞曲隔了開來。

「透過詩詞文學來看人世間，自己並沒有跳進去。」法師睜著巨靈似的雙眼，俯瞰人間的愛怨糾葛，尤其是從文學作品中，讀出了人生的諸般缺陷與不足，更多的是寂寞、蒼涼與苦痛。

倡議佛教文學

從民國四十年到四十一年春天，張採薇在小基隆海邊過了閒適自在的一年，他們的電台獨住海邊一所克難的草房，不用操練上課，一天之中，只需向團部用無線電聯絡幾次，其餘的時間全由自己支配。

這一年，是張採薇軍旅生涯的黃金歲月。

他往往獨自一人，坐在靠山面海的小山岡上的樹蔭底下，書一讀就是大半天。文學作品讀多了，手癢了起來，被一股創作的衝動所驅使，他用一塊木板釘了四條腿，當做克難書桌，開始了寫作生涯。第一篇文章投到《戰鬥青年》，獲得刊登，還換回三十多元稿費，使張採薇大受鼓舞，從此筆耕不輟，常在軍中刊物發表散文，還得到特約記者的聘書，成爲軍中文藝活動活躍的一員。

「如果寫得勤，每個月的稿費，會超過我一個上士的薪餉。」

藉著寫作，化解了對現實的迷悶，張採薇從戎而不投筆，成爲剛出道的軍中作家。然而，在內心深處，他仍然自認爲是個和尚，每到一處寺院，無不虔誠禮佛。可惜當時沒有佛教的經書流通，廟裡只有幾本破舊的課誦本及懺本，有次在鳳山佛教蓮社，見到一本《楞嚴經》，他如獲至寶。

上海佛學院的教師妙然法師，邀請幾個同學到北投的居士林聚會，張採薇欣然赴會，師生十多

人共聚一堂，頗有劫後餘生之感。那天，他大有感觸，慨嘆軍中生涯，使他幾乎與佛教脫節，何時能夠再度穿上僧服，可絲毫沒有把握，能否回到僧團，自己也做不了主。

臨走，妙然法師還每人送二十元車資，使他感動得噙淚欲滴。

這一年中，張採薇經常請假外出，去看出家的法師。轉眼秋盡冬來，妙然法師知道他一個窮士兵，缺少棉被禦寒，便送給他一條破得像豬油渣似的棉花絮，另外塞給他四十元，讓他做個被套，並把棉被拿去重新彈。

妙然法師雪中送炭，張採薇感激涕零。當他捧著這團棉花絮，走進基隆一家布店買被面，沒想到那心地烏黑的老闆，給他剪了一段只比蚊帳稍微密一點的粗紗布，包起來給他。不得已，張採薇向連部的補給上士要了幾條軍褲連起來做被面，棉花絮彈不成了，只好拼拼湊湊，用線、用破布勉強連成一條棉被的樣子，湊合著過了幾個冬天。

縱然是這樣一條棉被，也已是當時士兵之中的「貴族」階級了。

眼看回上海繼續回靜安佛學院讀書已是不可能，趁著駐防圓山忠烈祠，張採薇忽發奇想，希望能以軍人身分，在台北市讀高中的夜間部，這個想望一直延續到他退役那年，常常在夢中夢見自己進了夜間部當起中學生。

既然讀書夢難圓，張採薇轉而立志當作家。報名參加了李辰冬主辦的中國文藝函授學校，選的

是小說班。由於軍中人生經驗畢竟片面而且局限，對小說創作的技巧也無從掌握，雖然完成不少短、中、長篇，直接寄去文藝獎的評審會參加徵文，希望得獎，結果不如願，一一慘遭退稿，失望之餘，把稿子丟到火爐。只有發表於穆中南主編的《文壇》雜誌上的〈母親〉和〈父親〉兩個短篇留了下來。

除了小說，張採薇也用不同的筆名，發表幾十首新詩。

在那白色恐怖橫行的年代，他沒想到在筆記本上抄錄唐代詩人王翰的一首〈涼州詞〉會帶給他可怕的困擾。

連上一位軍官，一向認爲張採薇思想有問題，找他約談了好幾次，又問不出個所以然。後來發現張採薇不肯仿傚軍中同袍，在背上胸前刺青，以表效忠國民黨。

「我說報國衛民，忠誠不二，心最要緊，何需刺字，結果這個長官懷疑我是什麼人派來的，以和尚身分當掩護，在那個時代，這是一頂非常可怕的帽子。」

多年後重提此事，餘悸猶存。

趁他出操，官員搜查張採薇的書籍和筆記本，發現他抄了這首七言絕句的最後兩句：「醉臥沙場君莫笑，古來征戰幾人回」，聯想到他是以迂迴的形式來表達反戰、厭戰的情緒，更加懷疑他。

「在那個階段，我讀的詩詞很多，他應該仔細看我筆記本抄的還有唐、宋、五代的詩詞，甚至元

人的曲，我是拿來欣賞和背誦的，並沒有想到跟反戰、厭戰的問題連在一起。」他自此與加入國民黨成爲黨員絕緣。

那一段時間，部隊規定每人都要寫日記，除了讓軍人發洩情緒外，更重要的是借此檢查監視士兵的思想，是一種防諜的措施。

苦苦熬了整整五年，經過兩次考試，張採薇正式成爲通校的學生，從上士擠進軍官的行列，令他有揚眉吐氣之喜。這是軍中生涯的一個轉捩點。

到宜蘭受訓，認識了星雲法師。

「那時星雲法師到宜蘭才一年，住在古舊的雷音寺，裡頭還住有軍眷。星雲法師的房間很小，光線也不太充足，擺了一張竹床、一張舊式的書桌，很清苦。」

星雲法師在大陸時，跟幾個焦山的學僧，辦了一份油印的《怒濤月刊》，張採薇聽過他，見面時，覺得星雲法師說話態度很持重，但不感到親切，以後就沒再去雷音寺了。

沒想到日後兩人成了好朋友。

當上軍官，可自由分配時間。當他讀了胡適之的《中國白話文學史》，大受啓發，開始把創作的筆鋒一轉，嘗試佛教與文學的結合。

「既然佛教經典是白話文學的濫觴，透過文學的表達，是對弘揚佛法最近的一條路。」

人生很苦，三界如火宅，轉來繞去擺脫不了煩惱，張採薇抱著爲讀者化解鬱悶惶惑的心情，把小說的情節融入佛理，凸顯眞、善、美的文學功能，完成了無數個短、長篇小說創作。

遺憾的是，這些佛教小說的下場也是無疾而終。

「我當時要提倡佛教文學，重視佛教文學的用心，到現在還沒有後悔。」

聖嚴法師鄭重的宣稱。

既然想當小說家，卻不幸鎩羽而歸，張採薇轉向寫理性的論述文類。當他被調到鳳山時，買了一張竹製的書桌，每天埋首桌前，寫起與宗教、哲學相關的文章，探討人生的諸種缺陷、寂寞痛苦，必須努力超越昇華，才能達到一個美麗的未來境界。他的佛教小說雖然沒引起注意，他以論文形式完成的一篇〈文學與佛教文學〉，獲《佛教青年》雜誌登出，文中主張佛教界應透過文學的筆觸，表達佛經的理念，寫出悲心主義的文學作品，同時呼籲讀者們重視文學作品，不要把它當成雕蟲小技來看。

文章登出後，引來了爭論，當時佛教界的兩位文藝作家張曼濤及程觀心，提出不同的看法，張採薇接受挑戰，連續寫了兩篇文章回應，闡述他對文學與佛教的觀點。

「所謂不打不相識，後來這兩人都成了我的筆友和知己。」

雖然在軍中同袍的眼中，張採薇既讀佛經，又看文學、哲學一類的書，看似讀得龐雜，又像漫

無目的，其實他心中自有打算。

「我既不想以軍人做爲終身職業，也不想到行政機關去討一碗飯吃，我是借此機會打下文學的基礎，然後再專志於宗教哲學中去。」張採薇內心深處的心聲是：「很希望在可能的情形下仍做一個出家人。」

軍旅中磨練出張採薇的一支筆。人在鳳山，他常去煮雲法師的佛教蓮社，向這位備受尊重的法師請教問題，做夢也沒想到會捲入一場宗教之爭。

筆戰的過程是這樣的：

經常環島宣揚佛法的煮雲法師，被張採薇封爲「活動的佈教所」，他出版了一本《佛教與基督教的比較》演講錄，引起了很大的回響，香港一位牧師，爲了駁斥煮雲法師這本書，出版了一冊《駁佛教與基督教的比較》。剛巧張採薇的長官送了他一部《新舊約聖經》，他花了兩個月的時間細細研讀，以短短十天之內寫出五萬字的《評駁佛教與基督教的比較》，交由煮雲法師出版，以正視聽。香港的牧師遭逢高手，再也不敢出來應戰，一場論爭就此平息。

「醒世將軍」喚醒世人

民國四十五年（一九五六），張採薇考取了國防部一個情報偵收單位，擔任無線電情報的偵收工

作。離開鳳山，住在新店，隔著台灣海峽，對中共進行通訊人員的偵控，卻以爲對方不知道他們的存在。

「新店的營房環境好，飲食也好，對我的親近佛教，那是更好。」

碧潭的附近有幾座規模不大的寺院，其中竹林精舍的證蓮老和尚，他早在大陸就已慕名，有機會拜見更是歡喜。張採薇把他愈來愈多、宿舍已無處存放的藏書拿到竹林精舍寄存。

一有假期，他喜歡親近台北的善導寺，身著戎裝，前去聆聽印順長老、演培長老講經說法。善導寺是大陸籍法師的集散之處，張採薇對和尚長老們的「蘇北人大團結」不感興趣，他的同鄉觀念淡薄，並不加入這類的小圈圈，心中唯一關心的是何時得以脫下軍裝，重新披上袈裟。自從出版了那本駁斥香港牧師的小書，港台佛教界的幾本刊物的主編，聽聞他的文名，紛紛來信約稿，這正中張採薇的下懷，長久以來他的心願，就是要把正確的佛法，以及艱澀難懂的佛經佛理，用人人都能接受、看懂的文字表達出來，給需要佛法的大眾閱讀，對這些刊物願意提供發表的園地，他感激莫名。

文思一通，滾雪球似的源源不絕，一篇又一篇地寫下去，他用的筆名，除了張本，最常用的是「醒世將軍」。

「『醒世將軍』這筆名，不是因了軍人的身分而取，而是爲了攝化眾生與喚醒世人而用的，」聖

嚴法師說：「不少讀者就是看了醒世將軍的文章而信佛、學佛的。」

新店國防部通訊部隊的寢室，正好面對廣明岩上巨型的阿彌陀佛石像，張採薇人在軍中，仍受佛陀慈光加被，每天對著兩公里外的阿彌陀佛禮拜。

一邊拜，一邊心中忍不住尋思，當初隨著軍隊到了台灣，以爲國軍很快就會反攻大陸，一轉眼十年過去了，他還是一身戎裝困居在這海島上。張採薇對生命、對懸而未決的未來產生了疑問，開始不自禁地反覆自問：

「爲什麼？」

不自覺地參起話頭。

遍讀歷代禪宗大師的生平經歷，雖然不乏像宋代的大慧宗杲因政爭被牽連，僧衣及度牒被褫奪下獄，或像明代的蕅益智旭一生都在寫血書、用火燃背、燃頂苦行中度過，然而，從古至今，卻未曾有過像他這樣身著戎裝，人在軍中而悟道的先例。

張採薇不禁懷疑：像我這樣的人，有可能修行悟道嗎？雖然他對佛法的信念從來未曾動搖過。

開始時，探問自己的設身處境，接下來，進入更深奧的層次，急欲追索尋思自己本來面目。漸漸地疑情變成了疑團，話頭像磁鐵般吸住他，每問一句：爲什麼？還想再問，綿綿密密繼續不斷，全部心念完全進入疑團裡，工夫成片。

他廢寢忘食、不分晝夜反覆追問，嚴重到像中了邪一般，對周遭的一切視而不見，聽而不聞，食而不知其味，整個人鑽入深深的疑團裡。

靈源老和尚接引，破參見性

長官眼看他坐立不安，無心工作，特地准他休假。張採薇憑著直覺，搭火車南下到高雄市的佛教講堂，拜訪與他相熟的月基法師。

寺中的人都知道他曾出過家，當晚讓他掛單。那晚，正巧虛雲老和尚的法裔徒孫，基隆十方大覺寺的靈源老和尚也從基隆南下作客，一僧一俗就被派至一間廣單（統舖）同單而眠，頭上掛著一頂大蚊帳。

這位看起來「累累贅贅、迷迷糊糊的靈源老和尚」（陳慧劍居士語）夜不倒單，挺著大肚子打坐，軍人張採薇也只有忍睡陪坐。

坐了好半夜，滿腹疑團的年輕人，再也忍耐不住，像決了堤的河，滔滔不絕地向老和尚訴說自己心中的苦惱，修行上的障礙，請教老和尚，如何突破，解決心靈深處的疑惑。

「你可以問，你可以問……」靈源老和尚頷首：「喔喔，還有嗎，你還有問題嗎？」老和尚講的好像是寧波話，語句混淆不清，一連串「還有嗎？」就是不告訴答案。

突然之間，老和尚伸出手掌，啪的一聲，打在床沿硬硬的床板上，這一掌力道很猛，整個統舖都震動了。

「……你哪來那麼多問題，放下來、放下來，學密、學禪、學淨土，學什麼？想成佛，又想上西方，又想開悟，這些東西都要放下。」

靈源老和尚一拍單逼拶，一聲有力直接的大喝：「放下」來得正逢其時，這句機鋒適時地戳破張採薇滿心的疑團，機緣成熟，心被這麼一撥一點，滿腦子的妄想雜念統統逼進死巷，一網成擒，所有的掙扎煎熬，頃刻間消失殆盡。有如久居伸手不見五指的暗室，突然開了一條縫，智慧如閃光顯現，光景無限。

這一晚，破參見了性，找到自己的張採薇，坐在

靈源老和尚的一聲獅子吼，適時地接引，破參見了性

靈源老和尚身邊，打坐直到天亮。

隔天早餐，老和尚睜著眼問：

「怎麼樣？昨晚睡得可好？沒有問題了？」極平常的問話，其中卻含著禪機。看似迷糊的老和尚，其實對昨晚發生的整個過程一清二楚。

「放下」後的年輕人，含著微笑：

「非常好，非常好！」得到老尚的印可，彼此心照不宣。

「軍中十年，並沒有浪費生命……，就是對佛法的體驗上，也曾經過幾番突破，特別由於是二十八歲那年，曾經由於近代禪宗大德虛雲老和尚的傳人，靈源和尚的接引，而得到一個入處，」聖嚴法師形容：「這使我的生命，就好像是從一個自我作繭的鐵罐裡蹦了出來。」

所謂「得到一個入處」即是破參見性開悟之意。然而聖嚴法師直至今日都不肯正面承認他在修行上徹見自心的證悟。

二度出家

「那個時代，想從軍中退役，難上青天。」

唐佳珪先生說。

這位聖嚴法師軍中的同事，認爲法師能夠從蔣總統軍紀森嚴的軍隊退下來，是得力於他寫得一手好文章。

「軍隊裡將領的夫人，有好幾個都是他的讀者，讀他在《覺世》旬刊發表的文章。」

唐佳珪先生說是將領夫人愛才惜才，才勸請丈夫批准張採薇退役之申請。戒嚴時期的台灣，軍人退役只可能有兩種情況：一是患病，二是犯法被判刑。即使獲得保送上軍校的，也還是留在軍中。

張採薇因病退役。

民國四十七年（一九五八），他得了慢性風濕症，醫院查不出病源，不能出具病殘證明，他先與病痛奮鬥，接下來又爲退役問題而苦鬥。

「再三再四的走到了山窮水盡，又再三再四地發現了柳暗花明。」

退役終於在民國四十九年元月一日生效。這年他剛好三十歲。

結束十年軍旅生涯，張採薇到桃園「佛緣講堂」拜訪守成長老。

「他看起來很瘦，我說，當初如果讓我幫你，就不用在軍中待了十年，」守成長老回憶：「我問他，覺不覺得浪費了十年？他很堅定的搖頭，說不可惜，在部隊讀了很多書，獲得宏觀的知識。」

守成長老讚嘆法師有過目不忘的本領。

「軍中十年，我沒有浪費生命，對國家付出了貢獻，自己也做了相當多的充實，」聖嚴法師回顧那些日子：「那是一段成長得非常辛苦而又值得回味與珍惜的歷程。」

中年再度出家——「不是再度出家，而是回家。」

這是他第四世為人，他已經死過了三次。第一次俗名張志德，十四歲入狼山廣教寺第一次出家，第一次死去，一直到二十歲離開大陸為止，他是小和尚常進，從上海隨軍隊到台灣的十年，常進死了，他是軍人張採薇。

而今，三十歲的他，既然從未有過還俗的念頭，一旦離開軍中，還是回到原來的崗位。有些師友勸他，既然已經出過家，自可不必疊床架屋，再找一個師父的帽子戴在頭上，可是他考慮再三，認為處身軍中十年，應該視同還俗。他決定重拜師父重行披剃。

拜剃度師時，他首先想請求與自己淵源最深、認識最久的白聖長老，從靜安佛學院，白聖長老一路看著他長大，他也想投靠到南亭長老的座下，在諸山長老法師當中，若論情感上與他最親近，也最受他感激的，則非南亭長老莫屬，不僅早年在靜安佛學院受教，來了台灣以後，更對他照顧有加，每次見面都會塞給他零用錢，有次甚至還送他幾罐煉乳。在那個物資匱乏的年代，士兵能有福氣吃煉乳，實在稀有難得。

南亭長老也關心他日漸嚴重的近視，特地介紹眼科醫生診視。最重要的，他是受到南亭長老的

鼓勵，寄佛書給他，堅定他在軍中艱苦的環境，對佛法信心不移的決心。

結果成就他二度出家的是東初老人。

十三歲捨俗出家的東初老人，原籍江蘇泰縣，二十八歲至鎮江焦山定慧寺，受智光老和尚記，法名鐙朗，任監院，整理寺產，充足僧眾道糧不遺餘力。民國三十五年繼雪煩和尚任方丈，兼任焦山佛學院院長，及《中流》月刊發行人。

三十八年來台後，假北投法藏寺創辦《人生》雜誌，興建中華佛教文化館，先後影印《大正大藏經》，正續兩編，此爲集當時國內政要賢達，共同助成之鉅製大業，歷時五年影印一千三百部，圓滿完成。除此，東初老人亦致力於佛教史學的研究，著作頗豐。

聖嚴法師與東初師父的因緣，始於上海靜安寺，當時雖僅驚鴻一瞥，感覺老人風儀可敬，第二次相遇是剛到台灣，農曆新年到北投法藏寺向正在閉關的東初老人拜年，以後在軍中用「醒世將軍」的筆名，爲東初老人編的《人生》雜誌寫稿，漸漸成爲主要撰稿人之一。民國四十七年的佛誕節，台北新公園舉行的慶祝大會，被正式介紹給東初老人。

由於寫文章的因緣，極受東初老人的器重，因此，在辦理退役過程中，老人盡了最大的努力助成，在感恩恩義的考量下，決定隨東初老人成就出家。

張採薇在正式退役之前，請了病假住到中華佛教文化館，有比較長的時間親近東初老人，除了

讚嘆他影印《大藏經》的壯舉，對文化館豐富的佛教藏書，極為嚮往，希望在抖落一身軍旅風塵之後，能夠鑽進東初老人的藏書堆中飽餐一頓。這也成為他拜在老人座下的一個誘因，東初老人原本無意收徒弟，經過長期察看才應允了他。老人以三分師徒，七分道友做為日後師徒相處之道。

民國四十九（一九六〇）年農曆臘月初八，佛成道日，由東初老人剃度，賜他法號慧空聖嚴，乃是以聖教莊嚴佛法，又以聖法嚴飭自我的身心，復用聖德嚴淨毘尼之意，勉勵他嚴以律己，並以發揚聖業自期。

這是他第四世為人。

本來東初老人準備給他舉行一個比較隆重的儀式，想請台北的諸山長老聚一聚，並且在剃度之時，受一下五戒，但到了後來改變計劃，僅在佛前說了一個簡單的三皈依，並無剃度的儀節，也無受戒的儀式。

第一次出家，是在少不更事的少年時，好不容易熬過漫長的十年軍旅生涯，有機緣捨戒從僧，得之不易，他心中想望一個比較隆重的禮儀，以慶祝自己重入佛門的欣喜。事過境遷，不忍心向聖嚴法師重提此事，如若問起，想來時至今日，他仍會對落髮儀禮過於簡略，而感到幾分悵然吧！

中華佛教文化館築建於北投淵溪而上的兩山之間，東初老人於民國四十四年開始興建。先有佛殿，五年後，完成《大正大藏經》正續兩篇影印的壯舉，又興建了兩層樓的建印藏紀念堂，館內藏

書豐富，除了佛教經書及文物、幾部《大藏經》之外，還有一部《二十五史》。

文化館坐落於名勝公園區內，遠山疊翠，流水潺潺，館前綠蔭成林，一片蒼翠，葛藤棚上隨風飄搖，黃昏時，山色朦朧，景色絕佳，夜晚草蟲爭鳴，堪稱為一個山青水秀，清幽僻靜修行的道場所在。東初老人一年才主持兩次法會，七月的地藏法會及臘月上旬的佛七，平常門庭清靜。

出家後的那個春天，聖嚴法師每天朝暮課誦，禮一枝香的大悲懺，讀《華嚴經》、《大涅槃經》，精進用功之餘，又用北投著名的溫泉來治療他的風濕背痛。

東初老人認為弟子已三十歲，正是做事成就人的年紀，要他當家，《人生》雜誌的主編辭職後，法師也就順理成章地負責編務，常常為了版面的調整，新聞的穿插，乃至於一、兩個字的更正，他都必須從北投趕到萬華一家矮小局促的印刷廠，跟排字工人打交道。一期的《人生》，總要跑五、六次。

除了編務，發行、財務也全由他一人負責，還得兼做雜役及師父的秘書，抄錄東初老人口授信函、公文，乃至雜誌社論都得由他執筆。

「通常師父提幾個要點之後，便囑我自己動腦，有時我頗反感，因他喜歡罵人，對教內的不平之事，教我用筆名出面聲討，我則覺得多管閒事，犯不著的，他老人家卻說：『大家不管閒事的話，佛教豈非黑白不分了嗎？』」

上圖：北投文化館舊址
下圖：法師對文化館內豐富的藏書極為嚮往

因此做弟子的不得不照師父的意思，寫過幾篇罵人的短文。時間被分割得極爲零碎，聖嚴法師再也無法靜下心來讀經，工作太過繁重，使他健康每況愈下，經常感到氣虛無力，手軟腳冷，食慾不振。饒是如此，法師仍規定自己每天在佛殿用功，希望使病弱之身心，得以安住在信、解、行當中。

入夏後，身體更爲虛弱，常胸悶頭暈，不能看經、寫作。爲病所苦，法師想到自己雖然二度出家，仍未受沙彌戒，還是一個光頭白衣，第一次連皈依儀式都沒做，第二次披剃，師父也僅說了三皈依，他決定從頭開始。

回到新店竹林精舍，禮請隆泉老法師主持做懺摩，爲受持出家戒做準備。求受沙彌戒以前，他先讀蕅益大師《沙彌十戒威儀錄要註解》，蓮池大師《沙彌律儀要略》，及《梵網經菩薩戒本彙解》等書，增加他日後學律的信念。

因緣俱足，聖嚴法師赴華嚴蓮社，禮請智光長老授沙彌十戒：

……老和尚隆重禮佛登座畢，我即長跪合掌，靜聽開示，繼而隨聲迎請諸佛菩薩、護法聖眾，降壇護戒。一迎請我即一禮拜，迎請禮拜之時，我又噙淚欲滴了。受戒歸來，搭衣持具拜禮恩師之後，我第三次流淚了……

聖嚴法師兩度出家，年已三十，終於成為合法的出家人。他不由得感嘆，出家容易，要成為一個出家人，又何其難呢！

民國五十年（一九六一）秋天，聖嚴法師到基隆海會寺接受道源長老的三壇大戒。臨去戒場報到之前，他向東初老人懇求，希望辭去《人生》雜誌之編校職務，同時想在戒期圓滿後，離開文化館，南下到山中靜修。法師自覺十年軍旅，荒廢了德業，再不趕快研習佛學與修行，他擔心此生難脫生死的黑業。

早在狼山廣教寺當小和尚時，他便在觀音菩薩前許下悲願，以弘化佛法濟世做為此生的職志，這種心願至今不改，奈何又肩不起這一重擔，文化館每天為瑣事盤纏，加上健康的惡化，法師極想找一個遠離塵世是非的清淨之處，閉關修行閱藏，充實自己，並且把身體養好。

過了橋，向前精進

是離開北投的時候了。

當初拜在東初老人座下，改裝前夕，他曾向師父提出四個願望，其中有一個是希望將來可以到其他地方住住，當時師父雖答允一切由他自己作主，對他想離開文化館他去，雖未說不贊成，但語

意之中有些不樂意。

出家後兩年，重提此事，未獲東初老人許可。為此法師很是苦惱，他跟一向愛護他的南亭長老請示，南老以為東初老人現在急需用人，而且他剛出家不久，也缺乏護關的信徒，所以不表贊同。

聖嚴法師又向智光長老請益，長老倒十分贊成，還自動提出資助。

受戒後，返回北投文化館，法師為了去留而感到心煩意亂，他在日記裡記下內心的掙扎：

師父只有我一個徒弟，我決心要走，使他非常傷心，他度我出家的目的，就是盼望有一個親人在他身邊，而且還有一大套遠景，希望我協助他實現，而我不在師父座前服務，而要到別的地方用功，我的走便是負恩無義，奈何我又不能不走。

然而，出家是為生死大事，是為擺脫世緣，一心向道。聖嚴法師轉念一想，師父剃度弟子的「度」，亦同於「渡」，師父好比一座橋，接引弟子通過生死關口。過了橋，做弟子的必須一路往前精進，揚棄過去，固然不能忘情於受過的恩惠，可也不能為俗情的纏縛而膠著不前。

「不然的話，如人過橋，因為戀戀不捨橋上的風光，以及使他通過河流的恩德，便永遠徘徊橋上，不只耽誤了自己的前途，同時也增加橋樑的負荷。」

經過多日尋思，他覺得自修、侍師不能兩全，可是對師父懷恩又無以報恩，爲了理想，就不能遷就現實。法師有了明確的抉擇。

臨走搭衣先在佛前及祖堂告了假，向東初師父告別，老人做了簡短的開示，賜他一疊鈔票，以備在山中零用。

「師父對我畢竟是開朗而又慈悲，」法師提著簡單的衣單離開文化館。「東初老人一直把我送到大門，見我走遠了，我回頭看了幾次，他尚在門口站著。」

第五章

六年閉關潛修

閉關的挑戰

聖嚴法師的一位美國作家弟子，對師父曾經去美濃山中閉關長達六年的經歷，讚佩神往之餘，更對他關房中的生涯充滿了好奇，亟欲探知。

對美國弟子的頻頻詢問，法師道出自己早期閉關所面臨的困難與挑戰：

首先是找適合的環境獨立修行並不容易，即使在山中找到修行之處，必須生活上有支持，有人護關，這是第二個困難。如果已經有信眾供養的法師，卻很難閉關，不是不願意，而是責任不允許他們去，可是沒有信徒，又要靠誰來護關呢？

法師提到閉關過程中的一個困難：

修行時，發生一些體悟，讀經論時，碰到一些疑問，都需要老師來印可、指導，但是，人在關房裡，怎麼去找？

當年聖嚴法師潛隱自修的心願，在既無信眾又無出家弟子護關，條件闕如的情況下，居然如願達成，不得不令人感嘆因緣實在不可思議！

「別人聽說我想閉關，都以為我痴人說夢，注定要落空的！」法師回述三十多年前台灣佛教界的生態「也難怪人家這麼說，當時好些很受尊重的長老、法師，想找一個理想的靜修之處，都很不容易，何況我這個剛剛二度出家的和尚。」

法師以「人地生疏」來形容他與當時佛教界的關係。何處去找資助道糧的信眾呢？本著對觀世音菩薩的堅定信念，法師天天禮大悲懺，念觀音大士聖號，祈求賜給他一個可以容身的修行道場。慈悲的觀世音菩薩又一次回應了他的祈求。

二度出家不久，聖嚴法師在台北善導寺的法會上，經由浩霖、星雲二位法師的引介，得識美濃朝元禪寺當家慧定尼師。

「兩位法師說他想找一個安靜的地方閉關，朝元寺很適合，希望我們成就他。」

美濃朝元禪寺的住持慧定尼師，坐在經過她一手改建，堅固美觀的會客室，回憶三十多年前的往事：

「當場我就一口答應。聖嚴法師是佛教的棟樑，我們會好好供養，讓他安心閉關。」

難得慧定尼師如此慷慨，當下答允護持一位兩袖清風的雲水僧。聖嚴法師曾經形容她：「雖是

女眾，但有丈夫氣魄」果眞名副其實。這位有氣魄、修持嚴謹而又謙虛待人的現任朝元禪寺住持，還是日本立正大學的碩士，與法師是前後期的校友。

朝元禪寺的開山祖師是美濃客家人能淨老和尚，他去台南開元寺隨善妙法師出家，屬臨濟宗傳承。民國前八年回到故鄉美濃，看中大尖山下左有鐘山，右有鼓山，前有十八羅漢山的一塊風景絕佳的寶地，開始獨力挑土擔瓦築建大雄寶殿，把殿前一棵四個人合抱的大荔枝樹分枝種到後山，寺院靠著種植荔枝和麻竹維持，一派農禪家風。

十幾歲就在朝元寺出家的融智尼師，是朴子鎮人，早歲跟著能淨老和尚開山種荔枝，師徒慘淡經營，她對老和尚到了晚年還「一手騎腳踏車，一手拿傘」出入寺院辛勤勞動的模樣，至今猶是歷歷在目。

民國五十（一九六一）年十一月十二日，聖嚴法師從台北首剎善導寺出發，由掛褡善導寺的主要介紹人浩霖法師陪同，提著簡單的行李，搭火車南下高雄，借宿月基法師的新道場棲霞精舍，也重訪四年前與靈源老和尚下榻的廣單（通鋪），聖嚴法師手撫著老和尚大力拍過的床沿，心中感慨萬千，那一晚，老和尚那一聲「放下」的獅子吼，震醒了他沉睡的魂靈，改變了他的下半生。

那一晚被老和尚開了智慧眼，找到自己之後，周遭大地一草一木並沒絲毫改變，他自覺他的世界不同了，起心動念都是直心流露，任運自然而又念念與佛法相應。

古來禪門弟子明心見性之後，都會參訪明師求證他的所見是否正確，如果是正確，是到何種程度，請明師點撥指引，以期更進一層，然後棲隱於水邊林下，或覓一深山幽窟長養聖胎，一直到大澈大悟，再回返世間普度有緣眾生。

四年前，他生命史上非比尋常的那一個晚上，因緣湊合，有幸得到靈源老和尚的接引，使他豁然開悟，當時他仍在軍旅，修行功力不夠精厚，一次的破參見性，他擔心只是短暫的超越煩惱，電光石火開了心眼，自知如果不繼續精進，可能無法維持，萬一定力一失，慢慢退轉，難保不被打回原形，顛倒回到原來的心境。

命運似乎對他有了安排，冥冥之中注定他會離開北投，南下深山閉關培潤道心，雖然他是以養病為由向東初老人告假的。自從那一個晚上之後，聖嚴法師已經意識到生命不再屬於自己所有，他必須竭盡所能充實自己，才能將下半生全心全意奉獻給佛教。

隔天一早，聖嚴法師對他即將閉關潛修的朝元禪寺，懷著期待的心情，坐了公共汽車到美濃，下車後與浩霖法師徒步入山，在黃昏的山徑走了約莫一公里，前面一條溪流，當地人稱之為「雙溪河」，因有另一條溪流貫朝元禪寺旁，蜿蜒而下，在此兩溪相會，因此得名。

雙溪河上並無架橋，春夏河水暴漲，無法涉水而過，行人欲去朝元寺朝聖，必須繞遠路過吊橋，聖嚴法師來時，正值深秋水淺，他踩著溪底石頭過溪。

渡過沒有設橋的雙溪河，來到彼岸。上岸後，聖嚴法師拭去僧鞋上的水漬，回頭望著美濃炊煙裊裊的客家農舍，已有置身紅塵世外之感。

誰在搬書？

北投中華佛學文化館遠微了，師父「度」他「渡」過了河。毫無留戀地轉過身，法師朝著晚霞染紅的天邊走去。抖落一身風塵，愈往山裡走，身心愈覺恬靜舒暢，他知道村路盡頭的朝元寺一定是個僻靜的閉關好所在。

果真寺院清靜異常。朝元寺旁的黃蝶翠谷成為觀光重點，是後來的事。當時一個月之中，難得有幾個人上山拜佛。為了不願增加道場負擔，法師向當家的慧定、善定尼師提出如下要求：

一、飲食隨眾，學習過午不食，不要勸他晚飯。

二、衣服被帳自己洗滌，自己清理環境衛生。

三、不要把他當法師看待，而是把他當寺內住眾。

正式閉關以前，聖嚴法師先在寺裡禁足了一年多，先適應南部的環境，水土氣候，慧定尼師說：「一入關，就出不來了，萬一身體不好，就麻煩了。」

禁足期間，法師不離開朝元寺一步，他在能淨老和尚講經的二樓，隔出一個空間當做寮房，訓練自己心無所住，將寮房取名「無住樓」，用書法寫下這三個字，貼在門上，以此自勉。

法師只在早晚課時下樓，其餘時間禁足「無住樓」，每天兩堂拜懺，懺悔自己業障深重，外在障礙逆緣多，身體虛弱，爲自己年屆三十才二度落髮重獲修行機會而心生慚愧，懺悔無以報東初老人接引之深恩，而歉疚不已。

「拜懺是爲閉關修行做準備，」法師向美國弟子解釋：「有人以爲不必先清淨心靈，直接閉關，那樣問題會隨後而來。」

禁足後由於無人指導，不懂方法，全靠自己摸索，關起門來打坐，唸咒誦經，拚命拜懺，早上拜「彌陀懺」，下午拜「大悲懺」，卻頭痛而胸脹不已，於是法師開始修智光老和尚傳授給他的法門——拜《法華經》，一字一拜，八萬字的《法華經》拜了一半，半年後，身心才逐漸安定。

爲了把台北寄到的幾十箱文史佛學經書，從樓下一箱箱搬到二樓的「無住樓」，法師又經歷了一次忘我見空性的體驗，即是大乘佛法中的三昧。

每箱二十多斤重的書，對病弱的法師而言，簡直不堪負荷，他盡己所能一箱箱搬，一邊自問：「誰在搬書？」

誰在搬呢？等念頭出現，發覺已經搬了好多書。

「從樓下搬到樓上，書太多，很辛苦，」法師說：「我就問，辛苦的是誰？究竟誰在搬書？」專注於搬書的動作，忘了身體。搬書的人消失了，自己不見了。心念不動，但是歷歷分明。

法師感覺到並沒問幾句話頭，聽到打板，出了定，已經是午齋時間。再一看，幾十箱書不僅全搬到二樓，而且整整齊齊上了書架。疑情一起，法師渾然忘我，三個小時過去了。

法師形容那時的境界是：

「忘了時間、空間，可是生理的功能還在，念頭集中在一個焦點上，」打板一響，他才如夢初醒：「這頓飯，吃得特別高興。」

戒律是佛子生活中唯一的防腐劑

禁足期間，法師先讀律藏。

發願研讀戒律的因緣，是他二度出家後，曾到基隆八堵的海會寺，依道源長老座下，求受沙彌、比丘、菩薩的三壇護國千佛大戒，本來希望在戒場學習戒律之外，好好懺悔，沒想到被選為沙彌首，因法師從小出家，而且已經是個著書立說，擔任編輯的佛教界作家，為傳戒大會留下記錄《戒壇日記》的工作，順理成章地又由法師負責。

四十天受戒，法師身兼二職，忙得團團轉，除了記錄戒場的規矩次第，又摘錄各位戒師的開

示，以及他們對戒律內容的解釋，完成了近十三萬字的《戒壇日記》。法師從中發現戒師們對戒律多半只知道遵守古人、照本宣科，往往不知所云，戒子們也唯有囫圇吞棗。難怪戒期中，道源長老不止一次感慨戒律深奧難懂，弘揚律宗之不易。

法師受完戒之後，便去全力背誦《四分律比丘戒本》，以及《梵網菩薩戒本》，引發了他專攻律藏的動機，法師發下宏願要深入律藏，加以研究發揚。

「我對戒律並不是有那麼大的興趣，因為人人都說它難懂，所以我才嘗試去懂它，」法師說：「希望自己先懂，再讓人家去懂。」

借了朝元禪寺的一部《大藏經》，法師開始細細研讀難懂的律部，又接到幾位戒兄寄給他的律學著作，都是《大藏經》律部所沒有收進去的，加上淨空戒兄借給他的《弘一大師三十三種律學合刊》，令法師「在浩瀚的律藏之中，痛快地游泳了一番。」

夜以繼日，法師浸淫於浩瀚的律藏之中，在浩繁龐雜的戒相中來回閱讀，意識到佛教的戒律，不管是出家戒或在家戒、聲聞戒或菩薩戒，不僅在義理要做釐清，為了因應現代社會，必須做大幅度的審視。聖嚴法師下決心要加以研究發揚。

在〈弘一大師的律藏讀後感〉一文中，法師指出，「弘一大師治律，雖以遵古為本，但又不落泥古的迂腐，難能可貴，」然而弘一大師的著述：「每以整理為主，說明為輔，而未達到弘揚介紹

的目的……。」

法師以「四分律」為基準，將經典中內容繁雜、名詞陌生、敘事瑣碎的條文歸納起來，發現不過是僧團的日常生活中身邊和手邊發生的事而已，只是必須把時間倒退到二千五百多年前，回歸到釋迦牟尼佛時代的僧團作息之中。

自此，法師為「還原復活佛陀制定的戒律，卻又不是食古不化地說教」而廢寢忘食地努力著。

南洋《無盡燈》佛教雙月刊發表法師所著的〈受戒學戒與持戒〉，及〈戒律的傳承與弘揚〉二文，馬來西亞檳城的竺摩長老讀了，「……覺其慧解敏穎，文筆犀利，所言切中時弊，深為感動。」竺摩長老讚嘆法師「年輕志高，學富力強，從研究戒律而弘揚戒律，欲以戒律精神振興佛教，這不能不使人敬佩」。

稱揚之餘，竺摩長老又以《無盡燈》讀者的名義，寄了十元美金給作者以表敬意，並說將為那兩篇文章單印流通，鼓勵聖嚴法師完成一部戒律學的專書，如果沒有能力出版，他願資助印費。

美濃山中的法師，捧著這封越洋而來的信，受到竺摩長老如此的鼓勵而深深感動。他畢竟沒有辱沒長老對他的期盼，十九萬言的《戒律學綱要》，於閉關後第三年完成。

這部介紹三皈、五戒、八戒、十戒等篇，具足戒及菩薩戒的作書，在自序中自承受到蕅益及弘一兩位大師的影響，但是：

「並沒有全走他們的路線，乃至也沒有完全站在南山宗的立場。」竺摩長老也看出法師的志趣「似走在弘一律師與太虛大師之間，而更接近後者的意趣，在生活上著重戒律的根本精神……在思想上接通佛陀的根本教義，活用於時代的文化領域。」

陳慧劍居士推崇此書是法師早期作品中「最重要的代表著作……極受海內外佛教高級知識分子的注意；佛律之在中國學術化，同時也足為僧俗共讀，這是第一部值得珍視的書。」

《戒律學綱要》出版後，成為寺院僧尼、在家居士修行的生活規範，影響所及，不僅佛學院採用為課本，連南京金陵刻經處也將這本戒律學翻印流通。

法師在山中完成這本書時，已有了推廣及改良菩薩戒的心願。

「好多人因讀了我的《戒律學綱要》，便發心受了菩薩戒。好多人因讀了《梵網菩薩戒本》，所以不敢冒然受菩薩戒。」

隋唐以來一直最受佛教徒推崇的《網梵菩薩戒》，其中的十重四十八輕戒，有許多早已不合時代環境之要求，但是歷代以來無人膽敢擅改菩薩戒律。聖嚴法師認為菩薩戒的目的，是在於發菩薩悲願的大菩提心，就是持戒、修善、利益眾生，而不在於拘泥於瑣碎戒條，不能要求過高，使得信徒因害怕受戒容易持戒難而心生恐懼，裹足不前。

「不受戒，做了壞事，佛菩薩不會責怪，受戒之後，知法犯法，罪加一等。」

像這種似是而非的說法，法師認爲都是因爲沒有眞正瞭解菩薩戒的宗旨。他對菩薩戒的看法是：

瓔珞經中說，有戒可犯是菩薩，無戒可犯是外道……所以有戒而犯者，勝過無戒而不犯，受了菩薩戒，發了菩提心的人，即使犯了戒，犯戒的罪業雖重，並要遭報，由於曾受菩薩戒，而可決定得度成為真實的菩薩，乃至證得無上的佛果……。

受戒之後，犯戒是正常事，只要懺悔，戒罪便滅。不論受戒不受戒，做壞事造惡業，皆當受報，稱爲性罪。如果受戒，至少可以防患未然，少造惡業。何況發菩薩心，受菩薩戒，本身就是大功大德。

深入律藏的聖嚴法師，發現大乘經律中「三聚淨戒」的內容，簡單但又包容廣大，對不同層次的菩薩，可有寬嚴不同的標準，可在沒有心理負擔和犯罪壓力下，順序漸進。

一九九一年，法師應西方弟子的再三懇求，以藏傳佛教、日本佛教不論那一宗，信徒都必須受菩薩戒，而做爲中國的大乘修持者與弘傳者，怎能不發菩薩願、不受菩薩戒爲理由，說服了聖嚴法師。

法師以菩薩的「三聚淨戒」爲中心，重編了《傳授在家菩薩戒儀範》，回歸佛陀時代精神，不要求受戒者遵守無法遵守之戒條，而側重於實際生活中實用，易實踐之軌範，假紐約東初禪寺傳授第一次菩薩戒，八十八位受戒居士來自巴西、馬來西亞、冰島、加拿大、印度、西藏及美國各州。法師勉勵戒子發菩提心、行菩薩誓願。

一九九三年，北投農禪寺首度分兩梯次舉行菩薩戒法會，戒法規範有異於其他道場，求戒信眾至今絡繹不絕。

簡單但隆重的封關儀式

從十年軍中退下來，法師領了萬把元的退役金，原以爲可供住山修學數年之用，沒料這筆款項被上海時代的老同學代他的信徒借去，就此無下文，致使法師阮囊羞澀，窘困到連洗衣的肥皂、漱口的牙膏、寄信求援的郵票錢也無從著落，東初老人知道了，也沒有任何表示，他只好透過熱心人士向智光老和尚求援。老和尚一向極器重法師，認爲他是台灣獨一無二修道做學問有大志氣的青年僧，智光老人獲悉消息後，雖在病中，仍立即設法資助。

「過不了半個月，我就一連收到好幾封掛號信，一時之間，發了一筆小財，使我感激得流下淚來。」日後法師在敬悼智光老人的文中寫道。

他閉關的關房也在因緣湊合下，由朝元禪寺與智光長老皈依弟子張居士合力供養。

融智尼師指著寺中的齋堂和外邊一排蘭花房說，那兒就是當年法師的關房所在，蓋在山坡上一連三間的瓦房，關房後有一棵大荔枝樹，她形容：

「枝幹粗到我可用兩手合抱，旁邊是一片菜園。」

聖嚴法師將關房取名「瓔珞」，是莊嚴的意思。佛法以持戒功德為無上莊嚴，法師自二度出家以來，以戒律為學佛基礎，故名「瓔珞關房」，陸軍總司令劉安祺將軍親題匾額相贈。

進關那天，法師本來不預備驚動任何人，星雲法師卻熱忱安排了香港來的明常長老到關前說法。他與南亭老法師及月基，妙然、煮雲、浩霖四位法師，在掩關前一天就涉水渡過雙溪河，來到朝元寺，頗使聖嚴法師感到意外的驚喜，覺得是平生最大的光榮。

當時寺中沒有電燈，點著煤油燈，大雄寶殿的牆壁是用土基胚堆砌的，十分簡陋，客房跟堆積雜物農具的柴房相接，床舖衛浴設備缺缺。聖嚴法師將幾位老法師安頓在即將使用的關房，他自己與星雲、煮雲兩位法師，在一個小房間的廣單（通舖）上，做竟夜長談。

談沒多久，客自睡去，法師夾在兩人之間，一夜沒好睡。他幽默地形容兩人的鼾聲，情誼具見：

「連連聽到東山春雷驚蟄，西塘蛙擂法鼓。」

封關儀式簡單而隆重：聖嚴法師搭衣關房內向外立，明常老人搭大紅祖衣向內立，觀禮僧俗唱歡喜地菩薩三稱畢，明常長老說法，然後由南亭長老及星雲法師關門，加封上鎖。封條一邊是「中華民國五十一年九月二十三日封」，一邊是「南無韋馱尊天菩薩」。

「明常老法師回去的時候，雙溪河的水漲到膝頭，過不去，只好找人把他背過河。」

四十年後，融智尼師猶是印象彌新，她又說：

「法師閉關後，楊白衣居士來看他，也是溪水太大，過不來，託人送信，說等水小了再來。」

回憶一段與雙溪河有關的往事，至今仍使爲法師護關的融智尼師愧疚不已：

「聖嚴法師辛辛苦苦寫好的文章，叫我去寄，剛好下完大雨，河水漲到膝部，我怕人被水沖走，就和一個同在過河的人說：我們手拉手一起過。結果，我手一伸，腋下的稿子掉到水裡去了，一下不見了，急得我……」

慈悲的聖嚴法師非但沒責備她，反而安慰她說：可以重新再寫。

「阿彌陀佛，厚厚一大疊文章，一個字一個字要寫多久啊！」至今融智尼師提起，仍是一臉疼惜之色。

美濃的雙溪河上架了橋，來往的行人不必涉水而過，已是民國六十二年的事。那時聖嚴法師已經在東京攻讀博士學位了。

法師在關房中如何解決用水的問題？

美國作家弟子問。

入關前，寺中已找了五、六十根竹子，剖成兩半，接連在一起，從山上接引泉水往下流到關房內的水缸，儲存以供洗滌沖廁。

封條封閉的關房只留一個僅可供人送飯或日用品的小窗洞，關房內當然沒有電話、報紙、收音機，甚至連電燈也沒有，只點一盞油燈。關房分前後兩小間，前間爲禮佛、打坐誦經之處，後面的臥室只容擺下一張床，關房後有一個隱僻的小院子，供他外出透氣。

「人需要吸收土氣，所以法師不能在二樓閉關。」

爲他護關的融智尼師說。

「入關以前，法師先在小院子種花草，關房西曬，很熱，黃昏到院子走走，透口氣。他聽菜園種菜的人說話，聽久了就學會了客家話，如果法師早一點學會客家話，講經就不怕沒人聽了。」

她指的是當年聖嚴法師初到朝元寺時，曾發心到美濃鎮上說法講經，由於言語不通，竟然找不到聽眾，法師爲此很無奈。

融智法師負責每天送齋飯，以及一熱水壺的飲用水。

「齋飯送到窗洞外，她會敲一下引磬，如果我在打坐，引磬聲會讓我出定，有時飯忘了送，我也忘了吃，沒有開水，我就喝泉水。」

聖嚴法師不以喝泉水爲意，倒是融智尼師至今仍是歉意連連。

「山上做工，有的時候一忙起來，眞的會忘記送飯、送開水。」

她倒記得法師最愛吃蕃薯嫩葉。

「山裡很多，四季都長，法師一年到頭吃也吃不厭！」

掩關是爲了修行，除了極少數長老居士來訪，法師謝絕訪客，他跟美國作家弟子說：「我不是動物園的猴子。」

訪客必須先寫信給朝元寺，如果法師願意接見，會在關房窗洞外留字條，然後由寺裡的當家帶來。

「見面時，來客進不來，關房外還有一道竹門，上了鎖，鑰匙歸寺裡保管。」法師解釋道。

慧定尼師讚嘆：「聖嚴法師很用功，在禁足時，從不多講一句閒話，入關以後，每次會客，規定只給十五分鐘，他要用功，不肯浪費時間。」

然而，爲了感謝融智尼師護關的辛勞，法師答應她的要求，爲她講經上課。

「一天到晚上山做工，想多學點，法師讓我找覺慧兩人一起上課，先上國文，古文觀止，後來教

上圖：與送法師入關的長老法師及居士

下圖：法師閉關潛修如今已成為朝元寺信眾津津樂道的軼事

《大乘起信論》，就聽不懂了。」

如何跟兩位女尼上課？從那個送齋飯的窗洞？

「不，法師關房有一面牆，會客時把牆板拿下，就成一扇窗，」融智尼師說：「窗上安有鐵條，他出不來，就在裡面給我們講課。」

她記得有次法師病了，她找來村子裡的中醫，隔著窗，法師伸出手給中醫把脈。

諸如此類的事蹟在朝元寺的信徒中傳揚開來。隨著聖嚴法師揚名台灣佛教界，海外四處弘法的新聞更是幾乎從不間斷，法師六年閉關已然成爲朝元寺信徒們津津樂道的軼事。現在寺中負責接待的女尼，索性挑選出當年法師閉關的照片，影印成疊，以供好奇探詢的香客索取。目睹入關之前，法師立在圍著竹門的關房外側影，以及在「瓔珞關房」匾額下、隔著窗洞往外看的頭像，貼著封條的照片，還有出關後在大雄寶殿前與長老們的合影，眾人無不心生敬仰，讚嘆不已。

《正信的佛教》問世

關房內遺世獨居，法師行解並進，行則拜懺打坐，解則閱藏，繼續研究戒律，受到印順長老《佛學概論》的啓示，認識到佛法和戒律是分不開的，決定從佛學思想源頭入手，開始研讀佛教的根本典籍《阿含部》。

印度佛教東傳中國，歷史太過久遠，法師展讀四種《阿含》的過程，發現不乏同類異義或異類同義的混淆現象，法師發心重新編錄，還原統一本來的面貌，當時並沒有想到把研究心得寫成一本書，湊巧《菩提樹》雜誌的朱斐居士向他要稿，法師為了把正確的佛法和眞正的佛教介紹給社會人士，根據了阿含經的基礎，又參考太虛大師及印順導師的一部分見解，列出七十個看來淺顯而實際重要的問題，以問答的方式在這份通俗刊物上前後連載了兩年，向世人澄清佛教與牛鬼蛇神的迷信無關，而是不可多得的正信。

文章後來成集出版，書名為《正信的佛教》。此書已成為佛教界的暢銷讀物，發行量已超過三百萬冊以上，地球上凡是有華人佛教徒所在之處，幾乎都可看到此書，連中國大陸也不斷地用簡體字印刷流通。掩關第二年，印順導師南下「瓔珞關房」與法師會晤，並解答法師所提教義問難。為他入關時說法的香港明常長老籌辦佛學院，有意禮聘聖嚴法師擔任院長，法師以學歷不足，德行尙淺婉拒。

掩關期間，不止一次聖嚴法師受到外界的干擾，第一次是一個謊稱雜誌記者的騙子，向朝元寺的住持勒索，如不給錢，就威脅要醜化寺院，法師從關房遞出條子警告要將他送交警察局，騙子未能得逞，轉而勒索別的寺廟，最後還是落網了。騙子在警局坦承只有沒騙到聖嚴法師。

「法院給我傳票，要我去作證，我當然不去。」

最後法師向一位立法委員求助，才解決這個是非。

另一個干擾事件則非同小可。

法師在關房內接獲有心人士寄來天主教出版的《恆毅》雜誌，其中有一篇駁斥佛教的文章，隨後又接到輔仁大學的神父、日本佛教大學函授部畢業的某牧師，攻擊佛教的著作，針對神父、牧師摩拳擦掌公然叫陣，煮雲法師、印順導師紛紛寫文章駁斥。

法師還在軍中服役時，曾因基督教牧師向佛教挑戰而打過筆戰，這次人在山中，本不希望多事，但基督徒竟然向他宣戰：

「你在關房，懂得自己的宗教嗎？敢出來應戰嗎？」

法師爲了澄清一些觀點，和說明佛教本身對基督教的看法，也希望疏導一般有識之士，能夠正視宗教問題，特別用心精讀了五十多種有關的著作，寫了《基督教之研究》一書，解開不同宗教觀點的糾結。

此書出版後，得到兩個極端的反應。法師說：

「一是佛教界鬆了一口氣，不再害怕基督徒闖進寺院送聖經發傳單了，二是神父牧師從此鳴金收兵，不過，卻引起其他的基督徒把我視爲眼中釘、心上的刺。」

然而，聖嚴法師一直相信宗教界應該互相肯定、尊重，必須增加溝通與了解。閉關兩年，眼睛

得了飛蚊症，需要治療，迫不得已，出關去高雄看病，一邊應壽山寺星雲法師之約，在壽山佛學院除了講授中國、印度佛教史，特地開了一門「比較宗教學」的課。

日後法師創辦中華佛學研究所，亦將比較宗教學列爲必修。長年來他一直是致力促進佛教、基督教，東西文化思想的交流。一九八九年天主教馬天賜神父與輔仁大學神學院院長房志榮神父蒞臨農禪寺，拜訪聖嚴法師，爲佛教與天主教間的交流啓開新頁。

法師偕同中華文化館佛研所副所長李志夫教授等，應邀造訪耕莘文教院、輔仁

創辦中華佛學研究所，除了培育僧伽，也致力於促進宗教的融合

大學神學院。兩度參觀天主教機構，除了了解佈教施設外，對神職人員養成教育的過程也特加考察，法師對神父、修女的高學歷，以及靈修與俗化並重的原則極爲嘆賞，反觀佛教的僧才教育也是刻不容緩。

法師應邀出席輔大主辦的「宗教與文化國際學術研討會」，也邀請台灣神學院董芳苑牧師、回教等不同教派人士，到中華佛學研究所做專題講座，互相切磋。

身在禪中不見禪

民國五十六（一九六七）年法師的眼疾痊癒後，對這種兩處奔波的教書生涯，覺得與他閉關修道的初衷大相逕庭，決定回到美濃再度入關，這次請朝元寺能淨老和尚封關。二次入關，驚動了佛教界前輩，印順導師、白聖長老、剃度師東初上人，以及同流道友紛紛來山相勉。

在這整個閉關、行解雙運的日子裡，聖嚴法師究竟在修什麼、證什麼？與法師相知甚深的陳慧劍居士，得知法師入關之前，「他打坐的方法非常奇特，既不修觀也不參禪，更不念佛，他的打坐是諸法之外的純打坐，不加任何禪觀，他也自知，這是個人的創作。」

入關之後，法師遍讀一切禪修的典籍，也試煉過佛家禪定（達磨禪、天台止觀、念佛三昧），最

後他認爲修的是心中無繫念的無念法。

「法師在這一特殊的方法上，找到了心不在內、不在外、不在中間的本來無一物的一絲不掛禪。」陳慧劍居士寫道：「他沒有師承，未經啓迪，用這一離念、無念、非觀非禪不思議法，開闢了另一片修行空間。」

若干年後，法師爲美濃山中修道方法，訂名爲「疑似曹洞默照禪」。至於修行過程中，又發生的一些特殊經驗，法師不願回答美國弟子一連串的追問，他說：「不想給人家當小說來看！」

禪宗開悟不講次第，是無門關，只能靠自己去摸索體會，法師堅持保持禪本來的風格，不願繪聲繪影地渲染神秘色彩，變成和密宗修行沒兩樣。

禁不起一再追問，法師才淡然地反問他的美國弟子：

「釋迦牟尼佛六年證道，耶穌在沙漠裡的經驗，也是無以形容的吧？我在山裡，不覺得有什麼大事發生，外邊的人看我，也許可看出一些。」

身在禪中不見禪。法師心中保持一片澄淨清朗。

「山中冬暖夏涼，春秋時間相當長，日子過得很快，日日是好日，夜夜是滿月，天天過去，沒什麼驚天動地的大事發生，也不去記它。」

日後聖嚴法師在美國、台灣主持禪七，教打七者以跑香經行、瑜伽操來調和靜態打坐，這一套

動中修是法師在關房中琢磨自創出來的。他幼年出家時曾學過少林拳、太極拳，體會出這緩慢中有動力、快速中有定力、動中有靜的拳術，極富禪的精神，與印度瑜伽本有深度的淵源。

法師掩關靜坐時，把自動演出拳術的路數融合瑜伽術，創出一套動態時，仍然身心一致，既練身也鍊心的平衡身心的方法。

修行佛法，法師眞心向道，魔王心中害怕他不著魔業，不受魔使，閉關期間，遇到幾次魔境干擾：

有一夜，已在靜坐中，忽聞有山雨欲來風滿樓的狂風暴雨聲。法師心中念動，喜愛種花蒔草的他，擔心關房外小院剛種的幾株花草會被風吹折，正想起身，抬眼一看，卻是個月明星稀的夜晚。法師上了魔境的當，再要打坐，卻不能定下心來。

又有一次，一個風和日麗的大白天，法師正在用功，突然一聲槍響，感覺茅蓬的玻璃窗，被擊穿了一個洞，照說子彈應該會飛到法師身上，他卻沒受傷。法師猜想是獵人在關房周圍狙擊鳥雀，或發現野兔等獵物，又想這可能只是魔境，決心不起身，不去理會。

一連數日，總覺得仍有獵人在他周圍打獵，法師時常意識到窗子再被打上一槍。決意不被魔擾，結果受擾更多。

另有一次深夜，忽然聽到巨樹傾倒的聲音，隨後又有許多巨鳥撲翅起飛的聲音，法師明知是不

可能發生的事，心頭仍然受到震動，很想起身查看一番。那時身體雖未動，心湖卻已風起雲湧了。

眞正修道之人，無可避免地會受到魔境的阻撓，釋迦牟尼佛成道之前，仍有降服過惡靈的過程。修道將要得力之人，如果心內無魔，外魔便無從下手。

聖嚴法師告訴禪的修行者對付魔境的原則：

凡遇魔境現前，能夠做到不動心，自然是好。若心已動而身依舊未動，仍不失爲克服魔境的好方法，只要再把被魔境擾亂了的心，拉回到修行的方法上，魔境自然消失。

如果心隨境轉，身隨心動，那就離開了修行的方法，被魔鬼牽著鼻子走了。法師說：修行者只要有一絲欣求心或厭惡心，就很容易引來各種山精鬼怪、魑魅魍魎，各類鬼神，乃至來自大自在天的魔王的煩擾。

第六章

負笈東瀛

反對聲浪中赴日留學

聖嚴法師俗家所在地江蘇張家港的附近，有一處唐代佛教遺蹟——黃泗浦，《唐大和尚東征傳》一書，記載了這個地名，它是唐代鑑眞和尚第六次東渡日本傳揚佛法的啓航處。滄海桑田，原本舟楫通航的河流，早已變成綠油油的農地。一九六三年，爲紀念鑑眞和尚逝世一千兩百年，中共在農地闢出一塊綠地，豎立一個石柱，刻有「古黃泗浦」四個大字，上側一行小字是「唐鑑眞和尚第六次東渡啓航處」。

唐天寶二年，日本佛僧前往揚州大明寺，乞請鑽研三藏，尤其精通律宗，集天下聲望於一身的鑑眞大和尚東渡日本傳授戒律，如是展開了他的東征旅途，先後歷時十一年，經過五次失敗，被庸醫誤治，雙目失明後，仍不改赴日弘法的悲願。

天寶十二年，鑑眞大和尚第六次從揚州出發，隨行弟子二十三人，啓航處便是張家港附近的黃泗浦。大和尚抵達日本，受到聖武天皇的禮敬，駐錫東大寺，建立戒壇，弘揚律法，對日本佛教影響深遠，奠定了日本比丘戒之授法的基礎。

繼鑑眞大和尚冒死東渡後，宋元之際，中國禪師也不斷渡海到日本傳揚禪法。

風水輪流轉，近代中國佛教式微，聖德不出，反觀日本，自明治維新以迄今日，培養世界性的

佛學人才無數，日本在佛教教育設施及學術研究成就輝煌，已儼然執世界佛教動脈的牛耳。

而直至二十世紀六〇年代，台灣尙無一所佛教大學的設立，僧眾不獲重視，連進各大學向學佛青年說法，都在禁止之列。佛教界有識之士，每思至此，無不痛心疾首。

民國五十四（一九六五）年，高雄美濃朝元寺閉關的聖嚴法師，忽接東初老人快函，要他提前出關，師父願意全力支持他到日本留學。展讀東初老人信函，法師簡直不敢相信自己的眼睛。他猶記不久前，在關房中窘困到連洗衣的肥皂、漱口的牙刷、牙膏、寄信求援的郵票錢也無從著落之時，被師父知道了，卻連一點表示也沒有。這下卻決定要資助他去日本深造。

「……在此日新月異的時代之中，如果沒有國際性的知識學問，勢難立足於時代潮流的尖端……。」

東初老人信上如此寫道。他是希望弟子圓他未竟的東渡之夢。老人早年從閩南佛學院畢業後，本想赴日本深造，因「九一八」事件之後，中、日兩國交惡，不願在當時赴日，留學東洋的想望就此告吹。

手持師父快函，法師不無感慨。歷代以來，日本欽慕中國政教文化，不斷派遣使臣及學僧前來學習，現在師父竟然要他禮失求諸野，願意栽培他，學成後回來滋養祖國的佛教。爲了提高佛教之學術地位以及僧人的素質，開創佛教教育的新局面，法師理當義不容辭，到日本取經。他在關房

內，爲了編寫宗教學及佛教史的資料，正在自習日文，從文法開始，以自修的方式，無師自通地弄懂了日文。

然而，憑著這一點自修的日文，又已年屆四十，想到赴日本當老學僧，一切得從頭學起，法師畢竟有點猶豫。加上日本京都佛教大學出身的楊白衣居士，從牯嶺街舊書攤收集了一批批日文佛教舊書，寄到關房給他，法師細細閱讀後，雖然欣賞日本學者的治學方法與資料整理，卻不能同意他們將佛教義理與信仰用來和西洋哲學宗教比附討論，因此對赴日深造並不熱中。

後來接到留日的張曼濤居士來函，建議法師赴日一行，觀摩日本佛教所辦大學，以便日後能自行創設，法師有意一試。

尤其當他讀到一本基督教刊物公開叫陣：

「環視台灣佛教界，竟無一人讀懂佛教原典的梵文，如僅懂中文而不懂梵文，無異是隔靴抓癢，只能猜測而不能夠眞正地瞭解佛法……。」

受此激將，聖嚴法師決定接受挑戰，鼓足勇氣自言：赴日留學捨我其誰！

經過剛從東京立正大學學成回國的慧嶽法師向他的指導教授坂本幸男博士推薦，又拜託留學東京的吳老擇先生奔走接洽，法師以同等學歷及出版成果獲得立正大學的入學許可。

適逢台北善導寺新任住持悟一法師，南下三訪關房，力邀法師出山爲善導寺主持講座，法師力

辭不獲，於是答應出關北上講經，也預備以一年時間補習日文的聽寫能力。

民國五十七（一九六八）年二月廿日的出關儀式，悟一法師請來中國佛教會會長白聖長老主持開關儀式。

據聖嚴法師口述，出關那天因不願驚動大家，加之南部深山路途遙遠，當天觀禮的只有悟一法師及朝元寺十幾位住眾，儀式過程簡單，白聖長老將關房封條撕開，用慧定尼師保管的鑰匙打開關房，聖嚴法師步出關房，中午在寺中向佛祖午供，用過午齋就與悟一法師搭機到台北。

「一點也不戲劇性，沒有敲鑼打鼓，我這個人也不喜歡這些，何況朝元寺在深山。」

聖嚴法師如此形容出關的情景。

然而，據朱斐居士在《菩提樹》佛教雜誌的報導：「民國五十七年二月廿日，中國佛教會理事長白聖長老南下美濃朝元寺為聖嚴法師主持啓關典禮，是日參加者有煮雲、淨心、浩霖等法師，以及鳳山蓮社蓮友等共百餘人。典禮於上午十時正開始，請白公長老說法，繼由悟一法師啓開關房之鎖，揭開封條時，聖嚴法師雙手合十，步出關房，向白老及大眾頂禮道謝……。」

法師離去後，「瓔珞關房」空了十年之久，等著他回去，最後才拆掉。

「聖嚴法師說美濃是他第二故鄉，出關以後，這麼多年了，才回來過一次，還是到台南弘法，順便來朝元寺。」慧定尼師感慨道：「法師太忙了，抽不出空回來。」

其實聖嚴法師出關的這年七月又回去朝元寺一次，開山的能淨長老以八十二高齡示寂，朝元寺禮請法師南下，主持荼毘儀式。

當年法師出關時，只帶走一隻小箱子，所有的書籍衣物用品悉數存放關房內。「法師打算萬一日本去不了，台北也住不下去，就再回到山裡繼續閉關」，慧定尼師說：「法師閉關，以三年為一期，第二期剛結束，本來還要再閉一期，結果因要到日本留學，就提早出關了。」

融智尼師在法師回台北後，進關房收拾，發現房內整潔無比。「被單折疊得整整齊齊，法師把用墨水染的衣服留下來。」

日後她遵照法師囑咐，把部分的書按址寄到日本。「法師郵費給多了，我要退還給他，他不肯。」融智尼師說：「法師對錢很明白！」

有意思的是，多年後，聖嚴法師在日本學成之後，飛往紐約弘法，來信要融智尼師將另一部分書寄到美國。

「我不懂英文，也不會寫，怎麼辦？剛好碰到一個美國人，請他把法師的地址寫好，我拿去圖章店刻成印章，刻好了，用蓋印的，方便又不會錯。」

融智尼師為自己的好點子呵呵地笑，得意極了。

出關後，聖嚴法師應善導寺住持悟一法師之請，主持佛教文化講座。文化講座的講主歷屆均為

名重一時的長老耆宿，如錢穆、南懷瑾等，年紀最輕的聖嚴法師名列其間，令他感到莫大光榮。

法師留學日本的消息一經傳出，當時還十分封閉的佛教界立即紛紛議論，大陸來台的長老們，八年抗日傷痛猶新，對日本軍閥深惡痛絕，法師欲赴侵略者的敵國深造，頗令長老們大不以爲然，慨嘆是中國佛教界的悲哀，尤其是不齒日本和尚蓄妻食肉，不忌葷腥、煙酒的陋習，預言聖嚴法師此去，必定易裝還俗，好事者散佈謠言，聲稱法師一到日本，立即會西裝筆挺，馬上有人替他煮飯洗衣。

一片反對聲浪中，法師把這些攻擊視爲增上助緣，更堅定他爲重振中國佛教文化及教育而留學日本的決心。原本勉勵他學習法顯、玄奘、義淨之西遊，或效法空海、最澄之入唐的東初老人，鑑於台灣赴日留學的佛教青年，沒有一個學成回國的，幾經考慮，老人收回成命，反對法師出國。

「我準備給你全部費用去日本時，你不去，現在我倒不贊成你去了。」

言下之意，是拒絕了弟子求助的期望。

東渡之前，法師向師父告假辭行，東初老人嚴肅地說：「你一定要去的話，我總要給你一點錢的，可是並不因爲你是我的徒弟，我對去日本留學的比丘、比丘尼，都有過一點資助，比照成例，給你一千美金，分四次匯到。」

眞怪不得法師感嘆：東初師父養育徒弟，用得是養蜂而不是養金絲雀的方法。他教弟子們自力

更生，像蜜蜂自行去採花粉釀蜜以利人食，而不像養金絲雀般地供養食料。

所幸佛教界中也不乏對法師留日期盼殷切的長老，白聖長老來信，表示欣喜之意，南亭長老也捎來盼望，希望他「去短取長，帶回一套復興計劃」。

法師南下鳳山向煮雲法師辭行，獲一萬元無息借款，多年後，法師學成歸國，將特地南下還借錢，煮雲法師不以爲意，表示當初並沒指望他還錢。

臨出國前，聖嚴法師長跪佛前，虔誠祈願：

弟子聖嚴，此番為求中國佛教文化及教育的重振，而去日本留學，去後決不改裝，決不放棄素食，決不以做散工來換取生活費用。若我佛教尚有前途可為，敬乞三寶加被，助弟子完成學業。倘以弟子無福無德而非其選者，則在糧盡援絕之時，使之立即返回祖國，再度入山，閉門思過，決不因此灰心而變志還俗。

唐代鑑眞和尚從江蘇張家港黃泗浦第六次啓航冒死東渡，遠赴日本傳揚律宗的一千兩百三十五年之後，聖嚴法師在佛教界一片反對聲浪中，踏上了留學日本的征程。除了一張機票之外，眞是阮囊羞澀，原來答應資助他的一位馬來西亞華僑也變了卦，在他行前三個星期，託人告之，因不忍心

送一位法師到日本還俗而改變初衷。

聖嚴法師去意已決。

「如果待不下去，身上的錢剛好夠買一張船票回來，還可以回到朝元寺閉關。」

飛機抵達東京機場，迎接他的是一場大雪後冰冷的銀白世界。

金剛道場好求學

日本佛教界的兩大重鎮——京都與東京，前者是千年古都，可感受到中國唐末古風遺韻，京都佛教學派門風謹嚴，有父子、師徒代代相傳的傳統，拜在名師門下，來日也可成爲衣缽傳人。東京則是近代日本文化的中心，主掌日本佛教學術文化的動脈，在這現代化的國際大都會，可呼吸到世界佛教的學術研究環境的空氣，世界級和全國性的學術會議，也多半是選在東京召開。

聖嚴法師入學的立正大學，位於東京品川區，是日本最古老的佛教大學，學校命名得自十三世紀日蓮聖人所著的《立正安國論》而來，大學設有文學部預科及研究科，正門台階上威嚴地立有阿育王石柱，爲一氣象莊嚴清肅的佛教學府。

身上僅有的一千美金，繳了學費後，所賸無幾，租不起房子，只好找同去留學的淨海法師借住。處境窘迫如斯，聖嚴法師卻絲毫不怨天尤人。

「我心裡很平和，沒有怨恨任何一個人。人家沒欠我，是我自己要去的。」

法師志在求學，而且是以研究日本的天台教學爲著眼點。第一年三十二個學分，他一口氣選修二十四個，碩士班的日本同學，都是二十幾歲的青年，教授的年齡比他還年輕的也不在少數。這位來自台灣的老學僧想到唐朝的義淨三藏赴印度留學的時候，也是三十九歲，和他自己同齡，令他稍感釋懷。

立正大學師生對這位在台灣早有多種著作成就的中年法師，能夠放下名利，來日本求學的精神，無不嘆賞感佩，親切對待，有三位老師甚至免費爲他補習日文，其中最令法師感念的是牛場眞玄教授，老先生七十多歲，退休在家，感恩先人從中國請回佛陀經典，使日本深受佛教恩澤，亟思反哺，他憎惡日本侵略中國的暴行，對中國僧人抱著慚愧歉疚之心，除了替法師補習日文，也經常招待他飯食茶點。

牛場眞玄教授與中國現代佛學大師印順長老素昧平生，卻自動發心，把印順長老的《中國禪宗史》譯成日文，送到立正大學申請論文的博士學位，聖嚴法師從中促成了中國在日本第一位博士比丘的誕生。

饒是再錙銖必較，節省用度，入學四個月後，儲蓄用盡，法師面臨斷炊及輟學雙重憂慮，他緊咬牙根，不肯違背旅日前在佛前許下的諾言，不願脫下僧服，到餐廳打工，後來經由一位還俗的中

國和尚牽線，到留日華僑家中爲亡者誦經超度，賺取生活費。

「那位還俗的和尚每次給我介紹，都要從中抽成，我也覺得很正當。」法師笑著說。

偶爾東南亞的華僑佛教徒到東京旅遊，法師充當導遊接受供養，也不無小補。

異域求學，生活極為清苦，但堅信「道心之中有衣食」

法師在立正大學附近的一條小街口，一棟兩層的木造房，租了閣樓一間四疊半榻榻米的斗室，做爲他的道場居停處。房東是淨土宗的佛教徒，以有中國法師租住他家爲榮，常常送食物供養法師，甚至還自動把每個月租金減收一千日元，表示敬僧。

閣樓面對西北，夏天西曬，熱不可當，冬天下雪時無暖氣禦寒，融雪天更冷，加上住處不設浴

室，不論晴雨寒天，都得夜晚到附近的公眾浴室洗澡。環境如此簡陋，法師一住六年，從未興起搬家的念頭。

佛典中的記述說，有福德的菩薩雖住阿鼻地獄，猶如三禪天上，無福之人縱然被帶上了三十三天，仍感水深火熱。法師把住處當做修行鍊心的道場，在斗室裡安之若素，做到了心不隨境轉的地步。日本同學戲稱那是法師一年四季春夏秋冬日日好日的金剛道場。

四疊半榻榻米的斗室，法師不設床鋪，卻供奉佛壇，朝暮誦課禮佛，從未間斷。

立正大學的日本同學中，法師最早認識的是研究中國石刻經，現爲立正大學佛教學部教授的桐谷征一先生，早在一九六七年，桐谷先生帶著新婚妻子到台灣來度蜜月，在一次演講會中初見法師，隔年日本重逢，從此成爲莫逆。當年他是立正大學的研究生，與法師交換語文。

「聖嚴法師教我中文，用的課本是魯迅的《吶喊》，法師是江南人，中文有點口音，不完全是北京話。」

坐落於東京池袋雜司谷的本納寺，寺院古木參天，深秋季節，有一種樹開著黃燦燦的小花，明亮美麗，本納寺的住持桐谷征一先生，身著黑色僧衣，在他懸掛石刻拓本，纖塵不染的會客室，撫著光頭，回憶他的中文老師的口音，禁不住呵呵笑了起來。

他隨即面色一正，嚴肅地道出一個令他印象深刻的景象：

造訪聖嚴法師的道場斗室，桐谷先生看到書桌上方寫有兩句話：「當作大宗教家，勿為宗教學者」，東初老人給法師的兩句勉語。「他是活生生地存在師父的教導裡面呀！」桐谷征一先生讚嘆。

的確，法師時刻不忘謹遵東初老人的囑咐，希望他不僅以學術的追求為目的，佛學知識的充實，是為了輔佐宗教精神的實踐，是通往宗教領域的橋樑。

「我是為了自己的信仰而從事於學術的研究，不為了學術而學術，為了研究而研究。」法師強調。「不過，如果缺乏學識學位，就沒有資格創辦主持佛學教育，培養人才。」

法師日夜坐擁書城，苦讀用功不輟。

現為立正大學佛學部部長的三友健容教授，與法師相交甚篤，當年他是大學的助教。三友健容教授應法師之邀，到斗室吃素餃，他對房中藏書之豐富大感詫異：

「小小的房間，靠牆三個大書架，擺滿了書，」三友教授記得法師藏書中，整套的《大正藏》、《卍學續藏經》最為醒目。

「法師的書太多，也很重，不太結實的屋樑好像都被壓彎了」，三友教授半玩笑半認真地說：「我可不敢站在樓下，怕屋樑被書壓垮了，塌下來把我壓扁！」

他說多虧房東很喜歡法師，才沒請他搬走。

與法師一起選修坂本幸男教授教的天台智顗大師的「摩訶止觀」一課的晚期同學山口晃一博士，見證了法師苦讀不懈的用功精神：

「只要大學圖書館開門，一定可看到聖嚴法師，」山口晃一博士讚嘆：「圖書館晚上九點半關門，我從二樓下來，一定看到他坐在那張擺著《大漢和辭典》的書桌前用功，一個星期六天，一年四季，從不間斷。」

法師在書桌前苦讀的背影，令山口晃一博士難以忘懷。

「智顗大師的著作，我一天只能讀一百頁，聖嚴法師足足讀完三萬頁。」

山口博士對法師的威儀敬仰有加，他生動地形容法師的莊嚴法相：

「走路時，如果背脊掛一條繩，也不會搖。」

聖嚴法師絲毫不以每天用功十六個小時爲苦，他樂在其中：

「我放鬆身心，並不緊張，用修行的方法讀書，怎麼會苦，會累呢？每天在經典裡聽到看到佛陀、祖師的話語，太殊勝了！」

經過用功苦學，法師弄通了初級的梵文文法，把上課用的基本梵文文法，邊學邊譯成中文，準備讓國內有志於學梵文的當教材。可惜寄給一家佛教雜誌社連載幾期後，編輯換了人，終止了刊載，連原稿也下落不明。

短短一年半時間，一邊學日文一邊修完了學分，每科都得優。法師說起碩士論文題目，研究中國天台宗的初祖慧思禪師的《大乘止觀法門》，還有一段不尋常的過程：

「坂本幸男教授在課堂上教這部書，常常會碰到攔路的虎——好些的疑難不明，因我是中國人，他常問我講的對不對？或者乾脆問我應該怎麼講？」法師說：「當時我手頭正好有一本近代諦閑大師的《大乘止觀述記》，他問，我就答，雖然不是我自己的看法，他還覺得滿意。」

法師決定以「大乘止觀法門之研究」爲論文題目。自此，除了再三熟讀這部書，法師經常帶了只有冷飯和鹹蘿蔔的便當，穿梭於東京幾家佛教關係大學的圖書館，查閱、抄錄、影印相關資料。遺憾的是日本學者研究《大乘止觀法門》的著作極爲有限，但法師還是以短短六個月的時間用日文完成一篇長達十萬字的論文。

《大乘止觀法門》是慧思禪師晚年集畢生思想的大成之作，誠爲中國禪宗思想的先聲，是天台宗教學與性具思想的濫觴。

「這部書爲南嶽慧思禪師所著，在中國一向沒有懷疑，日本天台學者証眞，在十二、十三世紀之間，舉出了許多理由，說它不像是出自慧思禪師的作品。」

法師不敢苟同証眞的看法，論文中有一章，論及眞僞及其作者，他一一提出反證。其餘兩章，分別闡述大乘止觀法門的組織內容，以及其思想基礎和根源。研究過程當中，法師深入接觸到與這

部書最有關係的經論，使他對如來藏系統的思想和唯識的思想有了系統的瞭解，論文完成後，發現《大乘止觀法門》是一部哲學性、思辨性的書，目的是要讓人接受如來藏的觀念是正確的，而使人建立起人人都能成佛的信念。

「寫這篇論文，最大的收穫倒不是證明《大乘止觀法門》是慧思禪師所作，而是學會了找資料、用資料、分別資料、取捨資料，然後寫成絲絲入扣的論文。」

指導教授坂本博士對論文內容讚賞有加，駒澤大學的池田魯山教授，被公論爲研究《大乘止觀法門》的權威，也極爲推崇。

論文雖以日文寫成，東初老人去信要他譯成中文寄回台灣，交給《海潮音》雜誌，發表後被佛教學者讚譽爲中國佛學研究現代化的先聲，佛教界符合現代論文寫作規範的第一本作品。

東初老人雖然曾經信誓旦旦地說：

「聖嚴即便去了日本，也不怕他會還俗。」

法師的生活也完全和在台灣時一樣，著僧服、吃全素、朝暮禮佛。然而，好事者的謠言，卻未曾止息，老人動搖了，去信要法師拍張照片寄給他。

做弟子的想破了頭，也猜不出師父的心意，只有奉命行事。東初老人猶是不信，繼續來信查詢：

「相片是不是近照？」

最後抵擋不住流言的困擾，東初老人乾脆親自飛到日本查看他的居處，是否有與人同居的蛛絲馬跡。

法師不僅沒有易裝還俗，他在茹素不易的日本，堅持吃全素，爲此還鬧出一個笑話。原來日本人視盛產的海鮮魚蝦爲素食，法師無法到外邊吃飯，只好拎著菜籃到市場買菜自己煮食，他一個光頭和尚混在一般家庭主婦之間，自覺不倫不類，以後都是選在人群最少的時候去。

一次應邀到三友健容助教家作客，臨走，主人的母親以一塊柴魚相贈，法師以爲是截檀香，拿回斗室磨成粉狀，點火薰香，結果弄來一屋子的魚腥味，幾日不散，令他哭笑不得。

三友健容爲法師不肯入境隨俗的精神所感動，有一段時間也效法法師茹全素。他的同學山口晃一偕夫人在嚐過法師的手藝後，回家如法炮製，用昆布、粉絲、紅蘿蔔、白菜，不放味精，原汁原味烹煮的菜根香，鮮美可口之至。法師的印度籍同學 Naresh Mantri，也對法師的廚藝讚不絕口，他回憶法師生活極爲清苦，卻十分慷慨好客，因住在學校附近就地利之便，不止一次邀請印度同學吃素麵，溫暖了他這異鄉人的心。

除了日本的教授、同學、國際友人，台灣佛教界的長老、居士造訪法師居停的道場，不少都試過他拿手的羅漢齋。然而，法師爲了待客才親自下廚。他不肯把時間浪費在炊煮上，經常以牛奶麵

包充飢果腹，而且常常忘了午餐，終因營養不良導致貧血。

道心之中有衣食

當年赴日留學，法師是在一片反對聲浪中離開的，畢竟後援有限，完成碩士學位後，他便打算回返台灣從事編譯工作，介紹日本佛教學者的著作，爲台灣的學術界開闢一個新的研究領域，他竭力儉省生活所需，購買大量日文專書，以備編譯之用。

這消息被他的指導教授坂本幸男博士獲悉，勉勵他要效法古時到印度取經的玄奘、法顯，或赴中國求法的日本古德，從艱苦困難之中，培養求佛法的精神，坂本教授語重心長地引用日本江戶時代研究天台宗的靈空光謙的兩句話：

「道心之中有衣食，衣食之中無道心。」

「這種鼓勵，正是我當時最需要的，比答應給我金錢的支援更有用。」

聖嚴法師決定留下來繼續深造。

可幸他窘困的消息一經《菩提樹》雜誌批露後，立刻接獲一位隱名的善心人士來信表示願意支援。法師比照東京大學留學生所需的費用，減成一半的數目告知這位善人，第一年，美金一千八百元很快由瑞士銀行匯到，法師後於《菩提樹》月刊登函致謝。

正逢美金兌換日幣貶值，從瑞士匯來的款項不夠敷用，坂本教授知道了，自動答應為他設法，每年籌六十至八十萬日元，幸而那位隱名的善人補足了不夠之數。

「坂本教授這樣栽培我，他的目的，不一定是幫助我個人。」法師在〈留日見聞〉一文中寫道：

坂本博士說：「我希望你們中國的佛教早日復興。今日中國大陸，雖已沒有佛教的形式，但是佛教的信仰心之深藏於億萬中國人的心中，是毛澤東所無能剷除的。當復興貴國佛教的時機來臨之前的現在，希望中國佛教界多培植人才，更希望像你這樣的人，留在日本，好好地多讀幾年書。」

聖嚴法師接受坂本教授的建議，博士論文以明末的蕅益智旭大師為研究主題。

佛教學者認為蕅益大師是中國天台宗最後一位大成就者。聖嚴法師一向對天台宗倡導的教觀並重、止觀雙運十分嚮往，認為這種教理和禪觀相輔相成，正是今日佛教所需要的精神。為了報答佛恩，法師發願深入研究這位統合大小乘各宗而匯貫於天台，整個中國佛教教學思想上，最後一位集大成者。

研究對象既定，坂本教授首先要他讀完蕅益大師的全部著作。

「這本博士論文，我寫的過程並不痛苦，卻很辛苦。」法師說：「先不要說讀，光找書就是一個大挑戰，蕅益大師的著作散在各處，眞不知從哪裡下手！」

法師苦笑著。他又重過寫碩士論文找資料的日子，每天帶著冷飯和醃蘿蔔的便當，來回奔走於東京市及駒澤、大正幾所大學的圖書館，託人到京都龍谷大學及其他幾所佛教關係大學的圖書館搜查影印資料。爲尋覓蕅益大師的著作，其間經歷的艱辛，遠非寫碩士論文時所能及。

「著作不僅流散在各處，收集不容易，有的原版，後來沒再重印，簡直無跡可尋，」法師回憶：「加上他除了是位佛教大通家，蕅益大師還精通儒學，也寫過批判基督教的文章，範圍相當龐雜。這些與佛教無關的著作，就沒被後人收入藏經，而且有些著作，再版幾次後，給了它不同的書名。」

尤有甚者，蕅益大師不同的年代、不同性質的著作，就用不同的署名，將作者與著作對號入座，就是一個龐大困難的工程，加上日本學者眞正研究或介紹大師的論文寥寥無幾，增加研究上的困難。

法師鍥而不捨，耗費了整整兩年時間，當做認眞修行，一邊找書、一邊閱讀、一邊做筆記，漸漸地，連遺漏在藏經之外的大師著作也被發現了。

除了徹底蒐集閱讀日本的藏書，竟在有次他回台時，在台北路邊書攤上找到一本《四書蕅益解》，雖是斷簡殘篇，法師當下卻有踏破鐵鞋無覓處，得來全不費工夫的歡喜。

閱畢蕅益大師七十七種兩百四十卷，一共三百多萬字的著作，法師向坂本教授表示大師著作太過龐雜，牽涉範圍太廣，一時無從下筆。坂本教授建議他最重要的一部書是《靈峰宗論》，蕅益大師圓寂之後，由他的出家弟子成時編印流通的。

坂本教授又告訴他：日本江戶時代天台學者靈空光謙在他所寫〈刻靈峰蕅益大師宗論序〉中曾說：「古人有言曰：讀孔明〈出師表〉而不墮淚者，其人必不忠；讀令伯〈陳情表〉而不墮淚者，其人必不孝；讀退之〈祭十二郎文〉而不墮淚者，其人必不友。余亦嘗言：讀蕅益〈宗論〉而不墮淚者，其人必無菩提心。」

靈空光謙是日本佛教史上致力於弘揚蕅益著述最有所成者。法師覺得能使人感動得流淚而發菩提心，必是一部好書，正是現代佛教徒急切需要知道的。

確定博士論文的主題，法師卻又爲不知何處尋覓這部書而苦惱，最後還是向指導教授求援。法師形容奇蹟出現的情景：

坂本教授墊著椅子，從他書房的頂架，取下一套十八世紀的線裝書，封面是用柿漆皮紙包裝，一共十大冊，每冊都有白底黑字的正楷書標：「靈峰蕅益大師宗論」。

原來坂本幸男教授一直想研究這部巨作，奈何年事已高，他曾鼓勵另一個中國留學生寫論文，可惜沒有下文，聖嚴法師正可完成他的未竟之心願，於是慨然允借這部珍藏的古書。

「坂本先生給我一個條件，只可以看，不可以動筆圈畫，在一個月內歸還，我如獲至寶地說：沒問題，一個星期以內就能還！」

他把書拿去影印，歸還原本。兩年之內，十大冊書一共讀了二十七遍。

「讀完第二十七遍，幾乎可以把十冊的靈峰宗論背了出來。」法師說。

蒐集到與靈峰宗論所有相關的資料，法師決定用編年的方式找出蕅益大師的行蹤、遊跡地點、接觸的人物、思想源流，以及著作年代，眉目分明地來看這位明末大師整體的一生。

法師所列出的論文大綱，獲得指導教授的首肯。

超越情苦　走向大愛

動筆寫博士論文後，不久發生一段人生經驗中意想不到的插曲：

一九七二年，日本政府承認中共政權，斷絕與台灣的外交關係。留學生個個人心惶惶，謠言四起，傳說台灣留日學生，將被迫改用中共護照，如有不從，會被驅逐出境。日本政府針對此事遲遲不肯出面說明，使台灣留學生自覺像是被世界遺棄的孤兒，完全無心向學。

深諳世間無常的聖嚴法師，勸勉驚惶的同胞，在天尚未塌下來之前，好好地活著。他自己則心無旁騖地繼續寫他的論文。

然而，他的日本教授、同學卻擔心情勢變動，法師的身分會發生問題，紛紛建議他接下一所寺院的住持，當日本和尚，歸化成日籍。有一位教授甚至沒取得法師同意，便介紹了一對母女來見他。這對母女臨別時邀請法師前去參觀他們的寺院，法師不疑有他，當下欣然答應。

第二天教授來電話，原來是他一手策劃的相親，法師被蒙在鼓裡一無所知。那對母女是一所寺院住持的妻女，住持最近去世，並無子嗣，女兒如不招贅一和尚女婿，大本山會別派住持逼走母女。

「教授以為如果我願意被招贅，身分問題便解決了，他是一片好心。」

法師願意領這個情嗎？

「我對這個奇怪的安排大感意外，除了感謝這位教授的好意，卻斬釘截鐵的告訴他：絕無可能。如果有意結婚，早在軍中便成家了。」

法師一心想把日本所學貢獻給國家，並無長留日本之意，如果被日本政府驅逐出境，他決定義無反顧回到台灣。

日後法師踏遍世界各地弘揚佛法，不乏女眾弟子因崇仰他的才學智慧，或因遭逢逆境挫折，找

尋慰藉而對法師婉轉表達愛慕之意，法師本著悲天憫人的胸懷，用心良苦地以佛法引渡這般迷惑之女眾，令她們超越情苦，走向大愛。

坂本恩師　病榻托孤

博士論文尚未完成，坂本幸男教授卻得病住進醫院，在病床上仍念念不忘法師的論文。事隔多年，法師提起這位恩重如山的指導教授，仍然難掩思念與感恩之情。

坂本幸男教授著作等身，是日本佛學研究的權威，精通梵文、巴利文、中、英文，研究的範圍從印度原始部派、中觀、瑜伽到中國的唯識、天台、華嚴，無所不精，他也是位修行者，書房內的書架上供奉三位老師的遺像，不先敬香不坐下來翻書。

他對聖嚴法師視如己出，希望在他退休前提出論文。

對這位一手栽培他的恩師的離世，法師有如喪父之痛。他感恩坂本教授能夠讓他這麼一個連普通中學都沒上過的中年比丘，以同等學歷和著作給予入學許可，越過大學，直接攻讀碩士，由他親自指導完成的論文，令研究大乘止觀的權威學者刮目相看，而坂本教授語重心長的那兩句勉語：「道心之中有衣食，衣食之中無道心」更使法師受用不盡，堅定他求道的願心。

坂本教授在病榻上向他的兩位好友金倉圓照及野村耀昌教授托孤，請求這兩位日本佛學界著名

的學者繼承他的遺志，央請他們當法師博士論文的正、副指導教授。

坂本教授去世後，法師撰寫的論文也開始了一段極為曲折的過程——被認定為日本國家文化財、國寶級人物的金倉圓照教授，十分愛惜羽毛，讀了法師完成的兩章論文，要他重新寫過。

「至於怎麼寫，金倉教授說是我自己的事，問野村博士，他告訴我，寫得太散了，」法師回憶這一段日本讀學位的甘苦：「我的文章是包括蕅益大師的思想、歷史，野村教授建議我只從歷史的角度來研究這位大師。」

野村耀昌將法師寫就的這兩個章節，刪掉一半，變成一章，叫法師另外補充材料。

「他主張論文應該是沒有一個字是廢字，沒有一個字是沒有根據，野村博士把文章中的『我以為』全部拿掉，兩章才會變一章。」

隨後法師把改就的論文請金倉圓照教授指教，金倉先生也看出了問題：

「他是從思想的觀點來看，看了並不滿意，我必須一邊重視歷史，一邊將思想層面放進去，」法師說：「兩位教授都很客氣，野村要我寫的，金倉先生一個字也不刪，反之亦然。」

好容易論文完成了，呈交指導教授，卻不獲通過。改寫第三次，法師請他的好友，也是野村耀昌教授的學生桐谷征一先生幫忙他校讀修正，改進日文文法的結構組織。

「桐谷先生陪我去箱根，日蓮宗的渡假中心，兩個人不是去看風景，而是關在房間內閱讀了整整三天，除了吃飯，就是改論文，四十多萬字的論文，逐句逐章校正修改，」法師感恩至極地讚嘆：「這種朋友，到哪裡去找？」

在本納寺一塵不染的會客室，桐谷征一先生撫著光頭，回憶與法師交往的點點滴滴，他的夫人出示二十八年前法師與他們一家人的合照，背景是榻榻米上撕破的紙門，其中有一扇撕得只賸下木框。桐谷夫婦笑稱是他們女兒小時的傑作，比劃形容著法師到他們家中作客，被小女兒的頑皮相所嚇住的表

一九八三年九月與桐谷征一（左二）的家人攝於本納寺

情，令人不禁莞薾。

桐谷先生對法師的日文造詣及博士論文的學術水準，讚口不絕，他尤其推崇法師的人格：

「聖嚴法師不只是位佛學研究者，更是推展人間淨土的大宗教家。」

他的住家二樓，法師手書「人間淨土」的書法被懸掛在最顯眼的位置，然而，這位日本佛教學者對當年在箱根旅館關了三天，不眠不休地爲法師潤飾日文的過往，卻隻字不提，只出示兩人同赴仙台泡湯的合影。他行善而不欲人知，還眞心以法師享譽日本學術界爲榮，如此胸懷，令人感動。

這種朋友到哪裡去找？

桐谷征一先生愛烏及屋，農禪寺的都監果暉法師步師父後塵，赴立正大學攻讀，租住本納寺對面，備受桐谷先生照拂。

台大農藝系畢業的果暉法師，求學時被同學帶到農禪寺打禪七，一進門，感到熟悉親切無比，自覺前世是個修行人，目擊祖父老病輾轉病榻，皮肉腐敗的慘相，又看盡家人間的諸般不圓滿、不如意，使他對著祖父的靈柩，發願出家。

聖嚴法師主持的「中華佛學研究所」，爲培養弘法僧才，先後已與夏威夷、密西根、泰國、京都的佛教大學，東京的駒澤、立正等大學佛學研究所締結交流合作，互派研究生深造，果暉法師重拾十多年不學的日文，學習當年法師刻苦的精神，現在立正大學佛教學部攻讀博士。

蕅益智旭的《靈峰宗論》反覆讀了二十七遍，四十萬言前後易稿三次的論文〈明末中國佛教之研究〉，用鋼筆一筆不苟地謄寫一千頁，裝訂成集，呈交金昌、野村兩位正、副指導教授，獲簽名通過，推薦為具有申請博士學位之水準，再由二十位教授進行口試，結果以不記名投票全數通過。

那一天是一九七五年二月十二日。

「當時在日本立正大學，還沒有哲學博士，研究歷史、宗教、文學的，都頒授文學博士，而在所有的博士學位中，以文學博士最為難得。」法師說。

日本學界的文學博士學位得之極為不易，本國學者往往要讀完博士課程，當了十年、廿年教授，才能獲得這崇高的學位。聖嚴法師以短短的四年時間，獲此殊榮，不僅立正大學沒有前例，就是在全日本也從未有過。立正大學自一九五六年開了博士班以來的第十九年之間，法師是第三號文學博士的取得者，中國佛教史上，更是第一位實際留學日本而獲此殊榮的。

獲悉論文通過後，法師回到寄寓的斗室，在觀音聖像前跪了下來，痛哭了一場。以後回到台灣東初老人的中華文化館祖庭，法師也百感交集，感嘆自己一點成就，已無法換得大陸生死未卜的父母親的歡心，可幸卻得到師父的欣慰，他再也無法抑止熱淚，關起門來又痛哭了一場。

頒授博士學位證書那天，聖嚴法師盛裝出席，穿上僧袍，披了七條衣，以他最珍惜的中國比丘

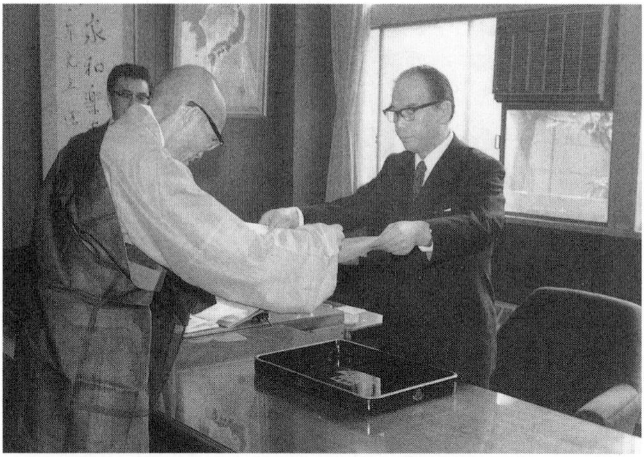

上圖：穿上僧袍盛裝出席接受博士學位證書
下圖：博士學位得之不易

的僧相接受這項榮譽。兩位指導教授也罕見地偕同夫人出席謝師宴，年輕一輩的摯友學者桐谷征一、坂輪宣敬、三友健容為法師設素宴慶祝，送筆存念，簡直比他們自己獲得學位還興奮，旅日華僑們也聞風來祝賀，駐日代表馬樹禮特地為法師舉行慶祝會，教育部邀請他回國參加海外學人國家建設研究會議。

法師感恩三寶的加護，感謝護法大德的資助，特地撰文向前後三位指導教授致謝，也感激資助他五年生活費的隱名善心人士，以及在各方面鼎力相助的師友。

重新評斷蕅益大師

法師用日文完成的博士論文，經過十方資助出版費用，終於有了著落。

「我要在日本出版論文的最大理由，倒不是因為是我花了四年時間在上頭完成的，」法師有更深沉的用意：「而是希望讀不懂現代漢文的日本佛教學術界，知道現在的中國僧人之中，也有人在從事佛學研究。」

日本佛教學術界，除了極少數人，尚知道有太虛大師其人之外，連印順導師的名字，也絕少有人知道。

「他們把近代的中國佛教忽視了。」法師喟嘆著。

爲了換取國際學術界對國人研究成果的注意，法師集資由東京山喜房佛書林出版《明末中國佛教之研究》的書，可謂用心良苦。

中文版由關世謙翻譯出版，金倉圓照教授在序文中讚揚作者做學問紮實，不僅針對《靈峰宗論》苦下功夫，反覆品味二十幾遍，以致智旭著作現存部分的整體，亦即總共五十一種，二百二十八卷，全部都加以詳論或予精確地考證，希望能做到一無遺漏的程度……。

「此書的完成，不僅祇是徹底闡述智旭個人的事蹟與思想，而且也於中國近代佛教史上尚未研究周全之處，投下一道強大光柱的傑出鉅作，這正是應該向學術界鄭重推薦的優秀著述。」

以著述嚴謹著稱的日本佛學研究的泰斗，金倉圓照博士對此書的讚譽，殊爲難能可貴。

作者從蕅益智旭所處的時代背景，論述明末社會政治、學術、宗教的狀態，佛教僧團一片腐敗，又遭逢宋明理學家的撻伐、天主教的流行和佛教的對抗。在時代的大環境下，作者考察蕅益智旭的生平，得知這位一生多病，自認罪孽深重，魔障很多的大師，一生都在禮懺、持咒、寫血書、用火燃臂、燃頂苦行中度過。他相信如欲消除業障，解脫生死，必須仰賴他力的佛與菩薩來慈悲救濟，雖然讀過不少禪宗語錄，還是以西方的彌陀淨土，爲其最終依歸。

過去學者一向認爲蕅益大師是天台宗的學者，聖嚴法師依據搜羅廣集的資料分析，卻認爲未必是個適當的稱號。雖然蕅益大師留下四種有關天台宗的著作，其實他只是把天台宗教觀並重的思想

提綱挈領，用淺顯的文字介紹出來，使讀者能在短時間內了解繁瑣的天台思想，當然可以稱爲天台學者。

可是，他並不專精於天台。聖嚴法師評斷構成蕅益大師的思想基礎，也不只是《法華經》而已。

「……觀察他整個生涯，其在佛教生活的實踐行履方面，是以梵網經爲中心的戒律主義者，但在信仰方面，是依據地藏經典群的《本願經》和《占察經》，教理哲學思想方面，則以《大佛頂首楞嚴經》爲中心……」

總結蕅益智旭的著作，聖嚴法師認爲他就是在強調禪教一致，教觀雙修，見證相應，信、解、行不能分離的這幾個觀念。法師就蕅益大師的明末時代背景、生平、修行行藏、著作、思想的形成與發展做深入的研究，使這位明末佛學大師的形象，躍然紙上。

金倉圓照博士在序文結尾爲坂本幸男博士在有生之年沒能見到這一部巨著問世，便已作古深感遺憾。

「……虔誠地期念坂本博士，但願能在靈鷲山上，賞識到由於此書的出版，爲日華佛教研究交流史上，帶來一項貴重的紀念史蹟，爲後世所景仰。」

參訪日本道場

中國古代高僧，到西天印度取經，法顯寫出了《佛國記》，玄奘西遊，留下了《大唐西域記》，義淨三藏也有一部《南海寄歸傳》。

聖嚴法師延續古代大德的作風，將留日期間所見所聞，評介日本佛教界，抱著「他山之石，可以攻錯」的心情，以客觀的筆調寫出一篇篇文章，寄回台灣佛教雜誌發表，幾年下來竟達三十多萬言，結集出版《從東洋到西洋》。

法師以和尚身分，利用寒暑假參訪日本道場，實際參加日本各宗派的修行活動，從傳統各派佛教、密宗加行、到各新興佛教教派的宗教活動，南至沖繩，北至北海道，處處都有他的足跡。傳統佛教，他接觸到臨濟宗的妙心寺派和建長寺派、曹洞宗的大本山永平寺派及總持寺派，和黃檗宗派的禪法，也曾造訪眞言宗、天台宗的寺廟道場。立正大學屬日蓮宗教派，法師認識的僧侶也以該宗爲多，他曾多次到山梨縣的日蓮宗總本山開會修行。

「日蓮宗有一種修行，稱做『荒行』，是在寒假舉行，零度的冷天，每天凌晨，年輕的僧侶打赤膊、赤足，只穿一條短褲，到井邊汲水，一桶桶對著頭沖下，冷得牙齒直打顫。」

法師說目的是鍛練體魄，訓練他們的意志力，不以色身爲貴。

參訪過程中，他看到日本傳統佛教保守的一面，眞言宗高野山寺院裡和山林之中，祖師留下的規矩至今已不遵守，但仍不廢止，雖然僧侶吃肉喝酒已是公開的事實，但寺院門口豎立石碑，刻有「酒肉葷腥不許入內」字眼，仍未被移走。昔時女人止步，不准進入內山，山前仍立有一座「女人停」，雖然今日女人在山中生兒育女已是司空見慣，但「女人停」建築依然矗立。

日本傳統的佛教宗派，到了二十世紀的今天，已然欲振乏力，與社會脫節，服務對象僅是自己寺廟區區可數的信徒，而且主要任務是爲亡者超度唸經，淪爲只做喪葬儀式。

「比起中國從前從小出家的和尚，教育程度普遍偏低，日本的僧侶卻不少都是大學生，雖然他們結婚生子、飲酒吃肉，住在家裡，可是也不能說沒有修行，他們把生活環境保持得整齊清潔，定期到大本山奉獻，主持法會儀式，看起來威儀堂堂。」

法師不無驚異地發現，國人眼裡「有佛學而無佛教」，有「眞居士而沒有眞和尚」的日本，其實嚴格修行的也大有人在。

二次大戰後，從傳統宗教衍生出爲數可觀的新興宗教，成立一個個獨立的教團，以服務現代化的社會爲號召，吸引了大量的信徒，法會場面很大，動輒成萬人，需用閉路電視及大銀幕來傳教。

法師應邀參加大元密教教派一年一度定期修行法會，道場氣氛極爲神秘，幾十個人坐在創始人相片前，閉眼打坐，修「正座觀法行」，十分鐘後，法師的身體開始自然擺動，不由自主地連續打了

十多個手印。

「一個藥師如來印出現後，竟能維持十多分鐘，身心舒暢異常…………其中有一個手印出現時，眼前見到一片金光。」

法師迅速受到感應，使教派負責人極為興奮，要傳法給他：「好些人坐了數月也不見一點異象，你在十分鐘之後，就發生了靈驗，畢竟是修持有素的比丘了！」

受到這樣的讚嘆，禁不住好奇想知道：

結果法師接受傳法了沒？

答案當然是否定的。這個大元密教和正統佛教的距離甚遠，是個幻現於生死道中的外道教派。

法師參加了三天之後，便離開了。

法師在日本打過幾次禪七。打的是龍澤寺派新興的禪法，名義上屬於曹洞宗，其實是融合了曹洞與臨濟兩宗之長，並不只是只管打坐或默照，而是教人數息、參公案。

法師曾於龍澤寺派東京東照寺及北陸的禪堂分別打過禪七，主七禪師是該寺派原田祖岳的傳人伴鐵牛。

兩次打七都經過一番折騰：

日本禪堂延襲中國禪家古風，為了試驗打七者求道之心堅定與否，一概以「沒有空位」，讓上門

者吃閉門羹。法師並不像一般參訪者一樣，聽說沒空位即轉身而去。他佇立一旁，忍飢受凍地等待，一直到寺院的人放他進去。

「一進去，原來禪堂是空的。」

未見面之前，伴鐵牛禪師對聖嚴法師苦讀用功的聲名略有所聞，聽說這位中國和尚即將得到博士學位，心中大不以為然。開示時，一再強調讀書人的知識障有礙開悟，與禪宗不立文字、不可言詮的主張背道而馳，認定法師擺不下一腦子知識學問，無法參禪。

小參時，伴鐵牛手中的如意直朝法師揮過去，一邊還質問他：

取得博士學位，做什麼喔？

法師表示學位只當工具，嚇唬人的，沒別的意義。

主七和尚臉色這才稍稍緩和。後來又聽說法師曾在山中閉關長達六年，伴鐵牛禪師以後開示，再也不敢一味地指桑罵槐了。

「白天大家安靜打坐，到了晚上在禪堂或院子裡，打七的日本人全都哞哞大叫」，法師笑著回憶：「我以為叫了可得到特別功能，也跟著哞哞叫，好像也沒什麼效果。」

附近的住家對這種哞叫聲很起反感。

「日本人打禪七還喜歡在牆上寫字，這是他們的傳統」。

法師到東照寺北陸禪堂打冬季禪七，伴鐵牛禪師對他的再次到來，頗爲詫異。天寒地凍，零下二十七度的大寒天，禪堂沒有暖氣，室外牆角是人多高的積雪，有兩道紙糊的窗子，中間隔一尺多寬的走道。

吃的更是簡單，早上黃蘿蔔、稀飯，中午是白米飯、味噌湯及一小碟小菜，晚上只有點心，沒有正餐。

「日本禪眾不帶帽子，也不穿襪子，又餓又冷，不斷發出哰哰聲，我以爲是快開悟的聲音，後來才知道是冷得受不了的顫抖聲。」

晚上睡覺，榻榻米上沒有墊被，蓋的一條被子，既短又窄。「蓋上面，兩腳露在外面，顧到腳下，上面一截露空。」法師形容。冷得不能睡，只好起來打坐。

「這樣的用意是在訓練打七者的意志力，讓大家日間不致昏沉，夜裡睡不安穩，仍然精進。」

怕冷的法師，跟主七和尚伴鐵牛說了句：「這地方好冷呀！」

得到的回答是：「你們中國祖師不是有這樣的話嗎：不經幾番寒徹骨，那得梅花撲鼻香！」

法師聽了，深感慚愧，中國禪師的古訓，被日本人實踐了，而他這個中國來的和尚，卻一逕喊冷。不過，話說回來，中國禪修者，一年到頭、一輩子都過著寒徹骨的生活，與日本禪眾偶爾來客串一次，畢竟是兩回事。

第三次北陸打禪七，法師已獲得博士學位，他跟伴鐵牛禪師報告即將離開日本，到美國傳法，卻擔心不懂英語。

「那些學者才需要語言，必須會英語，」伴鐵牛禪師告訴他：「我們不需要，別擔心。」這位著名的東洋禪師的話語，令聖嚴法師頗感受用。

立正大學佛教學部部長三友健容博士，有一個最大的心願，就是邀請聖嚴法師以榮譽校友的身分，回母校舉行一次公開演講。

從一九九二年開始，三友健容教授每次來台參加中華佛學研究會議，就提出邀請，法師以事忙排不出時間而婉拒，其實是謙虛，自覺承受不起這項殊榮。

立正大學建校以來，從未邀請校友回校演講，更不要說是外國校友。

回母校演講人間淨土

華視「點燈」節目製作人張光斗，也是留學日本的碩士，他從法師的文章中找到三友健容教授，特地請他飛到台灣來上節目，安排一個意外的會面。法師在影棚裡看到起身相迎的老友，錯愕之下十分歡喜。兩人在螢光幕前回顧立正大學求學時的歲月。

比法師年輕多了的三友先生，他的兩個小孩都給法師抱過。

「長男出生，我想那是法師這輩子第一次抱小孩，孩子在他懷裡太舒服了，結果灑了一泡尿，法師的手都是尿……。」

三友教授說著，法師也笑了。

這次來台錄節目，幽默的三友教授特地帶來一截柴魚，問法師可還記得？當年他把柴魚誤以爲檀香木，拿回去磨成粉末，當香來焚燒，燒出一屋子魚腥味，幾日不退。

上完節目，法師把這位久別重逢的老友帶回農禪寺，當晚正逢念佛會，三友教授爲那優美莊嚴的念佛號聲所感動，感嘆台灣興盛的佛法才是正統，爲中國大陸、日本、韓國所不能及。

三友教授舊話重提，祈請法師回母校演講，張光斗居士從中極力促成，加上日本華僑界不少人覺得佛法難聞，明師難遇，能夠得見法師，無不感動得涕泣泫零，都認爲立正大學把法師當做傑出校友回校演講，乃是一項光榮。

聖嚴法師終於被說服了，他想趁這個機會把法鼓山的理念，向東京的華僑社會，作一次具體的介紹。

醞釀已久的行程，終於在一九九七年十月實現了。法師由九位出家弟子隨行，四十多位信眾組團，一共五十多人跟隨師父東渡到日本。

聖嚴法師難忘留學時，幾位日本教授栽培之恩，爲了飲水思源，一了多年報師恩的心願，法師

上圖：於坂本恩師靈前祝禱
下圖：昔日的指導教授金倉圓照博士夫婦

在回母校公開演講之前，先到桐谷征一先生住持的本納寺，爲三位已故的論文指導教授坂本幸男、金倉圓照、野村耀昌舉行追思紀念的儀式。

本納寺的大殿，法師親自主持追思法會，上了香，在三位恩師照片前深深跪拜，出家弟子及護法居士分列兩側，先唱蓮池讚，接著諷誦《阿彌陀經》、《往生咒》、《心經》以及阿彌陀佛、迴向。法會氣氛莊嚴和諧。

致詞時，法師謙虛地表示他若有些許成就，全歸功於三位先生的教導，爲未能一家一家到他們府上拜訪以及掃墓致祭而致歉，法師致贈現金，請家屬代他買香花供奉。

隔天下午進入立正大學，對已然煥然一新的校舍，聖嚴法師幾乎不敢相認，除了留學時每日必到的圖書館、學生會館風情依舊外，其餘均爲嶄新的大樓。

立正大學舉辦歡迎茶會，應邀與會者有該校前任校長渡邊寶陽博士、三友健容博士及佛教學部十位教授等，茶會中，聖嚴法師以歷年版稅收入三百萬日元捐贈母校，回饋栽培之恩。

晚上，法師在新建的石橋湛山紀念堂演講，講題是「人間淨土與現代社會」，探索淨土思想的淵源，說明人間淨土觀念的依據，講到人類當從思想、行爲淨化做起，個人淨化，再推廣到社會淨化及世界淨化，人間淨土的理念才算付諸實現。

演講結束前，聖嚴法師介紹他在台灣近二十年來所推行的人間淨土活動，以及法鼓山成立八年

來的努力的方向和工作。演講後的皈依儀式，接受皈依者四十多人。

「聖嚴法師對自己嚴謹，對別人親切而細心，」三友健容讚嘆法師解行並重：「好像車子的兩輪，一輪修行，一輪做佛學研究，不像有些文學法師，或暗證禪師，只偏一邊。」法師給他的感覺，是被佛法浸透了的，有如水一樣澄澈安靜，令親近他的人感到平和。「上求菩提，下化眾生。」這是聖嚴法師的悲願。

第七章

禪法隨眾攝化

感恩點燈的善人

佛教在美國發展的歷史，最早可追溯到十九世紀初葉，移居夏威夷的華僑，把淨土宗的信仰帶到了僑居地，隨後在夏威夷落戶的日本移民，也經常舉辦各種盛大的廟會，宗教儀典。

一八八九年，曜日蒼龍造訪夏威夷，並建立第一座日本寺院，日本佛教跟著傳揚到美國本土，十年後，蘭田宗惠在舊金山創建美國大陸的第一座日本佛寺，取名爲北美佛教傳教寺，二次大戰時，脫離日本母寺而獨立。最早到美國傳揚禪法的，是日本的釋宗演，他於一九〇五年抵達，稍後他的在家弟子千崎如幻，以白人爲對象，在舊金山設立「東漸禪窟」。一九二二年，釋宗演的再傳弟子佐佐木指月，到紐約成立「第一禪堂」。

一九五〇年洛克斐勒基金會邀請日本的鈴木大拙博士到哥倫比亞大學擔任該校的「東方文化與佛教」講座，傳揚東方禪法，獲得普遍的重視。

接續日本臨濟宗道場在美國成立後，曹洞宗禪師鈴木俊隆也於一九六一年在舊金山建立了一座極具規模的塔撒加拉山（Tassajara Mountain）僧院，做爲禪修中心。

幾乎同時，日本創價學會以美洲的日蓮正宗爲名，從洛杉磯展開傳教，他們跨出日裔美人圈，挨家挨戶登門拜訪，吸納中下階層的西班牙裔及黑人爲信徒，成績斐然。

披頭、嬉皮深入神秘的尼泊爾、印度靜坐冥想的六〇、七〇年代，佛教開始在美國四處蓬勃擴展開來，南傳佛教此時也在美國嶄露頭角，上座部僧團在華盛頓建立了第一所僧院。

隨著達賴喇嘛流亡印度，藏傳佛教寧瑪、噶舉、格魯教派開始在美國各地生根，密宗神秘的氣氛，繁複的儀軌，即身成佛的信仰，吸引了無數注重實際、講求速效的美國青年皈依，修密持咒一時之間蔚爲風潮。噶舉派的喇嘛 Chögyam Trungpa 仁波切，在科羅拉多州的波爾德市創立了密教中心，成爲金剛乘修行場所，中心包括多處禪修之處。

第一位踏足美國本土的中國比丘——妙峰法師，於一九六二年抵達舊金山弘法，後來在紐約創立中華佛教會。緊跟而來的是宣化、樂渡兩位法師。度輪宣化法師由他在香港的幾位華裔美國徒弟邀請，到舊金山創立了美華佛教協會，築建金山寺，吸引了不少美國弟子皈依。

宣化法師與從舊金山先後移居紐約弘法的妙峰、樂渡法師鼎足而立，成爲六〇年代中國佛教在美國的三個立足點。

聖嚴法師接受美國佛教會沈家楨居士的邀請前來美國。沈居士與舊金山的梁民惠、紐約的應金玉堂盡心盡力護持中國佛教，中國比丘到美國弘法，不少都是出自這三位護法居士的邀請。

一九七五年底，聖嚴法師抵達舊金山，先在智海法師的般若講堂掛單，造訪一聞法師後，被度輪宣化法師接到金山寺，又去參觀他剛購入的萬佛城道場，它本爲一精神病院的舊址，寺院佔地十

分遼闊。宣化法師以苦修來攝化他的美國弟子，寺內不設床鋪，弟子夜不倒單，終夜坐禪，日中一食，袈裟不離身，是一個頭陀行的僧團。

聖嚴法師悼念宣化法師的文章中記述他參訪萬佛寺時所見：

……隆冬天氣，房子高大，沒有暖氣設備，宣化法師自嘲其為冰庫。我被當做上賓款待，住在一間唯一有一張木板小床的房間，雖有玻璃窗，……僅可擋住大風，寒氣是阻不住的。宣師看我身體瘦弱，特別借我一件新製的輕暖伽藍褂。他們那裡，似乎也無人使用被褥，每人僅以一條毛毯禦寒。

聖嚴法師看到萬佛城好幾位美籍比丘及比丘尼，為求感應而絕食，希望以此感應護法龍天，使萬佛城所需的欠款，源源而來。

十二月十六日聖嚴法師離開舊金山，飛抵紐約，到布朗士區的大覺寺掛單。大覺寺為美國佛教會所屬的寺廟，創會人是沈家楨居士，他與聖嚴法師之間有一段最為佛教界津津樂道，感人至深的故事：

美國航運界鉅子沈家楨居士，篤信佛法，虔誠護持，聖嚴法師留學日本時，曾受美國佛教會之

託，向日本駒澤大學接洽影印藏經的一部分，而與沈居士結緣。法師讀博士學位時，學費沒有著落，後經佛教雜誌披露，受到一位善心人士以隱名的方式，從瑞士一家商業銀行把獎學金匯至東京，一連支援了五年，直至法師完成博士學位，這位善人猶是不肯透露姓名。

法師心中有數，認定沈居士就是栽培他的大善人。

華視「點燈」節目的製作人張光斗居士，特地飛到紐約懇請沈家楨老先生對著鏡頭承認他就是那位點燈的菩薩。然而，這位行善不爲人知的虔誠佛教徒，仍舊一本初衷，以事隔太久，記不得了爲理由，回答媒體，甚至東初老人訪美時，當面向沈居士致謝，卻仍是搖首否認。

一直到一九九七年，沈居士的莊嚴寺舉行開光典禮，《菩提樹》雜誌的主編朱斐當著聖嚴法師的面，向沈居士舊事重提，說到當年經由雜誌社轉交學費贊助法師一事，沈居士終於不得不承認了。

「點燈」節目製作人聞訊，立刻飛到紐約，錄製法師與沈居士面對面表示感恩的鏡頭。

節目中，法師自稱是個福薄障重的人，一生之中逆緣不斷，從正面成就他的人寥寥可數，逆向阻撓激勵他的人卻不在少數，他特別感恩這位順緣增上的恩人，感恩沈先生不僅資助他拿到學位，又邀請法師到美國來，是他走上國外弘法的恩人，從沈先生學習到做人做事的方法和態度，使他日後才有獨立開創道場的能力……。

聖嚴法師把他的恩人沈家楨居士比喻爲「生命中寒冬深夜的一盞燈，既讓我感受到溫暖，也感受到光明。」

撫今追昔，法師想到自己發願學佛，以弘揚佛法爲一生的志業，過程中坎坷崎嶇，孤軍奮鬥，一路走來，如若不是眼前這位恩人在絕境中慨然伸出援手，路途將會倍加艱辛，沈老先生的知遇之恩，觸動了法師心靈最深處，使他一時悲從中來，流下感恩的眼淚。

一旁的工作人員，無不爲這感人的場面而熱淚盈眶。

被感恩的老居士深深受到感動，他緊緊握住法師的雙手，動容地說：

「如果當年不是支持聖嚴法師讀書，而把那些錢拿去買一件古董，到現在也是沒有用的，可是資助了法師，成就了他，到今天爲止，法師用佛法度了無數的人，這就是我的功德。」

沈老先生紅著眼眶，讚嘆像法師這樣知恩、感恩、報恩的人，可以作爲後人之典範。

駐錫紐約大覺寺

紐約布朗士區的大覺寺，坐落於阿伯尼街與西二三一街貧窮的黑人區，前面對著紐約地下鐵道，這原本是一家電話公司的辦公室，當年沈家楨先生及他的夫人以經營美國國內貨櫃航線一年的紅利，買下電話公司的產業，改建成佛堂。

大覺寺紅磚的月洞門，在周圍的西方建築中，顯得突兀而不協調，然而，附近往來的黑人男女，卻似乎對之視若無睹，彷佛早已接納了這棟造型怪異的東方寺廟，而能夠與之和平共存，即使天色向晚，周遭氣氛還算祥和。

「師父剛到紐約來，還在摸索，印了一大堆傳單，叫我們發給過路的行人，請人來大覺寺打坐，」王明怡先生回憶道，他是法師初到紐約，第一期禪訓班的弟子。「大覺寺的地點，不適合向西方人弘法，走不出去。」

王先生當年的觀察，二十多年後似乎仍然適用。進了月洞門，是莊嚴的佛堂，「佛光普照」的匾

一九七五年於紐約大覺寺。（右起通如、東初、敏智、仁俊、聖嚴等長老法師及李恒鉞。

額下，佛像閃著金光，兩旁壁上懸掛泰國金漆的佛本生故事，大殿上身披海青的華裔女居士們正虔誠念佛。佛堂後是個牌位林立的功德堂，二樓的女眾寮房是聖嚴法師離開後才加蓋的。

男眾寮房、齋堂、廚房均在地下室。裡間倉庫陳放大量的佛書，據寺中職員說是台灣運來的佛書以大覺寺爲集散地，每兩個半月運到，再分別寄到美國五十州的各個佛堂，與佛教徒結緣。

大覺寺的信眾，從前是、到現在還是以華僑爲主，當年聖嚴法師駐錫時，擔任住持的仁俊法師，是他早年上海靜安學院的授課老師。

師徒兩人在美國重逢，仁俊長老對初到紐約教禪坐課，向西方弟子傳揚佛法的聖嚴法師的印象是：

「人很平實、謙虛，求佛法之心堅定不移。」

仁俊長老形容法師：

「力增道心，沉得住氣，建大行願，發達透心。」

在大覺寺才住下來，聖嚴法師便接替暫時遠離的敏智老和尚擔任週日講座，開講「大乘遍照光明藏無字法門經」。

一九七六年，美國佛教會爲慶祝美國建國二百週年，在新罕布夏州松壇廣場露天大教堂啓建法會，聖嚴法師與沈家楨先生同被推爲大會演講人，講演「佛教的基礎思想」。

之所以發心到美國來弘法，聖嚴法師說是受到太虛大師遊歐美時所說的一句話的影響：「西方有聖人之材而無聖人之學」，太虛大師觀察到西方人有成為聖人、成為大菩薩的潛能，就是沒有學佛法。

然而，向西方人弘揚佛法，先決條件是掌握語言溝通的能力。

「說起來也眞荒謬，」法師不可置信地搖頭笑著：「聽不懂日語，就去了日本，不會英文，又到了美國。」

又是沈居士慷慨解囊，以十四元美金一個小時的代價，幫法師找了一位英語會話老師，他每天搭地鐵到城中的英語學校補習。日後他的英語會話家教成為學禪的學生。

這位剛出爐的佛學博士，做夢也沒想到，他到美國來，竟然會當起禪師指導禪修。然而，因緣既然做了如此的安排，法師也就隨順攝化。

「一九七六年一月廿五日，大覺寺來了兩個美國青年，」法師記憶猶新：「一個叫 Peter，一個叫 Frank，兩人都學中國武術，希望通過禪坐增強功夫。他們頭髮長長的，還結了辮子，像嬉皮。」

廿六歲的 Peter Chema 是位工程師、武術教練，三十三歲的 Frank De Maria 則是紐約警察局的武術指導，讀過不少關於禪坐的書，也依法炮製學打坐，但由於缺乏正確的指導而放棄。他與 Frank 四出遍訪明師，也常到大覺寺走動，初見聖嚴法師，直覺地感到眼前這位身材瘦削，眼鏡後的眼神卻

充滿智慧的中年和尙，就是他們尋覓久矣的明師。於是，斗膽地上前合十，請問法師可否當他們師父，教打坐？

法師當下一口答應。之後才意識到自己剛學不久的英語，實在不靈光。

因緣不可思議。隔天，香港長大的王明怡，從小是個武俠小說迷，隨著虔誠的佛教徒母親到大覺寺來禮佛。這位紐約大學物理系博士班的研究生，近年來卻爲慢性頭痛所苦，試遍中、西醫藥，效果罔然。

王明怡求助於法師，希望借禪坐治療他的頭疾。

「師父那年四十一歲，看起來比實際年齡年輕，體力也好。」

武俠小說迷的王明怡，抱著疼痛欲裂的頭，還是禁不住對法師感到好奇。

法師卻爲自己找到了翻譯而心中暗喜。

加上後來隨他出家的保羅．甘迺迪（Paul Kennedy），一共四個學生，法師開了第一期的禪坐訓練班。開訓之日，先授予三皈五戒，爲期十四星期的禪坐班結業，第二期慕名而來的學生已增加了二十多位，以後，這個中英雙語教學的禪修課程，吸引了不少在學的大學生。

三個月後，法師應邀到哥倫比亞大學教禪坐，指導禪修方法，哥大又不止一次請他公開演講，闡述佛法，紐約區的電台也聞風而來，多次恭請法師到電台給聽眾廣播講法論經，回答問題。

「二十多年前，美國人接觸佛教和修學佛法，還是以西藏的密宗和日本的禪爲主流，南傳的小乘佛教也受歡迎。」

聖嚴法師不以禪師自稱，到美國之前也未曾有教禪的準備。雖然從小在臨濟宗派的狼山廣教禪寺出家，但因出生太晚，離開中國大陸時，還不夠資格進禪堂修禪，高雄美濃山中閉關六年，自己以打坐爲日課，有過奇妙深刻的種種體驗，然而，眞正打禪七，對禪堂的坐息規範、宴默棒喝有所體會，還是到了日本留學後，也難怪有人以爲他教的是日本禪。

「其實我在美國教的，雖然名之爲禪，」法師說明：「但它既不是晚近中國禪林的模式，也不是現代的日本禪，我祇是透過自己的經驗，將釋迦世尊以來的諸種鍛鍊身心的方法，加以層次化及合理化，使得有心學習的人，不論性別、年齡、教育程度，以及資質厚薄，都可以獲得益處。」

就這樣，法師從一個剛出道的文學博士，變成了傳授禪法的禪師。

曾有一個美國青年問他：

「你去日本留學，得了博士學位，僅到美國教禪，豈不可惜！」

法師給他的答覆是：

「祇要能接引人們信佛學佛，因緣許可我怎麼做，我就怎麼做，博士學位並不妨礙我坐禪。」法師說：「坐禪原是我自修的方法，如今教禪法，也不能限制我的研究興趣。」

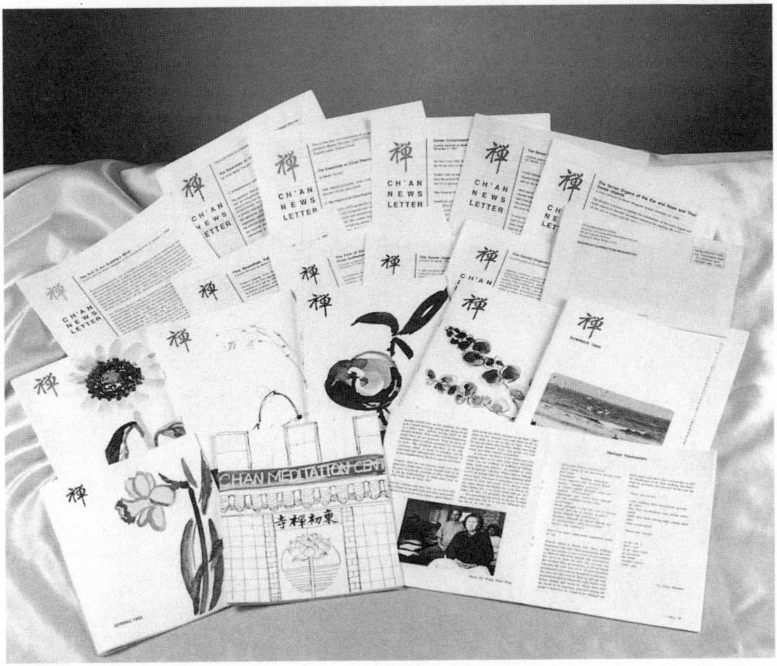

上圖：與西方弟子
下圖：《禪》雜誌裡有許多感人的心得

第三期禪坐班結業典禮上，每位禪修者都有了極為感人的心得報告，學員們選出最精采的十篇，編印成冊，命名為《禪》雜誌，一九七七年三月創刊。藝術系的學生Rikki Asher設計了封面，左上角一個顯眼的「禪」字，用毛筆畫了一隻白描的貓，虎視眈眈縮在下角的一隻小黑鼠。典故取自禪的修行法門，聖嚴法師教禪坐者必須像守候老鼠出洞的貓一樣照顧自己的心念，象徵妄想的老鼠，見了貓立即縮躲回洞裡。

為了感恩，Rikki也發揮她的藝術天份，刻了木雕佛像贈送大覺寺及聖嚴法師。

「每天兩個小時的靜坐，不僅幫助了我的藝術創作，對事物的觀察也比以前深入而細微，」Rikki在心得報告中勇於承認：「不再沉迷於酒精、大麻等刺激品，也不太想參加狂歡派對了，自己獨處而不感到有太多失落寂寞。」

負責《禪》雜誌編務的Buffe F. X. Laffey，羅格斯（Rutgers）大學選修東方宗教課，跟著她的教授于君方（Chun. Fang Yu）到大覺寺皈依法師學打坐，她一見法師，感覺早已認識，感受到法師身教發出來的安靜慈悲，令她眼睛無法從法師身上移開。

Buffe找到了她心目中的師父。

擔任英語翻譯的王明怡，禪坐時，不去想他的頭疼，有時甚至忘了他的毛病。他感激師父針對他的身體狀況，做適度的調教，一再要他身心放鬆，讓他過分活躍的腦子逐漸鬆弛，得到休息。

武術教練 Peter 讚佩師父的教法，爲終於找到明師而感激涕零。靜坐使他心境和平，與人相處和諧。

「希望在師父關照的眼神下，有天會找到自性。」

哥倫比亞大學博士班研究生唐・史蒂文生（Don Stevenson），沒來大覺寺之前，自以爲懂得佛法，擔心禪師會大喊大喝，棒打學員的頭，甚至重演南泉斬貓的公案。抱著一試的心態隨法師打坐，才發現自己其實不懂佛法，去除偏見後，承認自己有嚴重的知識障。唐欣賞法師自然平實的作風，不同於一般神神秘秘故弄玄虛的密宗上師，他相信只要有耐心，自信可以爲思索久矣的生命的迷思找到答案。

保羅・甘迺迪覺得人生的一切追求：名利、享樂、冒險，只不過是一場遊戲。即使滿足了追求，仍然會感到生命的不完整、不圓滿。廿一歲的他在尋找一個根本不變，支撐他繼續呼吸存活下去的理由，他相信學佛可以給他答案。

「即使修行了幾年，沒有進步，也不會走回頭的路，因爲後面什麼也沒有。」

一年後，保羅・甘迺迪隨著聖嚴法師在大覺寺出家，成爲法師在美國的第一位出家弟子。羅格斯大學宗教系的于君方教授，則讚嘆値此佛教末法時期，有法師這樣的師父，他一點也不擔心佛教會衰微。

菩提精舍　首辦禪七

聖嚴法師在禪坐課上提及中國禪宗的修行，叢林每年冬夏兩期的精進禪七，期間的作息生活規範，禪修者發生的種種身心反應，以及修證經驗、剋期取證等等，引起了他的西方學生弟子對禪七抱著一種極熱切的渴望，一再祈請師父舉辦禪七。中國叢林的禪七，對象都是已有習定功夫、禪修有基礎的禪和子，年輕有利根的出家眾被認爲最容易得力，在家居士殊少有機會參加。一年兩期的禪七，如因緣不具足，請不到主七和尚，或者缺乏足夠道糧，便無法舉辦，可見能打一次禪七並不容易。

凡具規模的禪堂，都有僧值、維那、悅眾，以及堂主、坂首等執事，分擔執行規矩、殿堂唱誦、法器敲打、監督察看及糾正姿勢、排遣身心障礙的工作。主七大和尚除了朝暮課誦，領眾焚修，落堂開示，晚上講說禪門公案，其餘時間都在獨參室（方丈寮）接見禪眾，解答有關修心方法及身心反應方面的疑難。

聖嚴法師禁不住美國弟子一再祈請，在本身既無當過坂首或西堂，也請不到一位在修證及攝眾調眾上均有經驗的助手，在一無所有的情況下，毅然舉辦了第一次禪七。

「如果要等到因緣具足之後再打禪七，恐怕在我有生之年，也無實現的可能。」不顧禪門的常

軌，法師一肩把它挑了起來。

因緣促成之下，法師二十八歲那年，南下高雄，與禪門宗匠虛雲老和尚的徒孫，基隆十方大覺寺的靈源老和尚，在佛教講堂一夜同單，老和尚僅以「放下」二字的開示，令他在修行上破參見性，然而，聖嚴法師不以禪門中人自居，甚至不以近世的禪林風格爲然。

隨東初老人二度出家，南下美濃閉關，他用心參研唐宋禪師語錄公案，遍讀虛雲德清及妙樹來果禪師的著作，他也試鍊過六祖禪、天台止觀、念佛三昧等佛家的禪定。日本留學期間，法師參訪禪寺打精進禪七，得到龍澤寺派原田祖岳的傳人伴鐵牛禪師的印可，鼓勵他到美國弘揚禪法。

學過日本禪，法師卻不想以千年不變、形式單純的日本禪爲依歸。

「我得到日本禪師的恩澤，仍希望是中國禪宗的傳統。」

一九七七年五月，借用沈家楨居士位於長島的菩提精舍別墅，舉辦平生第一次禪七。菩提精舍濱臨大西洋海岸，鄰近海灣，遠離塵囂，花園裡花木扶疏，地寬屋大，幽靜異常，是個修行的絕佳場所。

法師不顧體弱多病，整整七天，從起床到就寢，講解規矩到巡視禪眾，糾正姿勢，全由他一人擔當，已令他筋疲力盡，他要求禪眾進得禪堂將「色身交與常住，性命付託龍天」，這樣一來，他得不眠不休地集中心力，觀察禪修者的身心反應，在他們最需要時，及時提醒點指，法師彷如眞有

「他心通」，懂得對症下藥，憑著一股強大的信願，靠三寶的加被和慈力而行動。七天無微不至的關注，有如輸血似的把力量加諸於禪眾的身上，打完禪七，已然心力交瘁，害了一場大病似的虛脫無力。

由於人數少，法師加上日常法師才一共九個人，照顧容易，打七者也有心用功，有幾個都得到深切的感受，從「我想改變世界，而不想改變自己」，逐漸消融我執、我慢、貪瞋之心。七天的修行，被其中一位傳神地形容爲：

「禪像坐在暗房裡，點燈的走廊，門開一縫，有光滲入，漸漸地……。」

「菩提精舍就像一座療養院，大家共聚一室，從過去未曾覺察的各種疾病中恢復過來……」

這是有一位禪眾吃著藥石（晚餐）所發出的感言。

此話與大慧宗杲禪師語錄中的「佛是眾生藥」不謀而合。

唐．史蒂文生在過程中，體悟空性，更有了見性的訊息，法師雀躍地向他恭喜，形容自己像陣痛過後的產婦，乍見新生兒落地的那種喜悅與悲愴，不禁老淚縱橫。

西方弟子們的悟性及用功，使法師肯定了太虛大師環遊歐美時所說的那一句話：西方有聖人之才而無聖人之學。

「一旦他們有了成爲聖賢的學問和方法，西方人似乎比東方人更有潛力。」這也使法師奠定了繼

續在西方弘揚佛法並傳授修行方法的信念和心願。

一九七七年七月底，第二期的《禪》雜誌除了選刊禪七心得報告之外，更增加篇幅，著重英譯佛典，以及法師的禪宗講錄。此後法師又借用菩提精舍，指導了四次禪七，第六次借用靠近紐約州首府Albany的大乘寺。

兩年後，法師與弟子十數人在紐約市皇后區租屋成立禪中心，定期出版《禪》雜誌之外，又增加一份每月一期的英文《禪》通訊，刊出禪中心的活動及訪問法師的文章。

東老捨報　回台奔喪

聖嚴法師在紐約大覺寺教禪坐班、指導禪七對西方弟子弘法，兩年不到，一九七七年十一月十四日，他在清晨的禪坐中，心湖微微蕩漾，法師似乎得到某種感應，認眞地整理起師父東初老人曹洞宗焦山系的法派系統，他從東初老人向上追溯，發現有幾代的祖名無法考，於是寫信向台灣的師父請示所缺的祖名。

「結果，那封信，在我回到台灣三天後，才被我自己收到。」

當法師接到台北善導寺方丈雲霞法師打來的越洋電話，下意識地有一種悲不可抑的激動。果然，東初老人已捨報圓寂了。法師這才發覺十四日清晨，坐禪中的心理反應，正是師父無疾坐化的

東初老人捨報圓寂，奉師父遺命接下重擔（右為師弟聖開法師）

時刻，師徒連心，老人把訊息用心法傳給弟子，他已經走了！

聽到噩耗，法師如雷轟頂，立刻束裝搭下一班飛機回台奔喪。老人臨終的那晚，還對煮飯的住眾說：明天不要煮早飯了。晚餐後他要伺候他的住眾，拿新做的內衣褲給他換洗。老人一向節儉惜福，平常如不出門，總穿破舊的衫褲。換好新衣褲，老人端坐沙發，安詳地無疾而去。

做弟子的回來聽說師父走得沒有痛苦，稍覺慰安，然而，事情發生得那麼突然，令他一時不知所措。回到他去國多年，人事已然生疏的台灣，料理師父後事，法師的惶恐與隨之到來的壓力令他寢食難安。

穿上墨色竹布海青，法師全依中國佛教傳統儀節，禮請諸山長老共同議事，毫無沾染絲毫東洋和尚的習氣。經過妙然法師建議，禮請樂觀長老任治喪委員會的主任委員，成一法師任總幹事。

東初老和尚涅槃法會假善導寺舉行，聖嚴法師的輓聯道盡師徒之間的法義道情：

尋找千萬里東京及紐約ㄖㄖ聲聲恆以紹隆佛種相期勉

沐恩十七載隨侍或遊方時時處處唯恐有負師望自警惕

法師代表法眷向主持讚頌法會的樂觀、道源、南亭諸長老致謝詞，心中淒然。

南亭長老的弟子成一法師，畢業於上海中醫學院，大陸變色之前，便從上海運大批佛書來台，於台北成都路設立「覺世圖書文具社」流通經書，創辦《覺世》旬刊佛教雜誌，聖嚴法師仍在軍中服役時，便在雜誌上發表文章。

現年八十二高齡的成一長老，是華嚴蓮社的住持，他捋著飄飄白鬍，坐在雅靜的會客室回憶故人。

當年東初老人創辦《人生》月刊，據成一長老說是由他一手促成的：

「東老來台灣時，先到北投法藏寺，寺裡有個本省的比丘尼，相互言語不通，常到成都路來走

動，抱怨沒事做，我說你不是在焦山辦過《中流》雜誌嗎？太虛大師提倡人生佛教，以『人生』為名，辦本雜誌吧！」

對聖嚴法師，成一長老讚不絕口，讚佩他的學問為人。

「我師父南亭老和尚在世時，最器重他，對他有很高的期許。」

處理東初老人的遺囑，聖嚴法師所遭受到的困擾批評，擔任治喪委員會總幹事的成一法師，自始至終知之甚詳：

東初老人的正式遺囑，一共留下三份。最早的一份寫於民國六十四年十二月。

那年夏天，聖嚴法師完成了博士學位，又應邀回國出席海外學人國建會，加上博士論文在東京出版，可謂三喜臨門。東初老人一反從前對弟子的苛刻，逢人便介紹，以他這位博士弟子為榮。滿心以為這下聖嚴法師會留在台灣，負責文化館了。

雖然法師以出家僧侶的身分返台參加國建會，成為電視報紙媒體爭相報導的對象，也使得國人對僧尼的觀感煥然一新，對於佛教的形象也是一大轉捩。然而，佛教界的反應，卻分成兩個極端，有的認為僧中出了個博士，佛教可出頭天了，另一類人則認為當了和尚，還弄一個博士虛名。除了少數長老法師和老居士們，佛教界對聖嚴法師回國，多持觀望態度。

他的好友幻生法師，比喻法師的處境：

「在國外學會了駕駛技術，也拿到了執照，可惜我們國內沒有汽車讓你開，奈何！」

意識到台灣的環境條件，無法讓他教書或辦佛教教育，法師認為不如趁他還有求學熱忱時，到美國磨練幾年。

於是，他接受了美國佛教會的邀請。

東初老人聽到弟子的決定，失望極了。

就在聖嚴法師又一次遠走，抵達舊金山的第二天，東初老人寫下第一封遺囑，其中沒有提到聖嚴的名字。

第二份是民國六十六年二月初二所寫，老人自述到台灣建文化館印《大藏經》的經過，繼任人以聖嚴、煮雲二人為第一人選，文化館要設財團法人，以發揚佛教文化教育為主。

第一封遺囑是從保險箱中首先被發現，隔天複查老人的寫字桌抽屜，發現第二、第三封。當時除了法師本人，成一長老等人也在場。

第三份遺囑，距東初老人圓寂之日，僅兩個月又十三天，是他最後的決定，而且言明「應以此為準則」。

遺囑註明東初老人名下各動產不動產，概捐獻中華佛教文化館所有，不屬任何人所有，由張聖嚴繼承，並延聘張少齊、方甯書、煮雲法師組財團法人，共同維護。

民國六十五年七月，東初老人應沈家楨居士的世界佛教研究會的邀請，到美國研究一個月，看到弟子因勤學英文、開會、教禪坐、講經而十分忙碌，老人既疼惜法師體質單薄，又很欣喜他努力不懈。

「師父最開心的，是我的美國弟子叫他師公。」法師說。

肯定弟子有獨當一面的能力，東初老人請大覺寺的仁俊、浩霖法師作證聲明，將文化館交付法師。法師以身在美國弘法而婉拒，不過允諾師父：

「你老人家放心，只要我一天有飯吃，我便會設法照顧文化館的住眾。」

老人很欣喜地說：

「聖嚴，有你這句話，我可以放心了！」

老人回國後，在最後一份遺囑上，指定聖嚴法師爲繼承人。

「接連發現第二封、第三封遺囑，我好像一下子就老了十歲，突然被一副重逾千斤的擔子壓住了！」

有位住在文化館的居士，同情法師接受了一頂愁帽子。

「這頂帽子使我在一百天之後，突然白了一半的頭髮。」

沒有從師父分到半文遺產的聖嚴法師，卻既要保護並發展東初老人的遺業，又得照顧文化館的

住眾。法師體會到「恩重如山」的況味。接下來的難題，更是動輒得咎，三份遺囑組董事會的名單有同有異，法師遵照師父遺言，以第三份的名單為董事，第一、二份中的名單為監事，結果引來不少議論，令法師在法理與情理之間無法拿捏。一位老人的學生甚至企圖越俎代庖，支配指揮法師。

幸虧有樂觀長老秉持正義，全力支持法師，又得到煮雲、成一、妙然等法師的協助，終於成立財團法人。

「樂觀長老出來說：文化館的事，旁人無權過問，也不得干涉，那個人只好改用私下辱罵我的方式來洩憤了。」

「聖嚴法師是個讀書人，年紀又輕，處事經驗不夠周延，」成一長老捋著白鬍，持平地說：「人家也以為他是個博士，會瞧不起人，起了誤會。」

法師逆來順受，把這些批評攻擊當做逆緣，幫助他成長，以真誠懇切之心，求取人家的諒解，事情過後，不止一次在文章中表示對幾位熱心的僧俗大德的感激。

奉師父遺命，聖嚴法師繼承了中華佛教文化館及下院農禪寺。

文化館原有的住眾，錠心、鑑心兩位姊妹尼師，現今分任監院，住持，都已年過七十。他們來自彰化吃長齋的佛教家庭，隨東初老人出家，對師父的節儉印象猶新：

「一天給三塊錢菜錢，」鑑心尼師伸出三個指頭：「三塊錢，六個人要吃，不過，有自己種的

菜，勉勉強強剛剛夠！」

她腳踩樓板：

「以前這個地方都是菜園，四周很多番石榴樹！」

師父的儉省度日，做弟子的聖嚴法師也曾著墨：

「他老人家節儉到一塊豆腐乳，要分兩餐吃，文化館最好的菜是一碟子炒花生米，及一盤子白水豆腐；一斤花生米，吃上個把月，兩塊豆腐可供他老人家及住眾們吃一天，而且有豆腐吃，就等於加了菜……」

「師父走了以後，」鑑心尼師說：「聖嚴法師問我：外頭人說我們有好幾千萬，是眞的嗎？」

鑑心尼師搬著指頭數給他聽：「算土地，是眞的值，文化館一百多坪，農禪寺登記自耕農，也有五十坪，都是不動產，吃不得！」

東初老人名下的產業，在成立財團法人後，就不能動用，老人遺囑中也自稱現金有限，圓寂後的種種費用，繳納多筆款項後已告用罄，那年過年，法師把皈依弟子供養的拜年紅包，悉數交給鑑心尼師，以後年年如此。

「師父留下的文化館，鑑心尼師省儉節流，我開源，共同努力，撐持了下來。」

奔馳台北、紐約教禪

一位年長的女尼到文化館探訪鑑心尼師，樓上樓下繞了個遍，好容易來到鑑心小小的會客室。一進門，年長的女尼疊聲嚷道：「樓上樓下，找不到鑑心！」陪同老尼師前來的農禪寺年輕尼師接口：「是呀，找鑑心，心在何處？」「覓心了，心不可得！」

被找的鑑心尼師引達摩為慧可安心的故事。三位尼師一唱一和，一陣禪風，令聽聞者當下感到清涼自在。

聖嚴法師在台灣傳授禪七修行方法的因緣，是在剃度師東初老人圓寂後，奉遺命接管中華佛教文化館祖庭，又受美國佛教會董事會的懇請，兼管該會設在新竹的譯經院，法師將譯經院遷至北投與中華佛教文化館合作經營。

譯經人員如果僅從文字表面來理解佛經，總嫌不足，法師認為如果他們有實際的修證經驗，將會更為理想。於是民國六十七（一九七八）年十一月，在台灣舉辦第一次禪七，以譯經院及文化館出家信眾為主要對象，另有台灣大學的幾位資優學生參加。

「聖嚴法師要我預備打坐用的蒲團」，鑑心尼師回憶：「他從美國寄來樣板，一大塊四四方方的

黑布，當中包了一塊圓的，要我照著尺寸大小做二十個。」

法師在台灣主持禪七的風格，被傳揚開來，一時之間，有心悟道的禪象接踵而來，再三祈請法師慈悲敲定下一次的禪七，而他的西方弟子又在他離開紐約之前，就已定好了下一次禪七的日期。

自此，聖嚴法師似乎就爲了指導禪七，而奔馳於台北與紐約之間，成爲最受尊崇的禪師。

一直是自認以弘揚佛陀教義爲此生志業的聖嚴法師，他一向以法師自稱。然而，天台宗的慧思、智顗，華嚴宗的宗密、明末雲棲袾宏都被稱爲禪師。

「我也能被視爲禪師，當然是一大殊榮了。」

法師主持禪七的目的，並不在於要求打七者開悟見性。他的主要用意是接引有志學佛，或已經接觸佛教的人，憑著法師修證的經驗和正確的見地，指導他們佛教的修行法。

「禪七應該是體驗修行方法的開始，而不是修學佛法的結果。」

聖嚴法師吸取了中國禪宗千變萬化，靈光閃忽的特質，將佛陀以來的諸種鍛鍊身心的方法：有用大小乘共通的各種觀行法，有用內外道通用的呼吸法，也有用印度及中國的各種柔軟健身法，加以層次化及合理化，融會貫通，創造出一套方法與觀念並重，自成完整系統，適合現代人的修行方法。

禪的修行，不外乎調身、調息、調心三個階段。

聖嚴法師的調身法，是運動與打坐並重。他將少年時學過的少林拳、太極拳，道家的導引法，配合打坐時身體自然產生的律動，即是有如拳術招式或密教手印動作，以武術與印度瑜伽柔軟體操融合，把中國傳統的跑香，與南傳佛教的慢步經行結合。

聖嚴法師自創的這一套禪者的運動：按摩、體操、經行、跑香等，講求的是使心念集中、氣息和順，是動中修行的方法。

如何使凡夫妄想紛紛、放逸的心安靜下來？

佛陀時代把數息觀和不淨觀合稱二甘露門，當做基本修行法，聖嚴法師採取數息法，教禪修者

用數息法來觀察念頭之千變萬化，體驗心念的無常，明白「我」是虛妄的。

生命的跡象存在於呼吸之間，對初學者，法師教以先練好用鼻子一進一出數息，再練丹田腹息。數息數到心明朗穩定，有如明礬放入一盆污水之中，雜質沉澱，最後清澈透明，進入凝然不動而又朗朗清明的定境，達到身心統一。

調息是修定的入門，調心則是修定的主要方法。

禪的修行，法師強調必須觀念與方法並重，有如鳥之雙翼，缺一即無法飛行。觀念上了解到人從出生到死亡都身不由己，苦多而不自在。藉由禪的修行，最後可得開悟解脫。

修行過程中的步驟是：先發現痛苦煩惱的自我，體悟到心念的無常，一向只把妄想當眞，在影子裡討生活，所以流浪生死。放下一切，消融虛妄的自我，最後顯現智慧解脫的眞性。

如何開悟？法師順應禪眾不同的根器及需求，或給一句話頭去參，或教以默而常照，照而常默的默照禪法。

中國的禪法主要是臨濟宗的話頭禪及曹洞宗的默照禪。

臨濟宗第一代祖師是唐代的臨濟義玄，他的宗風是活用禪機，棒喝並行。公案禪起於臨濟宗下宋代的大慧宗杲（一〇八九—一一六三），又叫「看話頭」。

大慧宗杲活躍於北宋及南宋時代，自幼聰敏，十七歲出家，閱讀《古雲門錄》，不解達摩之下，

何以門庭如此之多。開悟後，住持徑山能仁寺，禪風大興，後因涉及議論朝政，被褫奪僧衣及度牒，一度貶至梅州，該地瘴癘且缺乏飲食，師徒百餘人斃者過半，大慧禪師怡然自處，感化當地居民。

後獲得朝廷赦免，再服僧衣。示寂前一年，為孝宗皇帝說法而受「大慧禪師」的賜號，圓寂後，皇帝諡「普覺禪師」號，感念他傳法普及禪眾，受其印可者不知其數。

中國禪宗史上，大慧宗杲是振衰起敝的中興大將，他生於亂世，一生顛沛流離，卻奇峰屢起，提倡的話頭禪，影響及後代乃至迄今的日本禪林。

大慧宗杲的宗風，仍舊沿襲六祖慧能所提倡的「外於一切善惡境界，心念不起，名為坐，內見自性不動，名為禪。」用話頭，參公案，活潑潑的點發引動，來撥開學者心性之門而見智慧之光的一種法門。

因此，臨濟宗教人看話頭，參公案，並非讓人入定，而是要人發慧，從疑情到疑團，當疑團粉碎時，就會親見空性，也就是無我的佛性。

根據大慧宗杲的自述，看話禪的功用是：「但將妄想顛倒底心、思量分別底心、好生惡死底心、知見解會底心、欣靜厭鬧底心，一時按下。就只按下處，看個話頭。」

所謂話頭，即是公案中重要且關鍵的一個字或一句話，禪宗修行形容參話頭為金剛王寶劍，是

一把智慧寶劍，遇我執、破我執，遇佛斬佛，魔來斬魔。

人人皆有佛性，抱著定能開悟的信心、願心，發憤參「無」究竟是什麼？每問一句還想再問，綿綿密密繼續不斷，最後從起疑情到心念完全進入疑團裡，把妄想雜念統統逼進死巷，繼之一網成擒，一片悟境在前。

南宋以後的禪宗諸祖，把看話頭、參公案當成開悟利器，聖嚴法師將參話頭比喻為就像手中握有一把開智慧之門的鑰匙。

聖嚴法師心儀通宗通教，敏悟超群，而又善於替學者除繫去縛的大慧宗杲禪師，他所主持的話頭禪七，被識者譽爲「像是回到了大慧禪師時代之風格。」

禪宗重視傳承。聖嚴法師受蕅益大師影響，原本對宗派譜系的觀念淡薄，然而，爲了隨順西方禪學教授之方便，需要師承法脈。既然法師曾受教於虛雲大師的徒孫靈源老和尚，他又是法師具足戒的尊證。

承續臨濟宗法脈

一九七八年，法師自紐約回台，前往基隆十方大覺寺拜訪靈源老和尚。

法師以爲老和尚早已認不得他，先自我介紹：

「二十多年前，在高雄月基法師的佛教講堂掛單，與老和尚結緣，不知可還記得？那一晚……」

老和尚點點頭，清朗地說：

「記得，記得。」

法師告訴他分別在美國、台灣教禪法，又加了一句：

「是在唬人的！」

老和尚聽了，撫掌而笑！

「唬人就好！本來法無定法。」又說：「你在騙外國人，需要一個法名。」

靈源老和尚正正式式地披上紅祖衣海青，在他的禪房命聖嚴法師在虛雲大師的雕像坐像前頂禮三拜，賜給他「知剛惟柔」的法脈字號，又把這法號塡寫在臨濟宗法脈傳承譜《星燈集》上。

民國六十七（一九七八）年十二月五日下午二時，聖嚴法師與鼓山湧泉寺臨濟宗派的法脈接上了頭，有了傳承關係，繫屬虛雲老和尚下第三代，成爲臨濟義玄之下的第五十七代傳人。

當時在場的有靈源老和尚的近身弟子。老和尚傳法脈，驚動了十方大覺寺的法師們，這些跟隨老和尚多年的弟子，紛紛趕上來向手捧傳承譜的聖嚴法師求教。

靈源老和尚儉樸持身，和以待人，道行高深行事低調，不露痕跡。聖嚴法師爲悼念而寫的〈靈源老和尚行狀〉一文中，敘述老和尚於二十五歲到天台山出家，後被父親得知追回，六年後厭離之

心大熾，於福州鼓山湧泉寺依止虛雲大師披剃出家，成為大師徒孫，翌年受具足戒於該寺。四十五歲奉虛雲大師之召至廣州南華寺任住持，來台後建十方大覺禪寺，「恆將念佛為參禪工夫，精勤不倦，佛學之外，對文學素養亦高，又兼善書畫藝術，尤其工於佛像藝術。」

臨濟宗的禪師巨匠，聖嚴法師也推崇揚州高旻寺的妙樹來果禪師，只恨生也晚，來不及在禪師坐化之前請益。幾年前打聽出來果禪師的弟子廣賢法師屈居紐約唐人街的小禪寺，靠經懺度日，法師連夜恭請廣賢法師至東初禪寺，請求上坐以禮相待，贈以衣物。一旁的弟子對法師愛屋及烏，禮待禪師後人的恭敬，無不十分感佩，引為美談。

一點一撥　妙用無窮

早期聖嚴法師指導禪七，多以話頭禪為主。

他抱著強烈的使命感，竭盡心力對根器不同的中西弟子應機巧妙運用，用逼、用考、用口喝、用棒打，逼出疑情，以種種潑辣反常的方法調伏對治，成就他的弟子學生入禪門，得到禪的受用。

「從前師父教禪七，用的是嚴父的態度，後來漸漸變成了祖父。」

一直跟在法師身邊當翻譯的王明怡先生，長年觀察體驗的結論。「師父教我們工夫要緊，心情要鬆，這一點沒變。」

在台灣最早跟隨法師出家的果祥尼師，大學時代到中華佛教文化館打禪七，使她「深入體驗修行的滋味，進一步了解聖嚴法師的悲心和智慧，覺得不出家修行很可惜。」

果祥尼師讚嘆師父觀機施教，循循然善誘人，他的嬉笑怒罵皆是文章，一點一撥妙用無窮。「他罵人雖然沉痛，卻又很幽默，讓我們忍不住笑出來，心情實在複雜極了。」

與果祥尼師同期出家的果梵尼師富繪畫藝術天份，聆聽早課梵唄清新悅耳之聲，頗有感悟，法師教她用觀世音菩薩的耳根圓通法，攝耳攝心專注傾聽一切聲音而不起分別心，參「我是誰？」「平常在禪堂，師父嚴肅冷峻，目光如火炬，」他的洞察力令果梵尼師懍然心驚。「小參時，卻又慈眼垂視，慈悲極了，師父是菩薩化身！」

目前正在日本京都佛教大學攻讀博士學位的果鏡尼師，大學參加佛學社，打坐時見到幻境，到農禪寺找聖嚴法師解惑。

「當時的大學生打禪七，除了求開悟，就是爲求神通而來。」果鏡尼師形容：「師父很嚴肅，眼睛很銳利，我簡直不敢看他，師父有通心眼，把人看得一清二楚。」

中華佛教文化館的禪七，「規矩又多又嚴，禁語，鞋子不准亂擺，師父還會打人罵人，可是被他用香板重重一打，啪一聲響，」果鏡尼師模仿師父香板打下的姿勢：「那一剎那，所有的妄念突然斷了，感覺到放下後，全身清涼透頂！」

馬來西亞的繼程法師，隨竺摩長老在檳城出家，兩年後到台灣佛光佛學院深造。一九八〇年，二十五歲那年曾隨聖嚴師父一個月連續打了兩次禪七，護了兩次七之後，繼續留在文化館斷食，法師不願他生依賴心，卻暗中照顧，令他讚嘆法師是菩薩乘願再來。

「那時文化館打七的人比較少，只有二、三十人，師父全心全意照顧我們這些不懂事的大孩子，」他說：「那時師父體力心力都是高峰，可以感受到他的力量很強，把整個禪堂的氣氛凝結得滴水不漏。」

法師指導禪七的特色之一，繼程法師說：

「就是他很少提古代公案，而是喜歡用自己本身和弟子參禪的故事來做說明，認為這些實例是現成的、活的公案，比較古代的公案更活潑、親切。聖嚴法師不解釋公案：公案不是用來解釋的，公案只是修行的方法。」

禪七期間，法師如何運用種種善巧方法推動禪修者？不止一次身歷其境的繼程法師，對此有極細緻的敘述：

「除了話頭一直逼，拜佛時，師父用激勵和呵責的語氣開示，把我們的眼淚逼出來，哭聲一片。跑香的時候，要我們看話頭；拖死屍走的這個人到底是誰？師父大喝如金剛獅子吼，拿香板上前逼，要我們把話頭講出來，這麼毒辣的形容詞，拖著死屍，承受不了，他在逼我們鑽進疑團。」

棒喝並用，香板又戳又打，猛烈的逼拶，差點把心肺給逼出來。當時的情景歷歷在目，事隔多年，繼程法師仍止不住讚嘆：

「眞正受用！」

聰慧而敏感的他，能夠細緻而深入地體會法師教導學生的苦心及用意：

師父用的是天台宗的小止觀法門，教的是看話頭的禪法，糅合了印度原始禪，先用數息，把心安定下來，穩住凝聚起來。

拜佛時教我們專注於身心，心與動作合而為一，使覺照愈來愈敏銳。

中國禪的跑香，是坐禪久了，用走的方法來調攝身心，順著時針方向在禪堂內由慢步到愈走愈快。南傳佛教跑香只用慢步經行，師父採取極慢的經行，注意力集中在前腳掌心，腳尖極慢極慢的放下，再放下腳踵，如此讓心往下沉，覺照腳的生滅。

師父在一旁說：木頭在走路，石頭在說話。

接下來快步讓心在腳上，除了走得更快的感受之外，不應有任何念頭。一開始跑，是力在動。

繼程法師提高聲音：「能夠跑到心在跑，達到身心統一，這時師父拋話頭：父母未生前，本來

面目是什麼？使能直接打到心裡，香板打到身體，也打到心頭，逼到最緊，然後放鬆，散步調息。」

機緣成熟，被法師一撥一點，繼程法師心眼頓開，有如電光石火那麼一瞬間，使他喜極而泣，嚎啕大哭。

「那種感覺，好似人生旅途中，在一個沒有星月，烏雲密布漆黑的夜裡摸索，天上忽然閃電了，一剎那的閃光，看到了道路和目標，雖然還不很明顯，但已經有了印象。」

法師要他走出禪堂：「出去看看，這個世界有什麼不同？」

「沒有不同，只是一草一木更可愛了，再也不敢在草地上橫衝直闖了。」

他體悟到「不履生草」這四個字。

「師父令我眞正體驗佛法，眞正感受到：將此身心奉塵剎，是則名爲報佛恩。」

找到自己後，繼程法師生活在一片無可名喻的充實和喜悅之中，起心動念待人接物，都任運自然，一片眞心流露，而且念念分明純眞，念念與佛法和禪相應。

禪境愈深愈平淡

得到師父的印可，繼程法師回馬來西亞教授密集性的靜坐課程，見到本來面目，心眼開了後：

「那股力量很強，對佛法的了解體驗，都是直接從內心流露出來，我告訴學生們的，是眞眞實實

的感受！」

為了接引更多的信眾，繼程法師於一九八六年回台灣拜見師父，聖嚴法師在他的禪房內傳法於他，授予傳顯見密的法號。激勵他「仍抱持一句話頭啃下去」，警戒弟子禪修雖有較深的體會，但仍不夠落實，強調法門需要實修實證之人，需要信願堅貞，希望他弘法之餘，多攝身心。

繼程法師謹尊師命，回馬來西亞主持靜七。

為了使禪修功夫更有進境，九〇年代他又回農禪寺打禪七。這位老參深感禪境愈深時愈是平淡。嗜茶的繼程法師自稱為茶僧，品茗與領略佛法相通，將這次禪七比喻為好茶佳茗。「是好茶就不怕清淡。」飲後韻味無窮。

繼程法師在馬來西亞主持「靜七」時攝

最令他讚嘆的是師父的禪功隨著年紀愈趨純熟，境界更高，更圓滿，令繼程法師無限嚮往。

「一別多年，師父法務繁忙，卻能保持功夫。他的禪境非但沒有退步，反而愈見精純，層次更高。一進禪堂，立即能感受到，那麼淡定，那麼平常心！」

聖嚴法師在台灣第一個剃度的男眾大弟子果煜法師，讀台大時，為哲學思維上的無法突破而苦惱，他不敢投入靠他力的密宗，與念佛的淨土宗也不相應，參加台大佛學社，隨法師打禪七，對空性頗有感悟。

學佛十年後隨聖嚴法師出家，自述接過袈裟的剎那，那種一見如故的悲情，使他肯定前世生中早已是出家人了。

「早期師父教禪，心力強、體力好，每天有個別小參，有時也可不等小參，出堂就問，」果煜法師說：「那時師父整天都在禪堂與我們共修，全心全意的指導禪七。」

早期法師教禪，果煜法師將之分為兩個階段：

「早期的出家眾，有志於禪修的反而比較少，在家眾有興趣的，以大專院校的學生最多，師父對年輕的學生喝棒打，硬逼出來的好像是一時的，很快就退轉。」

第二個階段是改為放長線，釣大魚。

果煜法師出家後，第二次打禪七，參的是「我是誰？」的話頭。

「禪七最後一晚，心得報告都結束了，我還在念話頭。隔天早上，突然疑情迷天漫地，力量大極了，」果煜法師不緊不慢的回述當時的情景：「最後一支香，我跳了起來，大叫：『我不要』，師父問我：『你不要什麼？』

「我說：我不要禪七結束。氣一動，哭成一團。」

禪七還是結束了。

「幾天後，師父在文化館演講，他在台上講，我繼續問話頭：『我是誰？』突然之間，我問自己：這是誰的問題？連我自己是誰都不知道，我還替它擔心什麼？還問什麼？」

疑團一打碎，眼前空明澄澈一片。

「我去找師父，不是為了得到他的印可，而是希望他繼續指導點撥，使我更進一層。師父一聽，立刻叫我隨他上祖堂，確認了我的經驗。」

果煜法師以後還有幾次開智慧眼的經驗：

「感覺到要來，立即放下一切，摒除塵緣，閉關一心一意趕緊用功，不同階段的體悟，」他形容：「開始時跳出小我，以後愈來愈精緻、細微。如果一段時間那種感覺不來，我會很心慌。」

學禪使他視野廣闊，可以更宏觀地來看待世情。

「活起來省力多了。」

復活了默照禪

聖嚴法師一人傳承臨濟宗與曹洞宗兩支法脈。東初老人二十八歲時曾至江蘇鎮江焦山名刹定慧寺，受智光長老的傳法，傳承曹洞宗的法脈，是曹洞宗創始人洞山良价下第五十代傳人。聖嚴法師從東初老人獲其曹洞宗焦山法系傳承，爲曹洞宗下第五十一代傳人。

中國曹洞宗的源頭，始自洞山良价及曹山本寂兩禪師，洞山良价主張學禪之人，要心如鳥行於空，不留痕跡，以玄中之玄接引學者直入不生不滅的甘露門。可見其宗風，與臨濟義玄大異其趣。

默照禪的禪風，倡自曹洞宗下的宏智正覺（一〇九一－一一五七），他與主張看話禪的大慧宗杲，活躍於同一個時代。宏智正覺是投子義青的第四傳。義青參了三年「外道問佛，不問有言，不問無言」的話頭而開悟，但他終於反對慧能的頓悟禪風，回歸到菩提達摩的禪風，強調「法離文字」，把修行的方法，轉回到接近北宗禪師們所主張的看法：

「欲得會道，必須坐禪習定，著不因禪定而得解脫者，未之有也。」

宏智正覺出生於山西省隰州，七歲即能目誦數千言，十一歲出家，廿三歲大悟。住持天童山景德寺達三十年之久。

默照禪爲宏智禪師大悟之後所創，禪風類似天台的止觀。默照其實就是止觀並用，止的時候，心中無雜念，觀的時候，清楚知道自己沒有雜念。因此，觀的時候止，止的時候觀，照的時候也在默，默的時候也在照。將觀用作照，將止用作默，所以雖然源出於止觀，卻不是止觀。

默照也與禪宗三祖僧璨的「信心銘」所言：「絕言絕慮，無處不通，歸根得旨，隨照失宗，須臾返照，勝卻前空」的宗旨相通。

一九八〇年，聖嚴法師在紐約東初禪寺主持感恩節禪七，首次以南宗宏智正覺所著的《默照銘》爲教材開示禪修法要。

曹洞宗的默照禪，與臨濟宗的話頭禪同爲古代禪門雙璧，然而，比起至今仍爲禪修者活用的公案話頭禪，曾經旗鼓相當的默照禪法卻早已失傳。明末以來曹洞宗的寺院，默照禪法已少爲人知，曹洞宗的禪師打七時都以念佛及參話頭取而代之，致使曹洞臨濟系統風格難以分辨。

聖嚴法師有鑑於此，引發他講解《默照銘》的動機。

法師研究默照禪，最早可追溯到他在美濃山中閉關修行時，從《卍字大正藏》讀到宏智正覺的《默照銘》，對這明末以來就失傳的禪法感到無限好奇，也有意追究與宏智正覺同時代的大慧宗杲，他先學曹洞，後學臨濟，爲何後來卻評譏默照爲邪禪，而提倡以看話頭來摧破思慮情識，使得修行者頓悟徹底。

法師逐字逐句仔細琢磨《默照銘》之絕深妙處，視破解書中晦澀莫名之隱喻爲一大挑戰，甚至鑽研易經八卦，以期理解宏智正覺書中如何以易經離卦的微妙變化，來形容智慧心的功能。

受到《默照銘》的啓發，影響了法師的修行。他的打坐既不修觀也不參禪，更不念佛，是諸法之外的純打坐，似乎是一種個人的獨創方式。

法師把山中修道，定名疑似曹洞宗的默照禪。後來赴東京立正大學留學時，法師參訪日本佛教道場，由駒澤大學的佐藤達玄的引介，他造訪曹洞宗的大本山，位於福井縣的永平寺，以及東京的本山，位於鶴見的總持寺，見識到日本曹洞宗只管打坐的修行法。

日本曹洞宗的源頭是中國的天童如淨禪師，以及日本的道元希玄禪師。如淨禪師是洞山良价的第十三代，他的第十代眞歇清了，是宏智正覺的同門。師承的不同，使日本曹洞宗的只管打坐，和宏智禪師所創的默照禪是有差別的。

正覺禪師開悟後所著的《默照銘》，從悟境中闡述默照禪，對一般修行者難以意會，更遑論實踐。聖嚴法師從文本中得其神髓，以深入淺出的文字譯成白話，又從中整理出一套有跡可尋的方法，供禪修者學習。

明末以後便失傳的默照禪，憑著聖嚴法師的鑽研努力，在他手上復活了，法師將修行的過程分爲三個層次，亦屬他個人的創見：

第一個層次：只管身體，把姿勢坐好，身心放鬆，在同一時間內，有心無心地注意自己整個身體，觀整體而不觀局部。心住於正念，此正念便是觀整個身體的全部，而不讓自己有妄念。

第二個層次：把環境當做身體的一部分，清楚知道身體在哪裡，但是，並沒給你負擔及感覺，不僅沒打擾你的心，而是很自然地跟你的身體在一起。

身體在、環境在、心也在；有主觀的自己、客觀的身體，同時被觀照得很清楚，但是，毫無負擔，也不受任何干擾。

第三個層次是以空作為觀照。

向內觀照，內心無限的深遠，向外觀照，外境無窮的廣大。環境在、身體在，但是自己已經不在，沒有主觀的自己及客觀的環境，一片明朗清淨。

到達這個程度，以為沒有境界，事情上，空境即為觀境。

執著於空，仍是尚未開悟。

聖嚴法師指出：開悟是看到空和有，內和外，不相妨礙、不是對立、也不是統一，不執著境界，不否定現實，還能和現實融合在一起。沒有時間、空間，沒有自我、對象，心念不動，但是歷

歷分明，心中無物、無相，但是明淨靈活。

此時就是默而常照，照而常默；默中有照，照中有默，到了這個層次，便是大開悟。

話頭與默照，何者爲優，何者爲劣？聖嚴法師表示很難論斷。

「修行的方法，可有鬆與緊的兩種法門。平常生活緊張，心神勞累的人，初入修行，宜用鬆法。」

宏智正覺的默照禪，多用鬆弛、用明晰，把妄想雜念全部沉澱下去，使得心頭平靜如鏡，清明如月，沉靜如潭。

如果是好逸惡勞之士，用默照很可能變成「冷湫湫地」「寒灰枯木」，定境不現前，智慧的光芒永遠透不出來。平日生活懶散，心神浮動的人，初入修行法門，宜用緊張，而大慧宗杲的公案話頭逼拶緊迫，用口喝棒打的緊迫工夫把學者逼得走投無路，而又非走不可，無開口處，而非讓你開口不可。

聖嚴法師強調：「方法是死的，應用是活的，有些人是需要兩種方法交互並用，而且即使在看話頭，也有鬆法，默照禪的工夫上，也有緊法。」

第八章

風雪中的行腳僧

流浪紐約街頭

東初老人圓寂後，聖嚴法師謹遵師父遺命，接掌北投的中華佛教文化館以及下院農禪寺，又應聘為美國佛教會在台譯經院院長。禁不起美國弟子一再函電相催，苦苦哀求，半年後法師不得不暫時離開祖庭，飛回紐約。自此之後，他將時間分成兩半，一半在台灣，一半在國外。

一九七八年的佛誕節，法師在大覺寺教導禪訓班第一期的美籍學生保羅・甘迺迪，發心求度出家，法師主持剃度儀式，取名果忍，此乃大覺寺成立以來，最富特色的一樁喜事。

由於台灣、紐約兩地往返，法師自覺對大覺寺的人事管理、譯經工作的進度無法有效掌控，在全無其他奧援的情況下，毅然辭去大覺寺住持，以及副會長的職務，與美國佛教會的因緣，自此告一段落。

法師辭職的消息一經傳揚開來，不少人認為他此舉無異是自掘絕路，既可惜又冒險，美國佛教會財力、物力雄厚，法師在異國人地生疏，若想獨力弘揚佛法，談何容易。所有的人都以為他一旦離開大覺寺，便失去倚靠。

聖嚴法師把自己比喻為風雪交加中，向前邁步的行腳僧，半生之中，逆緣阻礙，從未曾間斷。為了逃離共產黨掌權的紅色大陸，法師被迫脫下僧袍，披上戎裝，隨軍到台灣來。他的決定被上海

佛學院的師生知道了，異口同聲的預言，體弱多病的他，入伍不到三個月，就會被折磨死。十年後，他二度出家，到美濃朝元禪寺閉關，法師把退伍金借給人家，一個人兩袖清風地南下，有人幸災樂禍，說沒有信眾子弟護關，法師肯定會在山裡活活餓死。

其後獲得日本立正大學的入學許可，法師準備赴日留學，謠言四起，人未走，便已預言法師此去勢必易裝還俗，娶妻生子。六年苦讀，這位中國佛教史上第一位取得博士學位的學問僧，慨嘆他有如徒獲駕駛執照，在台灣卻找不到汽車來開，發揮他想辦僧才教育的理想。

無可奈何之餘，法師只好又一次遠渡重洋，到美國弘法，接引西方信眾，成爲備受學院，比如紐約哥倫比亞大學宗教史教授尊崇的禪師，不料卻又因師父東初老人無疾坐化，回台奔喪，遵照遺囑，接管了中華佛教文化館及下院農禪寺，致使他不得不辭去大覺寺的職務。

法師從來是把種種逆緣當做增上緣，憑著他對佛教堅定不移的信念，龍天護法，每每能夠絕處逢生，化險爲夷。再怎麼也料想不到，離開大覺寺後，法師竟然會流離失所，在紐約街頭流浪長達半年之久。

由於大覺寺已另請比丘尼住持，聖嚴法師不便在寺裡掛單，只好暫住沈家禎居士位於長島的別墅——菩提精舍，他的皈依弟子們覺得長島離紐約市區太過遙遠，無法隨時追隨法師學習求法，紛紛請求師父回市區安住。

於是，法師攜同美國出家弟子果忍法師回到紐約市，師徒二人背著睡袋，在天寒地凍的嚴冬，行腳於風雪挾雨的大街小巷，足跡遍至新澤西州、曼哈頓、皇后區、布魯克林，往往不知夜晚棲息於何處。

「那一陣子，師父借用一位在家弟子的住宅，在蘇荷區上課教禪法。」一直跟著法師學禪的王明怡博士說。

夜裡師徒輪流住宿於學生及信眾家裡。無處爲家時，只好餐風露宿街頭。

「天黑了，沒有地方落腳，有幾次去教堂廊下過夜，果忍徒弟也睡過中央公園。」法師說：他有天在街頭奔波，碰到一個從前在台灣軍中的舊識，那人是船員，在紐約跳船，成爲非法移民，四處躲藏。

「這個人在紐約是識途老馬，知道那些地方露宿，可避風雨，常常帶著我和果忍跑。」法師笑著回憶備嚐艱辛的流浪生涯。

師徒二人風雪中的行腳，遍嚐世間人情冷暖。天寒難耐，法師曾向一位長老的道場要求掛幾天單，得到的反應卻是非常客氣地說：

「別說笑話，像你這樣的大法師，怎會住我們這樣小的地方！」

這句話聽在法師耳裡，屋外冰點以下的嚴寒，也變得微不足道了。

這是法師一生當中最艱難困頓的時期，每天居無定所，飲食不定，背著睡袋，奔馳於風雪街頭，白天不是出去教禪修，便是尋覓晚上落腳之處，隨時有睡在馬路邊的心理準備。日子如此窘困，法師竟然不以爲苦，也不覺得自己潦倒落魄，毫無悲壯之慨。

「那幾個月過得很愉快，常聽人說：爲法忘軀，以天地爲家的生活，終於被我體驗到了。」法師無怨無悔，即使必須爲求法與弘化而行乞，他亦心甘情願在所不惜。

「爲傳大法於西方，捨生命以報佛恩是應該的。」法師肯定地說。

他心懷遠大的志向，要將智慧和慈悲的佛法傳揚到西方世界，隨從因緣而盡一己之心力，只要有弘法的機會，他無不盡力而爲，盡心去做，在美國進行佛法的拓荒工作。他相信信心和道心是從艱苦及絕境中生起，使自己做到以苦爲樂，甘之如飴。

聖嚴法師帶著果忍徒弟，以及經常向他求法的一群美國弟子，在唐人街頭走動的景象，吸引了當地一家華文報紙記者的注意，偷偷拍攝這一鏡頭，隔天出現在社會版，一個中國和尚率領一群蓄著長髮的嬉皮青年，被當成唐人街的街景之一。法師看到照片，哂然一笑！

處境如斯，法師仍不忘傳法。借長島的菩提精舍主持第五次禪七，別墅的管理人員風聞法師已不再是大覺寺的住持，便處處找打七禪眾的麻煩，甚至拿自衛手槍威脅。

「打完禪七，最後一晚心得報告，幾乎每個人都哭了，認爲佛法難遇，修行難得，尤其是對我的

感激，情溢言表，第二天離開菩提精舍時，都有無限的感謝與感慨。」

有一個弟子噙著淚問法師：「師父，我們不能再來菩提精舍了，是嗎？」

法師安慰他：「我們學佛的人，相信因緣，不必強求，也勿須失望，未來的事，到時候再說吧！」

打完禪七，經濟並不寬裕的黑人弟子奧斯華．佩爾（Oswald Pierre）慨然捐出兩千美元。

「我之所以留在美國而不辭辛勞，不畏艱難，受了這批弟子們的感動，也是原因之一。」

事過境遷，聖嚴法師這一段經歷，聞之仍然令人爲之鼻酸。

幸虧唐人街東禪寺的住持浩霖法師，適時地伸出援手，讓流浪街頭的法師及果忍弟子掛單，還說：「就把東禪寺當做你自己的道場好了。」

師徒在他的孔子大廈中的道場一住四十幾天。

時至今日，聖嚴法師提起這一段往事，對當年浩霖法師的溫馨相助，仍然感恩不盡。

居無定所的流浪生涯，使法師深深感悟到：

「若要傳宗接代，鳥須有巢，人當有家，僧該有寺。」

揣著身上區區可數的美金，法師毅然在紐約皇后區的林邊一棟兩層樓的住家建築，租了低矮的第二層，租金是每月三百八十元，善心的沈家楨居士，又一次的發心支援，法師及徒弟果忍總算有

了個遮風蔽雨的落腳之處。

法師在此成立了禪中心，搬進去時，除了他從日本帶來的一千多冊書籍外，家徒四壁，不要說沒有打坐的坐墊，連碗筷刀叉、桌椅全無，遑論床舖，師徒二人展開了馬路邊的拾荒生涯：

「肚子餓，捨不得買東西吃，捱到傍晚，到果菜市場去撿人家丟棄的菜葉、馬鈴薯，附近麵包店打烊以前，會把賣不出去的麵包丟到紙箱，擺在後門，那是我和果忍的晚餐。」

道場草創時期，法師堅持禪者生活的原則是：

冬天但求不凍死，平常但求餓不死。

「紐約這個大都市眞可愛，沒有錢去店裡購買，路邊便可撿到我們需要的東西，」法師連連讚嘆：「我們師徒倆，還有在家弟子們，七手八腳合力從路邊的垃圾堆，搬回破舊的桌椅，放置在道場。」

道場中間架設了一個小型的佛壇，唐人街一位信徒送來親手縫製的坐墊，禪中心總算略具規模。禪坐班的學生相繼回巢，法師繼續指導禪修。

這時除了比丘果忍，又有一位美國比丘尼由法師剃度出家，法名果閑。由於生長環境不同，生

活習慣各異，師父與弟子彼此學習適應，付出很多耐心。

「我要從如何煮飯、洗衣、修補教起，然後課誦、唱唸、法器的練習，一一教會，同時彼此互相學習語文，跟我練習翻譯經典，熟悉佛教徒的禮儀及僧尼的威儀。」

有一位任教哥倫比亞大學的美籍神父，慕聖嚴法師之名，親自到林邊禪中心探訪，目睹法師居處簡陋異常，忍不住問他：

「日子過得這般清苦，目的何在？」

法師安然地回答：

「不爲什麼，只爲使需要佛法的人，獲得佛法的利益。我是來把佛法傳給西方人，住在這裡，比在深山叢林好。不是有很多天主教的神父，也寧願到非洲落後危險的地方去傳教嗎？」

法師是要入世忍人所不能忍，行人所不能行，秉持修菩薩道的精神。

一席話，聽得美籍神父對法師肅然起敬。

物質條件差，師徒三人絲毫不退心，沒有打字機，也沒有固定的編輯，林邊禪中心的八個月，不僅把大覺寺時期發行了七期的《禪》雜誌復刊，弟子們又把法師在禪中心的開示，以及應邀演講的講稿編成文章，每個月出版一次《禪》通訊，發行對象爲曾隨師父學習之人，及對佛法和禪有興趣者，遍及全美諸州及加拿大。

八個月租約期滿，又得另覓去處。聖嚴法師將身上僅有的七百美元，加上沈家楨居士、應行久夫人的捐獻，大覺寺的仁俊長老也助一臂之力，把一筆現金做爲頭款，由在家弟子馬宜昌夫婦擔保，一九八〇年春天，以美金四萬五千元的代價，購進皇后區愛姆斯特可樂那大道一棟兩層樓房。

交屋時，屋況極爲殘破老舊，窗破門腐樓損，法師是看中它價錢便宜，房頂高度夠做佛堂禪堂之用。

「地面用紙盒子舖著，以爲是地板，一踩下去，」法師形容：「整個人掉了下去，地板老早腐朽了，經不起人的重量。」

在等待樓上兩戶房客遷出之前，法師商借應行久夫人金玉堂居士的大乘寺，舉行第六次禪七。坐落於紐約上州靠近州政府所在地的道場，佔地面積廣大，設備完善，應夫人也親自參加禪七，並且帶她的侍女爲禪眾提供餐飮，這是所有禪七中，最順利的一次。

一等樓上住客搬出，法師和弟子們把房子來個大翻修，樓下的店面原本是個汽車機件修理廠，清理之後，找人將電燈、瓦斯、水道全部換新，清除雜亂不堪的地下室，重新舖上牆壁、地板。

紀念東初老人法乳之恩

所有工程，除了地下室外，均由法師領導弟子親自動手，前後共花了一年多時間，一直到一九

八一年春天，法師從台灣募得三尊極爲莊嚴的佛像，禪中心新址於是年佛誕節開幕，佛像開光。法師爲紀念東初老人的法乳之恩，特將禪中心的中文名字稱爲東初禪寺。

東初禪寺的地下室是廚房兼餐廳，一樓的大殿後面是個小會客室，二樓的禪堂最多可容納廿四人打坐，法師便在剛落成的禪寺舉行第七次禪七。

自此之後，每年舉行四次禪七，分別在五月下旬的國殤假期，七月上旬的國慶假期，十一月下旬的感恩節假期，十二月聖誕節及新年的假期。

這麼一座禪寺，卻沒有一張床舖，沒有私人房間，晚上師徒打地舖，傢俱要不是從路邊垃圾堆撿回來的，就是到慈善機構去買一些廉價的物品應用。

法師每三個月回台灣，東初禪寺便由兩位美籍的比丘、比丘尼常住照料，可惜過了三年之後，便因個人因素先後分別還俗了。法師回紐約期間，不愁沒有信眾前來聽聞佛法，三個月後回台北，有幾次東初禪寺無人照拂，幾乎要關門大吉，幸好每當緊急關頭，便會有人進來暫住照料。

越南籍的清海，對法師敬重有加，把他形容成爲透明的佛陀，認爲他與印度古魯、密宗活佛有等量的智慧。清海從台北追隨法師到紐約東初禪寺，打算長期住下，因爲表格塡錯，移民局拒絕她長期居留的身分，憤而離開紐約，後來以「清海無上師」的名號到處給人印心。

紐約著名的素菜館「禪味」餐廳的大股東陳麗貞居士，原本開一般的餐廳，皈依聖嚴法師後，

守五戒不再殺生，關掉原來的中餐廳，改而經營素食館，「禪味」做得有聲有色，現已有四家連鎖餐廳，分布於曼哈頓區。

陳麗貞居士，是東初禪寺最早的會員之一。

「一開始我就來，那時信眾不多，只有二十幾個人。」

她把東初禪寺當做自己的家。

「師父回來，需要有人來，我去當接待，做這做那，十分歡喜。」

陳麗貞居士扶持道場二十年如一日，她是法鼓山紐約的召集人，將聖嚴法師的著作、錄音帶與紐約餐飲界同行結緣募款。

法師在美國弘法，除了舉辦禪修課

紐約東初禪寺

上圖：一九八二年於東初禪寺成立法鼓出版社，接引了不少有志於禪修的西方弟子

下圖：一九八○年東初禪中心落成

程、講座、共修等活動外，出版《禪雜誌》，由弟子王明怡及唐‧史蒂文生等東、西方弟子合力將一篇篇精彩的開示或演講整理刊登。一九八二年聖嚴法師又假紐約東初禪寺成立了「法鼓出版社」出版英文書籍。第一本著作《佛心》問世後，書中介紹中國禪法，頗令一面倒向日本禪的美國禪修者，耳目一新，接引了不少有志於中國禪修行的弟子。

馬來西亞的繼程法師讀了此書後，一心想將之翻譯成中文，雖然英文能力有限，還是逐字查字典完成，他在自序中提到：「雖然師父的開示很少用很深的文法和詞彙，但其義理頗深，而英文詞彙貧乏的我，只有在每次翻譯時，大查字典了。」

第九章

不辦教育，佛教就沒有明天

農禪家風

沿著淡水捷運，來到奇岩站下車，出站後抬頭一看，放眼即是法鼓山聖嚴法師的勉語：

以禮敬禮謝禮讓待人，人人都是貴人
以盡心盡力盡責做事，事事可成大事

出口處豎立一個指路牌，箭頭指向大業路的農禪寺，只需步行十五分鐘。轉過街口，攤販賣的炸榴槤，特別標明「素食」，令人莞薾，由於聖嚴法師以佛法教化世人，這一區的攤販都以素食做號召，北投成爲人間淨土，應是指日可待。

自從聖嚴法師接掌大業路的農禪寺，以及溫泉區光明路的中華佛教文化館兩個道場，爲北投居民提供佛教服務，附近的居民參加打坐、念佛共修，法師的出家弟子上街，經常可看到居士合掌請安的場面。

關渡平原等待台北市政府都市計畫土地重劃，放眼望去，一片荒蕪的田地，雜草叢生、菜園、香蕉林、綠竹叢錯落其間，散發出都會裡難得一見的田園風光，平坦的農地，襯得遠處的觀音山更

顯得巍然聳峙。

農禪寺深藏在這一片廢耕的田地與巷子底處，幾間看似簡陋，鐵皮蓋的平房，既無雕樑畫棟，也無琉璃飛瓦，不怎麼起眼的寺門，對著前面一望無際的荷花池，從牌樓橫眉的「入慈悲門」一走進去，迎面照壁上「應無所住而生其心」，金剛經的這句經文映入眼簾，與「入慈悲門」一樣，全出自弘一法師清奇古瘦的書法，令參訪者看了，不期然放慢腳步，起了恭敬之心，自覺踏入佛門聖地。

照壁後小小的庭院，大殿三面的窗戶，用的是活動的鐵架，隨時可以拆卸，與左邊的知客處一樣，都是以石綿瓦覆蓋，以遮風避雨，爲了利用空間，接待處列著書架，法鼓文化出版社的出版物琳琅滿目，其

弘一法師清奇古瘦的書法，讓參訪者起了恭敬心

中絕大部分是聖嚴法師的著作。供來訪的信眾覽閱。

大殿的右邊，一個小小的花園，遍植櫻花、杜鵑等花樹，桂花終年盛開，撲鼻一陣陣清香，後面是簡易鐵架搭成的齋房、辦公室及兩層寮房。

置身花木扶疏、氣象清幽的農禪寺，一路走來，因沿途所見雜草叢生的荒蕪，而變得散漫的心，面對這簡樸整飭而清涼的道場，精神立刻凝聚，一下子提了起來，在一種平淡祥和的氛圍裡，感到自在放鬆。

農禪寺是東初老人圓寂前一年所購置的農舍，佔地五十坪。當年老人親自帶著錠心、鑑心兩位姊妹尼師，披荊斬棘地開拓這一片農地，過著「一日不作一日不食」的農禪生活。

「那時候我們自己種菜，菜籽都是自己發的，沒有錢買，」錠心尼師回憶二十多年前的菜園生涯：「挑水、施肥，樣樣都自己來。」

雖然買不起菜籽播種，菜屑中往往有現成的種子，或是空氣中飄過來的野菜種子，落地自然生長，經營沒多久，菜園已是生意盎然。

本著出家人不殺生的慈悲心懷，錠心、鑑心兩姊妹尼師每天照顧菜園的另一項工作，就是小心翼翼的去抓菜葉上的一隻隻青肥的菜蟲，把牠們集中放到一片老葉上，再送到菜園外放生。

有一次，錠心尼師看到一群孩子撿石頭去砸菜園裡的一條小蛇，她急忙上前阻止，告訴孩子

們：

「畜生也有牠們修行的道場，不要去傷害牠。」

這條獲救的小蛇，爬回洞穴之前，居然回過頭望著錠心尼師，似乎表示感謝之意。

有農禪寺老園丁之稱的黃明秀居士，經過同是客家人的果照法師的接引，親近了東初老人。喜歡拈花惹草的他，退休後便以農禪寺爲家，除了爲寺院移花接木，細心照料花圃之外，他還從林口高爾夫球場移植竹筍到農禪寺種植，他也種番石榴、白蘿蔔，當這位全職老義工看著錠心尼師爲了惜福，挨家挨戶變賣吃不完的竹筍，黃居士覺得血汗一點也沒有白流。

他在現在碩果僅存的菜園旁種了一株桑樹，每逢春夏之交，枝椏垂了一粒粒紫紅桑果，酸甜多汁的滋味，據說是黃居士勤於修枝剪葉，外加誠心持咒而得。

民國六十八（一九七九）年，聖嚴法師剃度的第一批出家眾，果祥、果梵尼師，住進農禪寺當行者。果祥尼師四歲喪母，從小不喜歡葷腥，不解人既然會死，又何必出生，大學畢業後，隨聖嚴法師出家，探求人生的究竟。當年她眼中的農禪寺是：

「一大片番石榴園，我們天天出坡種菜、種竹子。」

她形容拿長嘴的水壺，爲新種的竹苗一根根灌水。竹子長成後，一片竹林，在果祥尼師眼裡，農禪寺有如佛經中的竹林精舍，最適合靜修的清幽道場。

早期的農禪寺並不對外開放。現在就讀於日本京都佛教大學，攻讀博士學位的果鏡尼師，第一次到農禪寺是在民國七十年。

「走進大業路六十五巷，找了兩個小時，找不到農禪寺，最後天快黑了，碰到一位老太太，她指著一個深鎖的大門，說那就是。」

還在大學的她，參加佛學社，打坐時見到幻境，被引介來找聖嚴法師解惑。那一次爲她開門的正是剛落髮的果祥尼師。她形容農禪寺爲一片芒草所遮掩，像個清幽的叢林，與塵世完全隔絕。至今果鏡尼師仍然十分懷念那種田園的農禪風味。

「那時候農禪寺是一座小小的農舍，四邊都是竹林，沒有信徒，師父帶幾個出家眾出坡，」果鏡尼師回憶：「師父親自教我們劈材，拿鋤頭的正確姿勢，菜怎樣種，他全會。」

聖嚴法師親自帶領常住弟子，從灑掃應對、日常生活的例行事物，課誦早晚課、熟習法會中的各種法器，一一示範，注重出家眾舉止威儀的培養，樣樣絲毫不馬虎。

「師父是一個非常重細行的人，非常重視生活教育，」果祥尼師說：「他要求常住的弟子，早齋後一定要做體力勞動，每個人都有份內的工作，而且要求處理得井井有條，徹徹底底。」

法師要求弟子時時提醒自己，出家人爲人天師範，剃度師父責任重大。出家不是逃避現實，或厭離世間，出家是積極地、義無反顧的爲道而奉獻。

出家有三層意義：法師解釋：一是出眷屬家，二是出離煩惱，三是出離自我中心。出家以後，首先要放下自己過去有的一切榮譽、利益和自我中心，好像重新投胎出生，完全要以佛法的觀點、理念、心態和修行的方式來自利利人。

師父要弟子們經常磨練自己放下得失心，在僧團中遇到種種境界時，能以「放下而無所求，提起而能接受」來面對。

「師父開的船，方向是不會錯的！」

果梵尼師說。她擅長丹青，畫得一手精妙絕倫的佛像，曾爲法師早期的著作《禪的體驗》設計封面，爲報答父母恩，把自己獻給眾生，隨法師出家後，以畫佛像畫聞名，開過畫展，出版了幾本以佛法教化眾生的書。

隨著慕名而來拜在法師座下的出家僧眾逐年增加，農禪寺開始了第一次的擴建，由善心的建築商免費搭建鴿籠式的寮房，以供常住弟子遮風蔽雨棲息。

果鏡尼師眼睜睜地看著農禪寺的竹林變成殿舍，菜園逐步縮小範圍被房舍取代，黃明秀老居士只好在有限的菜園種植精緻的蔬菜，繁殖根莖葉類。對菜園旁那株桑樹連年遭蟲蛀蝕，老先生無比心疼的說：

「就像蛀在自己身上一樣痛啊！」

聖嚴法師認爲寺院除了是出家人清修的道場，同時也可以接引社會上有緣的信眾，幫助他們來修行學佛，法師在中華佛教文化館舉行過多次禪七，打過禪七的信眾也要求法師提供一個清淨之地，集體共修。

民國六十八（一九七九）年，法師假農禪寺成立了「般若禪座會」，每個星期日下午一點半至五點的靜坐共修，由法師開示，主要是將禪的精神，貼切著現實人間的實際生活來講，一方面疏導人生的苦悶與無奈，另一方面介紹人生不同的層面，鼓勵每一個人從禪的修行及經驗，提升身心的品質。

聖嚴法師向禪眾開示：

禪的生活是：積極、自在、簡樸、自適的安心方式。

每周開示，接引了無數禪衆

禪的理念是教人：首先學著放下自私、自欺、自怨、自慢、自我枷鎖，才能海闊天空地任運飛翔。

禪的方法是教人：首先練習認識自我、肯定自我，然後粉碎自我，才是悟境的現前。

禪的目的是教人：學著將現實世界的八熱地獄，轉變為清涼國土的七寶蓮池，試著把自害害人的身口意三業，轉化成自利利他的慈悲與智慧。

果梵尼師參加週日禪坐會，師父問她是否專為聽開示而來？果梵尼師回答：

「是爲卸包袱而來！」

「卸包袱，妳丟了，誰來撿這個包袱呢？」

聖嚴法師禪機的應答。

每週日長達一個半小時的開示，逐期在《人生》雜誌上登載，深受讀者歡迎，後來法師經過改寫，結集出版了《禪的生活》、《拈花微笑》二書，接引了無數的禪眾，果雲尼師就是讀了《禪的生活》而決定出家修行。

遲至三年前，才了斷塵緣，剃髮爲尼的果雲尼師，她與農禪寺的因緣卻可追溯到十五年前。畢業於師大中文系，在中學教國文的她，對宇宙星系的奧祕感到無限好奇，一直在追求性靈的超越。

「到處尋尋覓覓，一直到讀了聖嚴師父的《禪的生活》，這本書讓我找到我所要找的，我的心終

於安定下來了。」

加入週日的般若禪坐會，整理法師講的《心經》錄音帶，她皈依了法師，自此風雨無阻地參加禪坐，以後又發揮她的編輯才能，負責禪坐會的會刊，連續做了兩屆禪坐會的會長。

「那時候，參加禪坐的人有一百多人，每次聽完師父長達一個半小時的開示，大家還捨不得走，把師父團團圍住，繼續向他請示。」

果雲尼師回憶早期的禪坐會。那她自己呢？是否也上前找師父解惑？

「我從不找師父談個人的問題，師父在講經開示，還有他的著作，已經回答了我所有的疑惑，不會再去煩擾他老人家！」

溫文儒雅的果雲尼師，以無比堅定的語氣如此回答。其實她個人的際遇一點也談不上順心，雖然早就想追隨師父出家，奈何必須獨立撫養兒子，失婚的她，卻能以在家人的身分，過出家人的生活，一直到最近才終於如願以償成為農禪寺的住眾。

「師父的悲願是以農禪寺的禪坐會為起點，推廣到學校、家庭，希望家家蓮社、戶戶禪堂，每一個地方都可得到禪法。」

果雲尼師發願以師父的理念悲願，變成自己的理念悲願，她在農禪寺的教育院，培訓禪修課程，長年來的精進修行，她自覺我執、習氣不斷的剝落。

政大法律系畢業的果建法師，東勢客家人，從小思索人死後不可知的世界，而心起恐懼，從小跟隨姊姊到廟裡聽經，以爲學法律可主持正義，司法界複雜的生態令他無法適應，轉而選擇了出家來利益眾生。

律己甚嚴的果建法師，謙遜內斂的性格，使他總是因自覺不足而起慚愧心，不論打坐、工作，無時不刻都在照顧自己的心，希望緊緊抓住它，聖嚴法師自我督促、身體力行的精神，是他佩服效法的對象。

「爲了練專心一志，」現任大溪齋明寺監院的果建師說：「我發現屋簷滴下的雨水，把地上的水泥滴出一個洞，我專心注意那個小小的洞，訓練達到心念不動的境界。」

打了第三次禪七，果建法師曾有身體不見了的經驗。

心定則神鬼不侵

前農禪寺督監，現在日本東京立正大學攻讀博士的果暉法師，台大畢業，當兵期間一遇放假，家也不回，直奔農禪寺來護七。依止聖嚴師父後，他與比他稍晚出家的果醒法師，兩人胼手胝足合力爲擴建農禪寺而奔走。

夢想白手起家，創業發達的果醒法師，屢試屢敗後，醒悟到如果天生沒有福報，不能靠後天拚

命認眞就會發財。鄰居一年輕人的驟死，令他眼見生命的無常，找到農禪寺來參加禪坐會，平時發心當義工，用他的小發財車載錠心、鑑心尼師去買菜、運送東西等等。

原來並無出家的念頭，師父一句：

「出家人說法，由在家人供養，並不只是一種交換而已！」

果醒法師聽了，如醍醐灌頂，當下決定落髮追隨師父。

八○年代中期，農禪寺的大殿，內殿只可容納二、三十人禪坐。

「師父爲了需要，才一步步擴建農禪寺，他不是那種先蓋好一間大廟，空在那裡，等人去住的法師。」

爲了擴充佛殿的面積，必須把院子當中的十二棵大王椰子樹往外移。

「移樹那天，師父到每棵椰子樹前，拍拍樹幹，好聲好氣地把它們請走。」果醒法師眼帶神秘：「佛教相信，樹有神靈，有一個鬼神村，非得好好跟它們說不可。」

至今農禪寺知客處的小會客室，桌椅旁有一株沒被移走的洋紫荊，樹幹竄出了房頂，從外面看過去，知客處屋頂冒出一棵盛開紫紅花的樹，不失爲農禪寺的一種景觀。

大殿擴建的部分，法師囑咐用活動的鐵架，石綿瓦覆蓋，只爲遮雨擋風，三面開大窗，不砌圍牆，準備隨時可拆卸。看起來相當簡陋，聖嚴法師說這是臨時的，對人生徹悟的他，又加了一句：

「又有什麼不是臨時的呢？」

擴建工程進行時，法師叫果醒法師當監工。

「爲了替農禪寺省錢，也爲了給自己修福，」果醒法師說：「結果我挑土、牽電線、安置水管，樣樣自己來。」

當初親近師父，果醒法師是爲修禪而來。爲了準備好好打禪七，他先在家攝心，每天打坐長達六個小時，使自己進入最佳狀態。出家後，卻成天與水泥電纜打交道，沒時間修習靜心，他是如何調適這種心理的？

「《六組壇經》的一句話，給了我很大的啓示：要做到不取不捨，好的不高興，壞的不討厭，實踐佛法的一行三昧，學習接受這種心態，便很自在了。」

六祖惠能說的一行三昧，是「於一切處，行住坐臥，常行一直心是也」，即是禪宗所謂的：「道在平常日用中」。聖嚴法師的解釋是：不論做什麼，或什麼時間，只要心中不存私意，以豁達的平常心來待人接物，語默動靜，莫非是道，那就叫做一行三昧。然而，果醒法師全心全意投入工程，滿腦子爲未來的藍圖做長遠計畫，師父看出他矯枉過正，要他回到當下。

「果醒，你愈來愈像工人了。」

又一次，師父的一句話使他醍醐灌頂。出家人在工作中不忘修行，與只當做職業，全心投入的

工人畢竟是兩樣。

慈悲的師父讓他放下工作，到泰國寺廟進修，觀察一心，他才自覺以前太急躁冒進了。

「師父很懂得教化人，早期很嚴格，現在不罵我們了。」果醒法師憨厚地摸摸頭：「不罵我們，實在是我們的大損失！」

聖嚴法師一向不主張弟子追求身心的神秘經驗。他不談神通，一再告誡弟子們，只要心定，則神鬼不侵。果醒師遵守師父之教誨，以佛法定力度過了一個外道擾亂滋事的場面：

「有一天，三個外教的男女來農禪寺踢館搗蛋，師父叫我出來應付，那男的乩童，在佛殿大搖大擺走七星步，女的大呼大叫就要起乩。」

當時出家未久，年紀仍輕的果醒師，看這三個男女口唸唸有詞，又舞又跳的發狂一般，一時之間傻了眼。

「突然間，記起師父平常教的，把心定下來。我立刻合掌念大悲咒，因為緊張，念錯了好幾個字，一遍還沒念完，那三個男女就安靜下來了，嘴巴也不唸唸有詞了，退乩收兵，走人了。」

果醒師這才鬆了一口氣，體悟到大悲咒妙用無窮，正能勝邪。

事後聖嚴法師就神秘感應開示，他說：嚮往追求那些瀰漫於時空的靈體，就難免不變成他們的工具。法師以水火來比喻神秘的感應，苦口婆心的規勸正信的佛弟子，不要讓火所焚，被水所溺，

凡事還是靠自己的努力，不要假借他力，做一個正信的佛弟子。

果醒法師到泰國進修期間，擴建農禪寺的工程監工，便落到果祺法師的身上。長著一對招風耳，一臉羅漢相的果祺法師，出家前練氣功，是跆拳道的好手，後來因爲氣痛，到農禪寺來打坐。

「當初參加禪坐班，只是爲了練身，結果不僅把身體練好了，也讓我的頭腦放鬆，增進創造能力。」

這正是聖嚴法師所闡述的；從靜坐到習定，最後修禪的三個層次。靜坐的目的是使身體健康，心理平衡，習定是在於有漏智慧的開發拓展，參禪是落實於現實生活，開發無漏的智慧。

果祺法師受到家族中四個親人，在極短的時間內相繼亡故的刺激，使他看破紅塵，轉心佛法。現在他在大溪齋明寺經營寺後一大片菜園，及種苦茶，過著怡然自得的農禪修行生活。

連菜園的青蛙聲都在念佛

由於農禪寺舉辦禪七，週日「般若禪坐會」，法師還會有精闢的開示，一般人以爲法師只專事禪修，與阿彌陀佛的念佛法門無關，事實並非如此。

聖嚴法師主張禪淨雙修，他認爲禪的修行者，既不離彌陀，必生淨土。古賢大德如禪宗四祖道信大師，修持的便是「念佛心是佛」的一行三昧，明末的蓮池大師、藕益大師也是將禪與念佛法門

同學並揚。

民國七十一（一九八二）年，農禪寺成立「福慧念佛會」，剛開始時，參加的人並不踴躍，聖嚴法師鼓勵大家帶親友來念佛，結果任教於蘆洲國中的江元燦先生，不僅使母親、岳母、伯母皈依，同時在一年內，帶來了一百多人來念佛。

法師開示念佛分三種人：

一種是為了改變自己的命運、或使家人用智慧得平安，消災祈福，解怨釋結。

第二種是為了人間苦多樂少，生命危脆，所以求願往生極樂世界，待至位階不退，再入娑婆廣度眾生。

第三種人相信自性彌陀，唯心淨土，比如禪宗四祖道信大師所說：「若知心本來不生不滅，究竟清淨，即是淨佛國土，更不須向西方。」

依佛法來說，第一種人，仍屬於人天善法，所謂民間的層次，第二種人是正信的佛子，第三種人則是上乘的利根。聖嚴法師以為，由於眾生的業深障重，在修行淨業時，一開始即以第三種人自居，是不安全的，也是不切實際的，僅以第一種人的立場來念佛，所求又太少了。

法師覺得若以第二層次來修念佛法，最落實可靠，既可深植善根而臻於上乘，又能兼得消災植福的現世利益。

法師帶領弟子出坡

念佛可分求感應及不求感應。初機學佛的人，如果不求感應，由於信心不足，容易起退心，修不了多久會說：沒有淨土。其實佛國是實有的，相信彌陀法門，持念彌陀聖號，必往生彌陀國土。

念佛不僅爲求臨終往生淨土，念佛的人，心向著佛，能消除現世煩惱及先世的罪障，淨化身心，莊嚴環境。聖嚴法師提出念佛的四個層次：

散心念、專心念、一心念、無心念。

要有信佛的願力，相信自己的努力，發四弘誓願，度無邊眾生。

農禪寺的念佛會自成立以來，參加者日眾，至今每週六晚上佛子身著海青，站滿了大殿，個個垂眼肅目，步伐整齊地跟著木魚的節奏，緩慢有致的移動，

確實做到天如惟則禪師所說的「心與口聲聲相應，念與佛步步不離」，一心不亂的佛號聲響徹夜空。

聖嚴法師鼓勵佛子共聚共修，他說：

「個人修行猶如一根紗，很容易被扯斷，如果許多人一起修行，就像許多線結合在一起，變成堅韌的繩索，那力量就很大了。」

農禪寺除了每天的福慧念佛會，每年還舉行兩次佛七，佛子精進七天，功德殊勝。

果舫尼師就是參加了佛七大受感動而跟隨師父出家的。她來自一個佛教家庭，小時候家中除夕圍爐，叔父敲引磬，帶領孩子們合掌念佛，長大後，爲了深信「天堂掛號，第一除名」而信一貫道。

參加農禪寺的念佛會，她活潑的個性及天賦嘹亮的好嗓子，使她在同修之中極爲突出，第二次打佛七，七天下來，念佛聲不斷，果舫尼師形容：

「連農禪寺菜園的青蛙，也都跟著念佛，師父說我們在度青蛙！」

出家後，喉嚨得病失聲，她不捨的晝夜地默念《地藏經》、《金剛經》。

「吃佛陀的藥，沒有副作用，吃越多越好。」

念佛得到感應，喉嚨不藥而癒，果舫尼師又恢復嗓子的清亮，帶領佛子們念佛，更爲感人動聽。

死亡是莊嚴的佛事

念佛會的會員在聖嚴法師的指導下，組織了助念團，為蓮友病危病故的親屬助念，關懷臨命終以及剛往生的人，藉著至誠的念佛，使臨終者保持正念，且生起正信、正知、正見，發願往生西方極樂世界。

佛教對死亡的態度，聖嚴法師開示：

死亡不是前途的結束，而是生命過程中的一個段落，死亡是走向未來的起點，是此生果報的終極，因此無需悲哀、恐懼。

人死後，如果不能解脫生死，便是輪迴生死，平時尚未修行到生死自主的人，或根本不知修行，到了生命垂危時，免不了恐懼，捨不得等顛倒妄想，需要助念將念頭導入嚮往淨土的正念，依靠阿彌陀佛本願力的加持。

如果已解脫生死者，臨終由人助念，便是和他結淨土緣，恭送他往生蓮界。

助念利人利己，功德不少，對往生者可心開意解，眾佛慈悲接引，對亡者家屬，溫馨關懷，種下菩提善根，助念者藉機念佛，廣結度人善緣，種無上功德福田。

「法緣會」會長柯瑤碧居士，也是助念團的一員，她指出助念的正面意義：「等於送一位菩薩去

成佛，就如送機、接機一般，今日送他，未來自己往生了，極樂世界也有人來接應。當用這種心態面對時，對死亡或往生者不再恐懼，反而對前程似錦抱著希望。」

熱心虔誠的江元燦先生關懷眾生，即使三更半夜，一聽有會員的家屬病危、往生，江先生必會前往助念，即使非會員，也經常有求必應。從助念中，亡者及家屬都獲得莫大的關懷及慰安。

法鼓山農禪寺的助念團，不但運作靈活，而且有求必應，在台灣佛教團體中，頗受讚嘆，也一直是被學習、模仿的對象。聖嚴法師長年來以關懷及教育來服務社會，而法鼓山最能落實關懷工作的首推助念團。

聖嚴法師提倡佛化奠祭儀式，將喪事轉爲莊嚴的佛事。他希望改善現行喪禮中種種不良的風氣，以宗教的淨化理念，以節約、惜福、隆重而又祥和的奠祭儀式，爲人類社會帶來生命的尊嚴和死亡的尊嚴。

法鼓山與台北市殯儀館舉辦佛化聯合奠祭，每每出現了不可思議的感應和瑞相，每具遺體都燒出舍利花。

「以佛教的立場來看，」聖嚴法師說：「死亡不是喜事，也不是喪事，而是莊嚴的佛事。」

創辦台灣第一個佛研所

聖嚴法師從日本學成歸國，正慨嘆無法學以致用，好比在國外考取了駕駛執照，回台灣卻找不到車子開，文化學院的創辦人張其昀先生開風氣之先，聘請聖嚴法師擔任哲學研究所教授，及其附設中華學術院佛學研究所所長，爲台灣第一個佛學研究所。

消息傳出，頗令佛教界振奮。向來台灣各大專院校排斥出家人，甚至不准僧侶到大學演講。曉雲法師進文化學院教書，首創出家人進入學府的紀錄，現在張其昀先生主動聘請聖嚴法師擔任佛學院研究所所長，雖然校方只提供校舍，供研究之用，經費、教學費則必須由法師自己設法籌措，他還是戮力以赴，不辜負如此難得之因緣。

聖嚴法師有感於當時社會對佛教的誤解，甚至視之爲迷信，雖然僧尼無數，寺院儼然，但是佛教的形象卻普遍地落於民間信仰的層次。法師撰文：「我們不辦教育，佛教就沒有明天」，懇切呼籲推動佛教教育事業爲當務之急：

「……如果我們沒有足夠數量和足夠水準的人才，佛教將會僅僅留下三藏的教典，默默地躺在圖書館，如果沒有佛教的教育來普遍培養足夠的人才，中國佛教也會走上印度佛教同樣的命運。……」

爲了使明天的佛教還有生存的空間，聖嚴法師胼胝耕耘佛教文化教育事業，期望培養具有國際

水準的佛教人才，並將有崇高學術思想及宗教信仰的佛教發揚光大，普傳人間。

聖嚴法師懇請華嚴蓮社的成一長老擔任副所長，李志夫教授兼任主任秘書，募得四十萬元作基金，篳路藍縷辦學。

自此，聖嚴法師在台灣、美國兩地輪流主持三個道場：中華文化佛教院、農禪寺、紐約東初禪寺之外，又創辦了台灣第一個佛學研究所。

聖嚴法師辦教育的理念在於：成就學術人才，成就修行人才：

「我的願望是爲我中國維繫已危若懸絲之佛教慧命，期竭盡棉力，從國外引進新的學術成果、研究風氣、教育制度及其教學方法等，以資我國佛教也能趕上國際佛教的時代潮流。」

他期望佛研所的學生秉懷「立足中華，放眼世界，專精佛學，護持正法，解行互資，悲智雙運，實用爲先，利他爲重」的理念，以具備眞正爲人師範的條件，而對全體佛教的發展有重要意義。

佛研所成立三屆，始終無法向教育部申請准許立案。文化學院升格爲大學之後，人事及政策有所變動，聖嚴法師辭去該校職務。

民國七十四（一九八五）年，聖嚴法師在佛教界與學生們的期待下，創立了中華佛學研究所，借北投中華佛教文化館大樓爲院址。

這使得陳慧劍居士撰文大爲讚嘆：

在台灣未曾見到聖嚴法師在北投農禪寺的模式——以文化人為中心的寒暑兩波段的禪修活動，也沒看見中國式寺廟佛學院，會升格為學院式研究所場所。

東初老人圓寂後，聖嚴法師遵守師父遺命，將老人創辦的中華佛教文化館成立爲財團法人，組成慈善會、消災會，延續東初老人在世時，年關助貧救濟的義行。

聖嚴法師也獲得方甯書教授的協助，成立了「東初出版社」，出版東初老人遺作及法師著作，也將中華佛學研究所師生的論文編印成集，目的是把佛教的觀念，透過文字傳播，使得想要研究佛法的學子，能做更深入的研究，並定期出版《中華佛學學報》、《中華佛學研究》兩種年刊。

中華佛學研究所的師資、學生、書籍，從陽明山文化學院搬到文化館，需要更大的空間使用，然而，按照政府財團法人的規定，文化館依法不能遷出另建，聖嚴法師於是與篤信三寶的建築商漢昇公司簽訂合約，原地合建，又以無息貸款方式，購買附近畸零地，增加建築面積，完成一棟外觀樸素大方的五層高黃色瓷磚大樓，比原來的面積大了三倍有餘。

「新的文化館沒有琉璃飛瓦的建築，沒有盤龍雕壁的殿堂，有的是赤忱的願心，奉獻給人修行的

家園。」

這是聖嚴法師的悲心。而現任中華佛學研究所所長的李志夫教授，也表示借用文化館的佛研所：

「沒有寬敞的行政校舍，卻有極良好的教育設施。」

謙虛內斂的李所長，早年研究宋明理學，在軍隊時接觸佛教，出版《楞嚴校釋》一書，退役就讀文化學院，到善導寺文化講座聽聖嚴法師講經而結緣，後遠赴印度鹿野苑佛教大學學習梵文，研究印度文化思想，回國後，輔助聖嚴法師創辦佛研所，一路走來，治學嚴謹、待人謙和的李所長，很受師生愛戴。

佛研所早期的經費，主要由泰國華僑陳植津護法理事長，及其夫人柯月桃居士籌措。柯居士法名果福，是聖嚴法師回台灣第一位皈依的在家弟子，她對師父教育理念的護持，對道場的供養不餘遺力，臨終前，將財物、房屋悉數捐作弘法利生、興辦教育之用，圓滿了她一生的最大願望。

楊正居士接任護法會的理事長，與擔任會計的廖雲蓮居士合力成立佛研所基金會。

佛研所的課程，主要分印度、西藏、中國三組的研究，教授除了聖嚴法師、李志夫、冉雲華、楊郁文、鄭振煌、藍吉富等佛學專家，也專聘印度、捷克、德國等國的外籍教授，來自美、日的客座教授，更是世界佛教研究的佼佼者，師資陣容之強、師生比例之高，爲其他學校所不及。

在課程編排上，契合時代脈動的變遷，訓練學生獨立思考及研究的能力。提供五種語文教學：巴利文、梵文、藏文、英、日文等。

「語文訓練，是佛研所的特色之一，」李志夫所長強調：「中國佛教研究趕不上日本，原因之一在於語文能力太差，如果要走入國際，語文是不可或缺的工具。」

佛研所先後與日本佛教大學、駒澤大學、美國密西根大學、泰國法身中心簽訂姊妹關係，進行留學生交換、研究人員互訪等交流。

聖嚴法師喜歡接近學生，開了唯識、中觀、比較宗教學等課程。

「本來我專門研究的是明代的佛教，爲了教書，我便得去學習。」虛懷若谷的法師說：「我雖懂得不多又不精，但是我希望學生們在聽課之後，能夠青出於藍。」

當初聽聖嚴法師講授中觀及唯識的惠敏法師，從東京大學完成博士學位回台，接替法師教這兩門課，現爲佛研所副所長。文化大學出身的陳英善博士，接了當年法師教的華嚴和天台，淨土和禪學，則交給日本佛教大學的文學博士慧嚴尼師擔任。

惠敏法師是佛研所第二屆的研究生。他出家後，讀了聖嚴法師的自傳《歸程》，既感動也歡喜，對法師有了親切的印象。年輕的惠敏法師爲了深入經藏，且更確切地掌握佛學精髓，思考如何與佛法的體系配合，有效的做學問，把梵文、藏文、日文三種工具語文學好，他發現聖嚴法師創辦的佛

研所的課程很適合他，於是參加考試。

「那是台灣第一所獨立的佛學研究所，聖嚴法師比照歐美、日本國際佛學學術研究的水準而設的，為了文獻整理，注重語文訓練，所開的課程涵括歷史、哲學、文化思想等，範圍很廣。」

研究生除供應食宿，學費全免之外，並提供優厚的獎學金。

惠敏法師回憶口試時，聖嚴法師的一句話震撼了他：

「如果是為了當住持才來考，聖嚴法師說，這不是讀佛研所的目的，這麼犀利、單刀直入的言詞，讓我難忘。」

第二屆的八個研究生素質整齊，年齡也相彷彿。

「法師稱我們為八仙過海，當時出家眾只有我一個，不過，畢業後有兩個同學先後出家：惠空法師、厚觀法師，現在他們都是中生輩的佛教界領袖。」

惠敏法師回憶當年求學的過程，是充實而快樂的：「那時佛研所剛成立，書籍不多，大半是法師從日本帶回來的，我們同學自組讀書會，四處找資料，到台大圖書館借學術期刊，弄來佛學工具書，大家都很用功。」

佛學的學術研究與佛教信仰之修行，往往會產生衝突障礙，學術要求的批判精神，和純粹的信仰可能會有牴觸，惠敏法師慶幸這種現象並沒發生。

獲得日本交流協會所提供的獎學金，惠敏法師畢業後，到東京大學攻讀博士學位。初抵日本，接到聖嚴法師的親筆信及匯款，託他買禮物送給當年的指導教授金倉圓照及野村耀昌兩位先生。

「當時兩位教授都已是七、八十歲的老先生，這件事讓我很感動，」惠敏法師說：「沒想到法師畢業這麼久了，還如此的細心且念舊。」

他感恩聖嚴法師在精神上、實質上的支持：

「除了我的剃度師智諭法師之外，聖嚴法師是我在佛教界接觸最多的一位法師，我能夠和他很自然地溝通，談論一些事情，自覺與他有緣，可能是過往多生累劫長久的師生因緣吧！」

惠敏法師獲博士學位後，回台灣在佛研所教唯識學，也親自教梵文、巴利文的文法，培養語文助教，編教材，訓練研究生的語文能力，指導學生讀原典，做研究寫論文，成績斐然。

「一開始學生們抱怨，漢譯的佛典那麼多，何必花力氣從頭學梵文、巴利文、藏文，我說翻譯的是二手資料，」惠敏法師以漢學家做比喻：「不懂中文，研究李白的詩，也可以算是漢學家嗎？」

二十年下來，佛研所依循聖嚴法師的辦學方針，在教學、研究、推廣三方面平衡發展，培養了超過一百五十位校友，不少身負要職，執台灣佛教研究的牛耳。

惠敏法師掌握國際潮流脈動，看到了科技發展的無限性，在他與前台大佛學中心主任恆清法師的策劃下，與學生建構了佛典數位化資訊，在台灣佛教界首屈一指。隨著科技日新月異的發展，惠

敏法師期待資訊與佛學研究的結合，他預見未來的資訊媒體將改變教學的方法，對此拭目以待。

召開「中華國際佛學會議」

著名的佛教學者、翻譯家鄭振煌教授，長年鑽研顯密、南傳佛教，英文造詣極深，現場口譯喇嘛上師們的開示，思路清晰，用詞文雅，在台灣不作第二人想，鄭教授在佛研所開佛學英文的課程亦屬創舉。

他推崇聖嚴法師的戒律研究，將法師所著的《正信的佛教》列為初入佛門者必讀之書。提到佛研所，他說：「法師學者出身，辦學認真，教授與學生的比例幾乎是一對一，圖書館藏書豐富，所開的課程涵括很廣。」

鄭教授稱讚聖嚴法師頗具國際性的眼光，從海外聘請權威學者來當客座，拓展學生的視野，佛研所的畢業生到國外留學的比率極高，也都很出色。

最令鄭振煌教授感佩，嘆賞不置的是聖嚴法師無比寬闊的胸襟與抱負：「法師全無門戶之見，純粹是爲了佛教來培育人才，絕對不是栽培自己的子弟兵，他不把學生當做自己的私產，據爲己有，這一點很難得！」鄭教授讚嘆：「而且，他也不只是培養本地的學生，佛研所有藏人喇嘛、越南、韓國、泰國的留學生，法師讓他們來研究，增加對中國佛教的認識，也可把中國佛教推廣到國際，是種雙向的交流。」

在鄭教授的眼裡，聖嚴法師是位學者，是個做學問的人，以爲他的眞正興趣是在學術。不過，法師沒有自限於象牙塔裡，他辦教育，讓佛教學術化，帶領台灣的佛教研究走上國際，鄭教授肯定聖嚴法師最大的貢獻在於弘法利生。

「法師是位多面手，具有多方面的才能，他要做什麼都可以做，而且做得很好。他寫得一手好文章，周遊全世界，知識之廣，對社會人間世瞭解之深，爲他人所不能及。」

聖嚴法師在世界各地推廣禪法，是國際間公認重要的禪師，他說：

「台灣弘法，他跟其他法師的走向自不一樣，不只是偏重信仰，而且宣揚理性的佛教，去除迷信的部分。他注重佛教文化教育，接引知識分子，提升佛教的層次，提倡一種人文人本的佛教。」

佛學學者藍吉富教授認為，在聖嚴法師的帶領下，佛研所的成就有目共睹，不容置疑，獲得國際學者一致的肯定與讚揚也是在預料之中。

藍教授推崇佛研所為「全世界華文語系水準最高的佛學研究機構」。

曾經到日本立正大學進修，也算是聖嚴法師校友的藍教授，對法師獲得博士學位後，到美國教禪法，此後以弘法利生為志業，無法繼續兼顧學術研究，早些時候曾引以為憾。

「最近我的看法有所改變，聖嚴法師對佛法的推廣功不可沒。」藍教授說：「法師的最大貢獻是：使佛教不再成為一種單純的信仰，他用禪修、正信的佛法來接引知識分子、社會上的菁英，提高佛教信仰者的層次，這太不容易了！」

一九九一年，佛研所舉辦第一屆中華國際佛學會議，聖嚴法師有見於近代佛教的學術研究，創始於歐洲，繼之於日本，已經成為世界上研究東方學的宗教學中，一個不可或缺的領域，然而，在中國，用現代的學術觀點來探討傳統佛教，只在起步的階段。佛研所開台灣佛教界之先聲，舉辦了第一次「中華國際佛學會議」，由游祥洲博士擔任總策劃。

總召集聖嚴法師指出召開國際學術會議的四大主旨：

一、提倡佛教學術研究，發揚佛教文化。二、把世界佛教研究成果引回中國，把中國佛教智慧傳到世界。三、期許國內人士認同佛教學術研究之重要和必要，共同努力培養佛教人才。四、以學

術研究承先啓後，以因應時代潮流。

大會以「佛教倫理與現代社會」爲主題，邀請二十多個國家的佛學學者，一共一百五十多位來台參加，會議後論文以中、英文分別集結出版。

會議圓滿結束，聖嚴法師邀請與會學者上法鼓山種植菩提樹，在每一株樹苗前插上木板，註明種樹人的姓名，以做紀念。

故宮博物院前院長秦孝儀，主動配合會議，舉辦佛教稀珍文物展覽，讓遠來的學者觀賞歷代佛經、法器佛像等。

兩年後，第二屆的「中華國際佛學會議」，主題是——「傳統戒律與現代世界」，聖嚴法師邀請經常參加國際佛教及跨宗教會議，對籌備國際性會議經驗豐富的鄭振煌教授當副總策劃人，協助年邁的威肩時居士。

一共有三十位佛學學者，分別來自歐、美、日十個不同的國家，其中有兩位是國際佛教學術界舉足輕重的學者，一爲紐約州立大學的稻田龜男博士，一爲密西根大學的格梅茲博士，此君二十二歲即獲哈佛大學博士，通曉二十多種語文，爲不可多得的人才。

其餘像立正大學的三友健容、駒澤大學的佐藤達玄二位教授，更是法師留學日本時的同學，而密西根大學的史蒂文生博士，是法師初抵紐約時，在大覺寺教禪坐的學生；英國布利斯朵大學的克

魯克教授，則是法師傳法獲准教禪修的英國弟子。

中國學者有執教於天普大學、研究生死學的傅偉勳博士，佛研所的慧嚴法師、惠敏法師、曹仕邦博士等。

國際佛教界德高望重，備受尊崇的聖嚴法師，以他在世界各地弘法的聲望，充沛的人脈，網羅了國際上最權威的佛教學者前來參加會議，不僅創下台灣的先例，而論文水準之高，影響之大亦前所未有。

這樣國際性大規模的會議，一則可讓台灣的學者認識到國外研究的趨向，提供佛研所有留學深造的畢業生申請學校的訊息，而外國學者趁會議來台，也可瞭解台灣佛學研究的情況，進行交流討論。

對法鼓山的信眾義工而言，有機會參與這項國際性的會議，可凝聚向心力，起鼓舞作用，而佛研所的學生從籌備過程，到招待外國學者中學習到寶貴的經驗。

會議結束後，鄭振煌教授編輯的論文集，更使佛教學術研究者獲益不少。

「在台灣，如果談佛學研究」，鄭教授毫不猶疑地說：「第一個想到的，就是中華佛學研究所。」

第三屆國際會議，則以「出家道與在家道」爲主題。

第十章 美洲牧牛忙

我用三寶布施，我也探鑛尋寶

聖嚴法師在美國弘法，自許是一名夢中的拓荒者。他常爲自己體弱多病而抱憾，不能像歷史上大多數的禪師，給人銅筋鐵骨、體魄健壯的印象。然而，法師深感「佛法是這麼的好，知道的人卻是這麼的少」他除了在台灣不遺餘力的弘揚佛法，教化眾生，更抱著餐餐服藥，多病瘦弱之軀，奮不顧身地四出遊化。

一九八四年底，聖嚴法師應美國禪師菲立普．凱普樓(Philip Kapleau)之邀，遠赴紐約上州羅契斯特禪中心演講訪問。

凱普樓於一九五三年，四十一歲時，到日本依止發心寺的原田祖岳禪師、原田的弟子太平寺的安谷白雲禪師，以及龍澤寺的中川禪師，修學長達十二年之久。

三位日本禪門大德中，他與安谷白雲禪師最爲親近，獲益最多。安谷以八十高齡，從日本到美國定居，簡衣素食奔走各地弘揚禪法。凱普樓回美國後，協助恩師安谷白雲，在紐約上州羅契斯特成立禪中心，弘揚禪法。

凱普樓雖然讀的是法律，但曾在報界當過記者，寫得一手好文章，他將受教的三位日本大德稱爲禪門三根支柱，以《禪門三柱》爲書名，於一九六五年出版了這本禪修著作，書中闡述屬於曹洞

宗的日本禪，卻也用臨濟宗的話頭禪法的新禪宗。出版後洛陽紙貴，二十年內銷售高達五十多萬冊。此書的中文版由顧法嚴居士翻譯，慧炬出版社印行。

繼《禪門三柱》之後，凱普樓又出版了十幾種有關禪修的著作，並且在北美、中南美、歐洲成立禪中心道場，甚至連當時仍受共產黨統治的波蘭、捷克，都創立了道場，為禪眾接心，舉辦禪七。

一九八一年凱普樓率團訪問中國大陸，回美後出版《中國佛寺與石窟巡禮》，就他參觀的佛寺及大同、雲岡等石窟，在大陸所見所聞，提出他的看法，書中論及中共對佛教的批評，以及一些佛教徒如何把佛陀的教義曲解，附和成共產主義以求生存。

台灣國民黨文工會及救國團，於一九八四年邀請凱普樓來台灣訪問十天。他讀過聖嚴法師以英文出版的《佛心》一書，曾寫信到紐約東初禪寺給法師，稱讚為難得的好書。聖嚴法師早年到日本留學時，曾在龍澤寺隨原田祖岳禪師的弟子伴鐵牛打過三次禪七，算起來與凱普樓有同門淵源，兩位彼此慕名，惺惺相惜，相互通信久矣。

沒料卻是在台灣初次見面。

聖嚴法師邀請他到農禪寺參訪，並在文化學院的佛學研究所舉行座談，讓這位到大陸尋找中國禪法根源，失望而歸的美國禪師，能夠在農禪寺見識到中國禪宗的道場，以及培養高級佛學人才的

教育機構。

台灣十天之行，凱普樓親自向聖嚴法師表示，參訪農禪寺及那場座談會最為愉快，收穫最大。回紐約東初禪寺，聖嚴法師決定應凱普樓盛情邀約，前往羅契斯特禪中心，造訪美國禪師經營的道場，從中學習，得到此攝化西方人的借鏡。

一九八四年十二月，一個飄雪的午後，聖嚴法師成為禪中心成立十八年來，第一次邀請的中國禪師。這座道場的外觀，雖是三棟西式的樓房所組成，大門口的上方，懸著一方布質棕底黑印的「山」標誌，表示「禪門三柱」的記號，洋溢著日本風味。

一進去，門口的玄關，貫通三棟樓房之間的迴廊，廊外的庭苑小徑，與日本寺院的庭園景觀十分神似。佛殿、禪堂、講堂、小參室、齋堂，全是日本素雅的本色木質，置身其間，有如回到日本的本土寺院。

這座道場原本是天主教的教堂，一場大火，燒得只賸下一個空殼，凱普樓廉價買下，由他的弟子及會員們親手動工，改建成一座清潔高雅、樸素實用的禪修道場。

凱普樓告訴聖嚴法師，之所以選擇羅契斯特做禪中心：

「是因為全美國這裡夏天最熱，冬天最冷，最適合修行的環境。」

凱普樓不僅嚴持素食，而且是日中一食，整個禪中心的住眾，不進晚餐，早餐一碗麥片粥，飲

食如此簡單，聖嚴法師卻未見任何住眾面黃肌瘦。

禪中心除了在接心(禪七)期間是整天禪修之外，平常只有朝晚兩次進禪堂，其餘時間，住眾各自做份內的工作，奉行生活即修行的信念，終日道場安靜無聲，只在下午咖啡時間才聚在廚房談心。

訪問期間，聖嚴法師與禪中心的核心修行者，舉行座談、聚餐交流，他們並沒有像古代的禪修者，以試探及問難的方式來考驗法師的禪修工夫，法師也沒有以勘驗的態度來指正他們禪修程度的高下。住眾只是針對佛教如何適應今日社會，又如何接引大眾接觸佛法等問題向法師請教。

由於禪中心屬日本佛教傳承，日本僧人帶妻、食肉住在寺院。有人問法師：最近數十年來，日本的在家佛教抬頭，這種形態是否也適應美國社會？

「有這種傾向的可能，」法師回答：「今後美國社會中，很難有多少人願意終身出家生活。」

「美國的許多宗教團體，熱心於政治，如反對越戰、反對政府發展核子武器，」有住家眾問：「佛教徒該採取怎樣的態度？」

法師回答：「美國的佛教徒人數不多，力量有限，應該全力用佛法來教化美國的社會大眾，人心多一分慈悲，就少一份戰爭的因素。」

又有人問：佛教對於墮胎有何看法？是否有經典的依據？

「依據佛教大小乘經論及史傳資料的記載，正常人入胎的過程，要經過入胎、住胎、出胎的三個

階段，」法師闡釋：「連最後身的菩薩如釋迦世尊也不例外，因此，佛教認為墮胎即等於殺人，在律部有明文記載。」

「禪的修行，可能無法普及每一個人，因為禪修是靜態的，如何解決這問題？」

法師的回答是：「禪修的本身是不能改變的，需要它的人，自然會接受它，我們的責任是：如何使更多的人知道禪修對人生所產生的利益。」

聖嚴法師對外公開的一場演講，在禪中心的佛殿舉行，有一百多人到場。法師的講題是：「禪在美國、日本和中國的同異。」

法師對美國的禪，說了一個公案：

有僧問藥山惟儼，達摩未到此土，此土有祖師意（禪）否？惟儼答：「有。」僧又問：「既已有祖師意，又來做什麼？」

惟儼答：「只為有，所以來。」

因為美國本來就有禪，所以有禪師從東方來弘揚禪法。不過美國人容易接受禪，卻因為性急，容易半途而廢，或是東奔西走，不時更換親近的老師，一下密宗，一下禪宗，到處所見，只是皮毛，一不滿意就輕易離開。

由於美國人很在乎修行的成果，有些禪師，很輕易地給予印可，卻對印可之後，身心顛倒等問

題不能改善，以致讓人感到禪修只是無用的魔術把戲，便輕易丟開了它。

「這種印可的印，中國祖師們斥之爲『冬瓜印』，」法師幽默地說：「我想，美國有些禪師的印，可能是用豆腐雕成的。」

日本的禪，主要是由榮西、道元從中國傳去。這兩位日本人到中國來所見所受的，是南宋時代的禪風，傳過去臨濟宗的公案禪，參「無」字話頭，以及曹洞宗只管打坐的禪法。

中國到了明代初年，又有天奇及毒峰，教人參看「念佛是誰」的話頭，將淨土宗的念佛方法，加諸參禪的形式，變成了禪淨會流的禪法，這也是明末的蓮池大師雲棲袾宏大力提倡的所謂「參究念佛」，直到現在，傳統的中國禪門，仍以教人參「念佛是誰」爲要務。

聖嚴法師約略談了日本禪與中國禪之同異，美國禪的源頭來自日本，所以類似中國南宋的禪風，然而加上弘揚禪法的人，各有其個性，以及美國本土文化的多元性，所以難以描述究竟什麼算是美國禪。

聖嚴法師以「遠來的和尚會唸經」這句中國諺語，道出來自遠處的禪師或其著作都比較受歡迎。他舉例如日本鈴木大拙的著作，及凱普樓的《禪門三柱》譯成中文後，掀起了中國人對禪的重估，西方人則漸漸的嚮往東方的精神文化，因此，來自東方的古魯、喇嘛、禪師，都比美國本土的要受歡迎。

演講結束，發問的人太過踴躍，時間很晚了，法師無法一一回答，最後他給聽眾一個話頭去參：

中國話的「問題」一語，有兩種涵義：一是有疑問，一是有麻煩，諸位究竟是有很多疑問呢？或是有很多麻煩？

大家一聽，哄堂大笑。演講就此落幕。

會後，聽眾仍然不願離開。禪中心的廚房人員，搬來了甜餅及熱茶，法師又被包圍起來。直至脫身回到寮房，已是夜裡十一點。禪中心為了法師的演講，取消了禪坐，第二天的朝坐也變成了自由參加，法師的一場演講，改變了住眾的作息，然而，他們再三表示，法師是第一位能讓大家如此高興而感到無拘無束的，更重要的，是從法師的座談、演講中獲益無窮。

聖嚴法師這一趟「他山之石」，也自覺滿載而歸。想在美國弘法，的確需要入鄉隨俗，對美國的社會文化多多瞭解。

「當我每到一處，每見一人，第一個念頭便是我能夠給他們什麼？他們會因我而得到什麼利益？第二個念頭就是觀察、探問他們有什麼優點和長處，是我所沒有的，如何向他們學習？能夠學習什

麼？我用三寶布施，我也探鑛尋寶。」

聖嚴法師的這段自白，似乎更適用於海外。

摩根灣牧牛

佛法在美國的傳揚，向來以日本系統的禪和西藏密宗最受重視。一九七〇年以前，美國的禪佛教幾乎由日本系的禪師們獨攬，隨後西藏密宗諸派在美國的發展，已經凌駕於日本禪宗之上，嗣後韓國的李行願禪師既有日本禪的風格，又有出家僧的身分，所以極受矚目，他的活動區域之廣，以及所設分支中心之多，比起日本系的禪師們，已有後來居上之勢。

由於日本禪最早在歐、美風行，有關禪修的書，幾乎全是日本禪的天下，關於中國禪法的介紹，也僅止於唐宋時代的禪，這是因為日本禪的源頭，來自中國宋朝禪風。

至於明代以後中國禪的寺院生活，在一九八八年以前，只見哈佛大學的尉遲酣博士出版《中國佛教的修行》等書。此人曾在大陸、香港、台灣實地研究禪林，但他只見禪堂的形式，未見修行方法的運用。

中國禪宗在西方一片空白，難怪聖嚴法師感慨地說：

「在國際社會中，中國佛教和禪宗，幾乎是缺席的！」

如何將漢傳佛教、中國禪宗的思想，傳播到西方社會，一直是聖嚴法師努力的目標。他不顧病弱的身體，在美國弘揚佛法，不遺餘力，除了在東初禪寺講經弘法，舉辦禪七，他又不辭勞苦，應邀到美、加各大學演講佛教及禪的修行或參加研究會議。

從一九七六年法師踏足美國，至一九九〇年，十五年的時間，法師一共受到三十二所大學的邀請，足跡遍至美國十四個州，以及加拿大。

除了講學及出席佛學會議，法師又應美國多個禪修道場之邀，親臨主持精進禪修。繼一九八四年赴紐約上州羅契斯特禪中心指導凱普樓禪師的禪眾之後，又於一九八七年，應邱克倫(Hugh Carren)之請，赴緬因州摩根灣禪堂主持禪修。

摩根灣牧牛

自稱爲「僧侶」的邱克倫，早年跟隨日本禪師安谷白雲、凱普樓參學，學禪達十五年之久。他曾三度到東初禪寺隨法師打禪七，提及他所住的緬因州南部的蘇利地方，有一個海灣稱爲摩根灣，那裡空著一座禪堂，沒有老師指導，希望法師去主持一次禪七。

聖嚴法師在緊密的日程中，安排了五天六晚的緬因州之行。

居民不足一千的僻遠的摩根灣村落，第一晚前來聽法師演講的，就有七十多人，而且提出極有深度的問題來問法師。隔天，當地報紙以顯著的半版篇幅，刊登法師演講的「禪的歷史及其修行」。聖嚴法師的到來，成爲這偏遠的村落幾年來的一大盛事。

摩根灣禪堂創建的過程，極富傳奇性。一九七〇年，一位獨身的鋼琴家，曾赴日本追隨臨濟宗的後藤禪師，修學禪法達十八年之久。鋼琴家回美之後，用繼承的遺產在摩根灣購置一百多英畝的林地，開了一座鋸木廠，帶著廠裡的員工修學禪法。

那正是嬉皮的年代，不少年輕人攜家帶眷，聞風而來，在附近林地住了下來。後藤禪師圓寂後，鋼琴家親自赴日本迎取師父的分骨，葬於鋸木工廠的山坡，於是有了創立禪堂的構想。

這些鋸木廠的員工，本來都是追求回歸自然的教師、編輯、工程師、藝術家，大家同心協力建了禪堂，還爲鋼琴家修建一座小參室。

就在禪堂左邊挖人工池塘，以及另建齋堂兼講堂時，有一連串怪異不可解的事，發生了所謂的

魔擾，全體成員，頃刻之間各奔東西，丟下蓋了一半的齋堂。一時之間，莊嚴的禪堂，轉眼成為無人問津的鬼屋，空在那裡，任其荒廢。

一直到不久前，才由邱克倫等幾個住在附近的昔日禪眾，組成了財團法人的董事會，召集舊日的同修，繼續予以維修，並舉辦定期的禪修活動。為了迎接聖嚴法師去主持禪修，他們加緊工作，把齋堂趕工完成。

不過，還是有一些禪眾，因魔擾離開之後，再也不想回去了。究竟發生了什麼事？法師問。然而，個個諱莫如深，令他感到好奇。

當初為了建築這座禪堂，一位主要建築師，專程到日本做了四個月的研究，完全仿造日本臨濟宗的禪堂，全部木造，未用一塊磚瓦。

雖然禪堂已建造十七年，聖嚴法師彷彿仍可嗅到原木的味道，地面用的是一塊塊正方形的青石板所砌成的，看起來形似中國古寺院中的羅基青磚，古色古氣。禪堂規式，完全按照臨濟鐘板，在美國的邊地，能夠有模仿得如此逼眞的日本式禪堂，令聖嚴法師感佩不已。

美國禪眾在這一大片林地，斬木披荊以啓山林，掘池穿井以賦靈性，的確學到了古代禪者所居的山林風貌，他們將禪堂附近一大片林地，就地取材，整理了平時遊憩以及露天參禪的林園，木凳、石桌、石雕點綴其間，將日本寺院建築及庭苑佈置模仿得維妙維肖。

「可惜的是，物質的形象能夠學得很快，內在的精神及禪修的心法，就很難了。」

法師觀察到今天的日本、美國，禪佛教的形象，依然嚴整，所以能夠撐持場面，至於心法的精髓，則不易掌握。

「這個禪堂的興起與沒落，僅在十數年間。」法師以爲大概便是「雖能形似而實不是的緣故吧！」

參加禪修的人數也沒有預期的踴躍。法師的開示，採自「十牛圖」爲藍本，將修行者比喻爲牧童，如何把自己的本來風光，天然妙心顯現出來，把煩惱執著逐漸克服，發揮自然妙用的化世功能。

好幾位已經久修十多二十年的禪眾，對法師將「十牛圖」配合每天禪修進度及出現的情況，以輕鬆的態度和實用的角度講出，都感到新鮮、親切、有力，欣喜有幸遇到高明的良師，無不精進用功。

安靜的道場，卻來了不速之客，攪亂了原本的清靜，先是一對不知從哪裡來的大雁，與禪堂外邊水池中的野雁彼此呼應唱和。禪修到了第四天，遠處又飛來幾隻大雁，在禪堂外爭吵不已。

法師爲了不使修行者受到騷擾，出去爲牠們調解。沒想到面對這群因季候變換而南飛北航的候鳥，卻令聖嚴法師觸景生情，頗有感觸。

他覺得自己一如這群依著季節的轉換，決定去留方向的大雁一樣：

「每年定期飛奔於東西兩個半球，無一處是我的歸宿，也無一處不是我的歸宿。」

從他自己，法師以此類推，乃至每一個人、每一眾生的生來死去，他都無法超越這一原則。由於業力之牽引，來來去去、生生死死，生來不是歸宿，死去也不是歸宿，只要解脫生死，兩者都是歸宿，也兩者都不是歸宿。

禪期結束，這群沒有老師照顧的禪修孤兒，團團圍住聖嚴法師，再三問他應該如何才不違背佛法的宗旨？如何持續禪堂的活動，接引有緣人獲得禪修的利益？

聖嚴法師以佛陀所說的「自依止、法依止」兩句話來勉勵他們，勸大家把握持戒、習禪、求慧三原則，發菩提心、學法不懈，依止正法，自律自勉。

「不怕人少，雖然少到只有一人，只要此人修行正法，自有龍天護持，沒有老師也不要緊，只要不違經教祖訓，也能自利利人。」

法師這番話令禪眾感動不已，也增長了他們的信心。

告別禪眾，法師離開摩根灣時，發現枯草根頭，已冒出青色的嫩葉，林間樹梢，也綻出了新芽，一對大雁，已在池中小島上，產下兩只白淨的大蛋，兩雁輪番孵蛋，晚來的北國之春生機勃勃。

法師的開示錄音，由一位曾在華府一家報紙當過編輯的巴德溫先生，自願發心整理成書，名「摩根灣牧牛」，其餘修行者也將開示錄音帶做為指導禪修的依據。

這是聖嚴法師第一次到摩根灣牧牛，以後又應自稱「僧侶」，其實娶妻生子食肉的邱克倫之邀，又去牧牛了兩回。

沒有床的東初禪寺

聖嚴法師在紐約皇后區可樂那道，一棟兩層樓的建築成立了東初禪寺，結束了風雪中居無定所的雲水僧生涯，找到了遮風蔽雨的容身之處。

東初禪寺自越南華僑張繼成依止聖嚴法師求度出家，成爲常住眾後，便日趨穩定。

身爲第三代越南華僑，張繼成從小在佛教家庭長大，赴加拿大進修，在多倫多佛學會當義工時，閱讀聖嚴法師的《歸程》，生景仰之心。一九八三年飛到紐約打禪七，頗爲主七和尚的風趣幽默所傾倒，同時又感覺出師父不僅心量大，內心世界更是深廣無邊，不易探測。

「打七才知道什麼是修行，出坡時一心不二專注於工作，受益頗多。」

打了幾次禪七，讚嘆法師教禪的次第與方法之科學，張繼成對生命本質產生了疑情。回多倫多住到「弘法舍」佛堂，朝夕親近佛陀，感覺舒服殊勝。

三年後因緣成熟在東初禪寺出家，法名果元。

「穿上僧袍，覺得很順！」

灰色僧衣穿在果元法師身上，有如他的一部分，令人無從想像他著俗服的模樣。

「剛出家時，心情不太穩定，又碰到至親的哥哥突然往生，衝擊很大。」

果元師跟著師父學習，以及在拜佛中度過這一切痛苦的經歷。

「晚上老是失眠，睡不安穩，師父教我一種修行方法，每天拖地板時，把心放在掃帚的頭上，專注自己的動作，一心不亂，久而久之，心就安定了下來。」

聖嚴法師稱讚這位華僑弟子：

「畢竟他是中國人，觀念心向都比較容易跟我配合，心理也比較穩定。」

有了常住眾，東初禪寺開始進入一個新的階段。不論聖嚴法師在不在美國，各種弘法活動都能照樣進行，果元法師負責一切寺務，道場日漸擴展，聞名而來學禪聽經的中、西人士日益增多。聖嚴法師返回台灣的三個月，請大覺寺的仁俊長老，及佛學精深的李恆鉞居士輪流擔任東初寺禪寺的週日講座。

從台灣移民紐約的尤惠美，參加東初禪寺的觀音法會，她當時的印象是：

「我第一次進東初禪寺時，已小有規模，那時師父、果元法師親自教打坐、法器，我也開始與另

一位許益枝菩薩共同打齋結緣。」

尤惠美燒得一手可口的素齋，立刻成爲香積組的成員，她擅長縫紉，禪坐的蒲團不少都是出自她的手縫製的。

「師父教我們做事要有承擔的勇氣，要盡心盡力，不爭你我多少，我在廚房當主廚，十幾二十年下來，做得不亦樂乎。」

聽到有位師姐告訴她：「師父說妳是棍子趕不走的。」

尤惠美聽了，感到榮幸無比。

去年（一九九九年）剛在農禪寺剃度的果乘尼師，穿著尚未完全合身的新僧衣，喜悅之情溢於言表。這位新出爐的尼師，在新、舊的東初禪寺做了長達十二年的義工，決定出家，從紐約回到農禪寺，接受爲期一年的比丘尼生活訓練。

她早年服務於銀行界，後赴底特律大學得企管碩士後，到紐約來工作，因表現優異，老闆以每個月加薪的方式來獎賞她。得識李恆鉞居士，到東初禪寺來聽經。

李居士隨印順長老修中觀之學，擅長用金炙爲人治病，他熱心護法，對聖嚴法師執弟子之禮，憑著唱平劇生角練就的好嗓子，弘法講經中氣十足，毫無倦態。

果乘尼師到東初禪寺聽他講《金剛經》，親近了聖嚴法師，喜歡道場樸素乾淨的禪風，隨法師學

打坐，體驗到禪修對她的改變。她眼見禪寺缺人手，做事俐落的她，義不容辭當起義工，從接待到下廚，裡裡外外一把抓，使她體會到「工作即修行」，也學會在團體中與別人共事，改變她直來直往的行事作風。

隨著信眾日漸增多，東初禪寺空間侷促，最多只能容納二十四人打禪七，到了一九八七年七月底，由幾位居士自動捐款、貸款並協助勸募，購進同條街一棟三層樓房，它原本為一五金店，十年不開張，鐵片雜物堆滿地下室，需要大肆清理。

從可樂那道三十一號搬到五十六號新的東初禪寺時，果元法師正好回農禪寺受比丘戒，果乘幫忙搬遷，她為聖嚴法師事事親力而為，全程參與搬遷的精神所感動。果元法師回紐約後，全力投入新禪堂的整修。

分兩次購置的東初禪寺，建築面積近一萬平方英呎，一進門，是觀音殿兼佛書陳列室，裡面是可容納一百五十個座位的大殿，上供六呎高的釋迦牟尼佛像，莊嚴慈悲，一見就會起安定感與歡喜心，二樓一間可容納二十人同時面壁打坐的禪堂，供奉文殊菩薩，三樓圖書館兼做辦公室用，及英文的禪雜誌與法鼓出版社的編輯室。

整座禪寺，卻沒有一張床鋪，沒有一間私人的臥室，晚上聖嚴法師在他三坪大的禪房，拉出櫃子裡的墊子，張開來放在地上就是床，摺起來就是打坐的方墊。

新的東初禪寺於一九八八年浴佛節那天隆重開光，當天海會雲集，四、五百位中外來賓前來參與盛會，被認爲是紐約佛教界的盛事。

新的東初禪寺，幾乎每天都有活動：觀音法會、念佛會、講經禪坐、佛教哲學課程、瑜伽、太極拳、書法課之外，每年四次的禪七，更是最重要的活動。隨著聖嚴法師在西方弘法的聲譽愈來愈爲人所知，吸引了加拿大、英國、香港以及美國各州的人士前來參加。

菲律賓的廣範法師參訪東初禪寺，大爲讚嘆：

「聖嚴法師將東方精神文明的智慧高峰——釋迦牟尼佛的佛教，帶到西方補足它的不足，實在是功德無量，」廣範法師說：「將來我們回到菲律賓，也要向聖嚴法師學習，把佛教的精神傳授給當地人。」

到了八〇年代末期，台灣的移民潮湧入紐約的皇后區，東初禪寺與有小台北之稱的扶拉盛相距不遠，星期日上午的觀音會，下午的講經，令台灣新移民有回家的感覺，把東初禪寺當做安頓心靈的所在。

信眾驟增，活動多了起來，果乘尼師形容：忙到人橫著走。

本名俞永峰的果谷法師，從小移民美國，極富藝術天份，十三歲由母親果道帶到東初禪寺學禪坐。

「第一次見到師父，就問他會不會武功，那時候，我很迷武俠小說、功夫電影，」三十歲的果谷師回到了少年時的頑皮神情：「會不會？師父點點頭，說會。他還告訴我，師公——東初老人，可以從牆壁的這邊，走到那邊。我覺得這個和尚很酷，立刻想和他親近。」

經歷過美國的中學、大學，組織樂隊，也交過女友，過著龐克的生活，靜下來時，永峰思索生死的迷思，為無以排遣的寂寞所噬咬，企圖從佛法中找尋自我超越，大一時便起了出家的念頭，皈依聖嚴法師，到東初禪寺為禪雜誌，及英文的法鼓出版社當編輯，畫插畫，大學畢業後，依止聖嚴法師剃度出家。

「我的本名叫永峰，師父要我學習謙卑，給我取果谷的法名，山峰掉到谷底！」

聖嚴法師看著果谷師從小長大，師徒之間有一種近乎父子的特殊情誼。受美國教育的果谷師，深諳西方人的思維方式，加上天生聰慧，善於與人相處，多年來成為聖嚴法師身邊得力的翻譯，法師應邀在歐洲各國弘法指導禪修，果谷師經常是隨侍左右。

東初禪寺的另一位比丘，個性沉靜的果稠法師，原本在美國德州大學留學，攻讀法學博士學位，接觸到佛法後，從經典佛書、靜坐，對佛法產生大信心，決定出家，毅然放棄法學博士班的課程，飛回台灣尋訪明師依止，先後去過幾個道場，均不相契。農禪寺質樸修行、誠懇接眾的道風，使他決定向聖嚴法師求度出家。

經由聖嚴法師推薦，果稠師進入哈佛大學進修，並在劍橋教禪坐，接引禪眾到東初禪寺打禪七，聖嚴法師的開示，使他們體會到禪修和靜坐迥然不同，禪修者更需具備宗教家慈悲的心懷，法師開示時的啓發是在其他書本上難以找到的。

沉靜的果順尼師一向極爲低調，她除了照料聖嚴法師在美國時的飲食之外，帶領東初禪寺的信眾念佛。披上海青，跟在果順尼師後，唱念佛號的信眾，有愈來愈多之勢。

從大覺寺到林邊禪中心、舊新兩個東初禪寺，一路跟著聖嚴師父的西方弟子們，爲了慶祝師父六十歲生日，雖明知師父不准弟子爲他祝壽，還是忍不住合力設計，出版了一冊詩文紀念集，祝福師父長壽。

放下就自在

除了常住的法師之外，東初禪寺也靠一群爲數不少，包括十個以上不同國籍的義工，自動發心來護持。其中龔天傑居士與他的妻子吳淑芳更是多年的全職義工。

龔居士是法鼓山美國分會、中華佛教文化館的總幹事，退休前任職紐約一家大公司，領導手下幾十位美籍工程師，是位極傑出的電機工程師，他組織能力強，曾是美華協會社團的活躍人物，鼓吹華人參與政治，爭取人權。

讀了聖嚴法師的著作，嘆服他的智慧，找到東初禪寺，對法師的言行更是折服，當下夫妻一起皈依了師父，成爲美國法鼓山護法會的原始創辦人。

「東初禪寺二十幾萬銀行貸款，我們一年內就募款全部還清。」

龔居士發揮他辦社團、長於規劃的能力，制訂護法會的章程，在他有效率的領導下，至今法鼓山在美國已有十二個分會，每年舉行一次年會，也由他統籌。

以東初禪寺爲家，每天工作十個小時的龔氏夫婦，爲了就近方便上班當義工，特地把住家安置在東初禪寺附近，以便於往返。龔居士與原本服務汎美航空的妻子吳淑芳，之所以對師父如此死心塌地，其間有一段感人的過程：

「我和我太太，幾乎在同一時間發現得了癌症，我太太的乳癌來勢洶洶，醫生說已經是第三期，存活率只有百分之二十五。」龔先生說。

病發時，他們被總公司調到佛羅里達州，吳淑芳居士正爲法鼓山成立分會而奔走，她發願：

「法鼓山沒建好，我不甘心就這麼白白的走了，我一定要堅持下去，好起來！」

吳淑芳居士聽從師父的話，不要把自己當病人。爲期一年多，每二十一天做一次化療，她都選在化療前體力較佳時忙著法鼓山分會的事。

「一做化療，沒力氣了，躺在病床上，看師父慈悲的法相、讀他的著作、聽他的錄音帶，爲我充

電，給了我最大的力量。」吳居士說：「人雖然病著，不敢放棄，唸誦地藏經，把自己提起來。」

堅定的信力使她的病日有起色，美國醫生以爲她找到了神秘的東方神醫，告訴她：「妳在家做了什麼，照著做就好！」

化療使她頭髮全掉光了，脖子爛了一圈，塗上黑黑綠綠的藥膏，日子照樣還得過，吳淑芳居士滿面病容，戴了一頂帽子，到超市買生活用品。

「一進去，裡頭的人全都轉過頭來盯著我看，我那樣子好可怕，人家以爲來了個露宿的瘋女人，還害著病，脖子上塗了一大圈藥，」吳居士說：「那些眼光讓我進也不是，退也不是，恨不得地下有個洞，可以鑽進去。」

就在這尷尬、自慚形穢進退不得之際，聖嚴法師的一句話浮上心來：

「放下就自在！」

這句話使吳淑芳居士在頃刻間放鬆了，心念一轉，眞的放下，也立即感到自在。

「我整個人在一瞬間變了，一切的不安、焦慮、羞慚全消失了，我居然還對那些盯著我看的人笑笑，打招呼哩！」

一旁的龔先生插嘴：「Lily發現得了癌症之前，本來要跟師父到大陸去朝聖，後來病倒了，師父要她放心，說一定去得成，她換了一種藥，眞的去了，坐滑竿上九華山，下來還是自己走的，我不

放心，到上海去接她，一見她，容光煥發，換了個人似的。」

吳居士說她的病，「醫生醫好一半，師父醫好一半。」

夫婦倆憑著對佛菩薩、師父的信念，從病魔中奪回性命，分外珍惜，於是提前退休，搬回紐約親近師父，準備將餘生奉獻給東初禪寺。

「我們是以報恩的心來奉獻，師父要趕我們走，我們也不肯走！」

夫婦倆異口同聲地說，一臉找到了眞正歸宿的滿足。

擔任東初禪寺義工團團長的陳珠華居士，是菲律賓華僑，出身天主教家庭，照顧父親往生的過程，意識到自己有天也會走，需要眞正的宗教信仰爲依歸，從聖嚴法師的著作中得到感化，每天從曼哈頓搭地鐵到東初禪寺當義工，並帶領七、八十位不同國籍的佛弟子，分別擔當廚房、招待等工作，積德積福。

陳珠華居士表示，當義工令她很有成就感。

可摸到好處的彩箱

聖嚴法師到香港的因緣，始於一九八八年，接受「香港佛教青年協會」的邀請，在香港北角的大會堂弘法，與當地四眾結法緣，三天的演講，人數一天比一天多，佛教青年協會的導師暢懷法師與黃麗容居士，對聖嚴法師的號召力深信不移，希望每年一次安排法師赴港教化眾生，法師以事忙沒能答應。

兩年後，法師再次赴港弘法，是由影星丁珮女士的再三懇請而促成的。移居香港多年的影星丁珮，因功夫片明星李小龍英年猝死她家的刺激，無助之下，求神拜佛以求解脫，友人知道她信佛，送了一本聖嚴法師的《學佛知津》，把她引向正信的佛教。

讀完書，感佩之至，丁珮特地搭機回台，到農禪寺皈依聖嚴法師座下，從此成爲法鼓山發心弟子，誦經拜佛，從中體悟到佛法的好處，使她由衷感激李小龍，視他爲菩薩的化身，犧牲自己的生命來度化她，令她重生。

九七主權回歸已成定局，香港經過「六四」天安門事件後，對中共信心蕩然，人心惶惶，極需宗教力量的撫慰。經過丁珮的勸請，慈悲的聖嚴法師不忍坐視港人陷於驚恐不安之境，於一九九〇年二度赴港，安定惶恐不安的人心。

憑著與香港影劇界的深遠關係，丁珮以別開生面的方式迎接法師的蒞臨。

「一走出啟德機場，接機獻花的人群中，很多是明星、演藝人員，而且立刻就被六、七家報紙以及兩家電視台的記者包圍，使我受寵若驚，」法師笑著說：「這種場面，以前從未曾碰到過。」

前來採訪的都是娛樂版的記者。隔天法師與幾個明星弟子在機場的合影及弘法的消息，出現在影視娛樂版上，與演藝人士的活動相提並論。

這也是前所未有的。

丁珮怕法師誤會，趕忙解釋：「香港是個商業社會，如果把消息放在文教版，大不了發個二、三十個字的新聞，也不會有人採訪。」

憑著她的人脈，弘法的消息登在娛樂版，出奇制勝，未嘗不是高招。

「事過後，美國各家的華文報紙也轉載這些新聞，把我跟香港明星、歌星、演藝人員在一起的消息報導出來，好像我也變成其中的一員，」法師幽默地說：「不過那也很好，接引了好多位藝人來皈依三寶，好在我從來沒弄過花邊新聞，不會受到任何批評！」

第二次的講經法會仍由佛教青年協會主辦。三個晚上假沙田大會堂的演講，第一晚的講題是「禪──如來如去」，指出凡夫所見的一切現象，都是來去、生滅、成壞，這一切其實都是虛妄的假象，不是實法，唯有佛所見的如來才是眞實。

第二晚講的是「禪——解脫自在」，是說世間無事，庸人自擾，心有罣礙。法師深入淺出地分析「自在」的四個等級，一是凡夫躊躇滿志的假自在。二是小乘聖人厭離生死，自了漢的小自在。三是大菩薩普渡眾生，不受生死所困的大自在。最後一個是究竟自在，則是佛的境界。

第三晚講「禪——平常身心」，從平安的身體、平靜的心理而做到日日是好日。虛妄的貪愛執著就是煩惱，相反的就是智慧解脫。

演講結束後，法師坐在講座上，接受亞洲電視台「俗世梵音」節目的訪問，這是該電視台第一次製作的佛教節目，法師解答節目製作人有關佛法的問題。

離開香港前，法師一行人到大嶼山寶蓮寺朝聖天

壇大佛，寺中有位年輕的法師，穿海青披衣，到客堂向聖嚴法師頂禮，自稱是崇拜者，讀過法師不少著作。他以關懷的眼神祈求病弱的法師要鍛鍊身體，因為眾生需要他常住教化。殷切的語意令聖嚴法師極為感動。

沙田大會堂位於偏遠的新界，也容納不下愈來愈多求法若渴的信眾。丁珮居士有感於此，慨然擔起護法重任，第三次弘法，租用九龍尖沙咀的文化中心，由於地位適中，平常又是一流的演藝團體的表演場所，法師講《心經》的消息一經發出，人未到先轟動，超過三千人向主辦單位索取入場券，而文化中心只可容納兩千個座位。

與永惺法師合辦這次法會的丁珮居士，謙虛地把成功全部歸於法師的高深道行及個人魅力。其實，丁珮居士在宣傳上別出心裁的點子，令人耳目一新。她以電影宣傳手法介紹聖嚴法師，別具創意的海報設計，懸掛在最醒目的位置，讓路人側目，激發好奇心。她又不惜工本地設計精緻的入場券，拿在手上，不忍捨棄。

她的設計奏效了，法師對她這種另類宣傳，例如：海報印的是法師坐在地球上，他的反應如何？

「師父很開通，給我高度的自由。他對我的一切籌劃很放心，讓我放手去做，與我有默契。」丁珮居士豎起大拇指：「聖嚴法師給弟子的身教是第一流，他給我信心，法會籌備過程有得有失，讓

我最終能夠看清楚我自己。」

一位開通的師父，不容易。丁珮讚嘆。

師父的法會，丁珮動員了她的家人、朋友鼎力相助，引介了好些香港的影歌星前來聽講皈依。「其實演藝人員最需要佛法，」法師嚴肅地道出其中道理：「他們的一舉一動都能夠影響到觀眾、聽眾，如能信仰佛教，可帶動社會風氣，使得家庭佛化，社會淨化。」

香港弘法　無畏風雨

聖嚴法師第八度到香港弘法，選在「九七」主權回歸之前，倒數計時的前兩個月。媒體除了影視娛樂版的記者，《明報》、《大公報》等幾家宗教和文教版的記者亦前來做中肯的採訪。

法師應香港中文大學邀請，專題演講「中國佛教對後現代社會的回應」，左派報紙《大公報》一連三天詳加報導，並對法師的生平及思想有深度的撰述，殊爲難得。

由於前幾次弘法爆滿的情況，丁珮居士帶頭，更上層樓，租用可容納三千多個座位的伊利莎白體育館，依照前例，把偌大的舞台布置成一個既美麗又莊嚴的道場，以米白爲主調，一尊六尺多高的金身佛像，周圍以百合鮮花裝飾，讓聽眾一走進，感受到清涼舒服的氣氛，心慢慢沉靜了下來。

三千多個座位，可曾擔心萬一塡不滿？

這位聖嚴法師的大護法，正色回答：

「師父的道場，開了大門，就會有人走進來！」

弘法的那天，颱風來襲，港九懸掛八號風球，停止上班上課，狂風暴雨絲毫沒有消減聽眾求法的誠心，風雨中，伊利莎白體育館前人山人海，一陣傘海，蔚爲奇觀。

難怪丁珮不無自豪：「師父在香港的法會不會比台灣的差！」

得龍天護法，法師開講《華嚴經》的〈淨行品〉。

智首菩薩向文殊師利菩薩開示：作爲一個菩薩，如何能夠使身、口、意三業清淨，自利利他，成就佛道。文殊菩薩講解了日常生活中的修行法門：作爲在家菩薩與出家菩薩，當發一百四十願，修行戒定慧三學等。

最後一晚，講經結束後，有人憂心忡忡地請教法師，對香港未來前途的看法。

「若能心安，環境也安。」

聖嚴法師的贈言。

離開香港前，法師到位於灣仔的法鼓山香港辦事處，接見當地的幾十位悅眾菩薩。邱成瑤、梁素華等對法鼓山的護持都是不遺餘力。

曾經在台灣紅極一時的名歌星冉肖玲，在辦事處成立之前擔任法鼓山香港聯絡處的聯絡人。個

性開朗的冉居士，皈依法師後，從無打坐經驗的她，飛回農禪寺打禪七，問她爲何如此勇敢？「師父不是說，要有大死一番的精神嗎？所以我就去大死一番囉！」冉居士爽朗的大笑。

現任召集人陳柏楠律師，年紀雖輕，卻歷經人世浮沉，英倫留學期間，讀《六祖壇經》，紓解他苦學的壓力，回港後，聖嚴法師所著的《正信的佛教》，使他飛到台灣參加社會菁英禪修，參加法鼓山的「出家生活體驗營」，打過禪七，迄今爲止，已連任三屆召集人，充分發揮他的組織能力，使法鼓山香港分會制度化，活動多元化。

由於灣仔的道場容納不下愈來愈多的求法信眾，前來參加禪訓班的商界人士陳天明夫婦，對師父的弘法悲心深受感動，慨然把他在荔枝角的工業大樓的辦公室借出，做爲香港分會的會址，又斥資重新裝修。

當選世界十大青年，有歌神之稱的香港歌星張學友，在一場「心靈饗宴——聖嚴法師與當代名人對談」中，張學友談到不斷的追求愛情、名利、物質，當這一切都到了手，卻仍然感到空虛。

聖嚴法師告訴他：

「人從生命過程中走過來，踏踏實實地做人非常重要，未來的目標往往是空虛的，要知道得到的也都是虛幻的，依自己的因緣順勢而爲，對別人多一些愛心，對自己少一些困擾，需要有慈悲與智慧。」

這次對談，剛上台時，張學友有點心虛，下來後心很篤定，法師對居安思危、對死亡的態度讓他大受啓發。

「這幾年親近法師，讀他的書，常常把他所說的，與自己的行爲核對一下，看看有沒有偏離得太遠！」

張學友形容聖嚴法師：「好像一個很滿的摸彩箱，只要願意，就可摸到好處。」

第十一章

威爾斯教默照禪

十字街頭好參禪

佛教傳入英國，最早是南傳佛教，十九世紀末，斯里蘭卡的達摩波羅先後多次赴英傳教，與大衛斯(T.W.Rhys Davids) 等靈智學者會面。一九二四年，鈴木大拙的一位英籍弟子亨佛利(Christmas Humphreys)創立了倫敦佛教協會，傳授日本禪，一九四三年，該協會發展成爲包容南北傳、顯密教大小乘等綜合性的佛教組織，出版《中道》季刊雜誌，會員超過兩千人，由一位日本曹洞宗的女尼弘法與指導修持。

至今英國已有超過兩百個佛教團體，雖然南傳佛教最早傳入，其次爲日本禪宗，最後爲藏傳佛教，目前卻是以密宗後來居上，最爲興盛。英國人對中國佛教則知之甚少，只翻譯了《圓覺經》、《楞嚴經》以及虛雲老和尚的傳記、宣化法師的一些英文講錄。聖嚴法師的四種英文禪書，近年來正逐漸成爲英國佛教徒的讀物。

一九八九年，英國布列斯朵大學心理系教授約翰．克魯克(John Crook)博士曾邀請聖嚴法師到威爾斯指導禪七，爲現代中國法師將中國佛教到歐洲弘法落根的第一人。

與聖嚴法師同齡的約翰．克魯克博士，出身於基督教家庭，他是劍橋大學的動物生物系及心理學的雙料博士，對鳥禽語言頗有專攻，懂法文、希臘文等國語言，韓戰期間，以軍官身分被派駐香

港，開始了他對中國文化、宗教的興趣。

經由香港大學教授的引介，隨一位曾在一代禪宗巨擘虛雲老和尚座下，打過禪七的居士學習佛法，聽講《六祖壇經》。

以後赴印度從事人類學田野調查，接觸到印度教，七〇年代攀登喜馬拉雅山，與山中西藏的瑜伽修行者學法，並有專書出版，同時接近藏傳佛教，在喇嘛前，受了菩薩誓願，願以佛法普濟眾生。

有感於藏傳佛教儀軌太過繁瑣，與自己喜歡樸素簡單的心性並不契合，回英國後，克魯克博士親近一位教日本曹洞宗的英國女士學日本禪。

他與聖嚴法師的因緣，始於八〇年代中期，有次到香港旅行，重訪當年教他六祖禪法的居士，卻因老師年老氣衰，無法請益而傷神。不意在書店中發現聖嚴法師的英文著作《佛心》(*Getting the Buddha Mind*)，一讀之下，令他驚喜不置。

《佛心》集聖嚴法師五年多的禪七開示，主要講的是宏智正覺的《默照銘》及憨山大師的《觀心銘》，書中重視禪修方法及階段說明，其特色不在開悟，而是改變氣質，把修行運用到日常生活。

「這本書言之有物，教法直接、清楚，一點也不故弄玄虛，對佛法的闡釋毫不神秘，平實不誇張。」

今年七十歲的克魯克博士，神采奕奕，比實際年齡年輕了許多，一口上流社會的英語，吐字優雅，人卻極隨和容易親近，藏在鏡片後的眼神，顧盼之間閃爍著智慧的光芒。他是聖嚴法師第一位印可，見到自性的西方白種人。開了心眼的克魯克博士，的確與眾不同。

《佛心》一書，除了使他對中國系統的禪法茅塞頓開，書中所談的空性，特別使他相契。克魯克博士談到他少年時的一次奇妙的經驗：「那年我十四歲，突然之間覺得世界非常美，美麗極了，可是我不在其中，卻依然能感受到那種美。」

一種「無我」的境界。以後他學的科學，卻始終無法解釋那種狀態，讀了聖嚴法師的《佛心》，覺得與禪法很相應。克魯克博士似乎找到了他一直在尋找的。

一九八六年五月，他特地從英國飛到紐約東初禪寺打禪七。回憶那次經歷，的確終生難忘：「我一向住在英國鄉下，安靜慣了，在毫無心理準備的情況下，到了皇后區的禪中心，投入大城市的鬧區街道，環境吵雜極了。」

東初禪寺兩旁分別是商店、工廠，消防站就在街口，每小時都有救火車出動救火，呼嘯來去，加上卡車駛過的轟隆聲、汽車喇叭聲、街上來往行人操著五、六國不同的語言，眾聲喧鬧。

環境惡劣如斯，克魯克博士只好自我安慰：「當然，人間到處都是禪！」

這正應了聖嚴法師所說：十字街頭好參禪，沒有更好的地方，只有借境練心。

第一、二天，背痛腿疼、街上噪音，加上天氣暴熱，可憐他汗流浹背，痛不欲生地強迫自己靜坐，滿腦子妄想紛飛，新愁舊恨一齊湧上心頭。

聖嚴法師的開示令他重燃已經熄滅的希望之火，他照著法師所教的方法，在呼吸之前摒除妄想，延長止念的間隔，讓散亂的心漸漸地安靜下來，幾個小時之後，感到一股氣，從肚腹丹田升起，整個人得到一種放鬆解脫。

心沉靜下來後，對周遭環境的喧鬧再也聽而不聞了。這一次禪七，克魯克博士重溫了年少時那一次奇妙不可解的經驗，又一次進入空無的境界。靜坐中，時間空間突然全部停止，頭腦一片清靈，寧靜而明朗，身心世界全都不見了。大約過了一個多小時，才恢復到現實的世界。

克魯克博士對師父，對佛法滿懷感激，更確定他要深入修行，幫助需要被幫助的人。

禪七結束後，他表示除了會再回來，同時盼望法師能去英國爲他修行的同道舉行禪七。到紐約向法師求法之前，克魯克博士曾在美國加州，受教於傑夫·洛夫(Jeff Love)以及他的老師查爾斯·勃耐爾(Charles Berner)所創的一種爲期五天的修行方法。這兩人曾到印度學宗教哲學，又曾到日本學禪修，綜合而成爲一套新的心理治療法，稱爲「西方禪法」。

西方禪法的修行方法，接近禪宗的話頭參公案，頭兩天禁語靜坐，後三天兩人一組，彼此發問：「我是誰？」「生命是什麼？」層次上較傾向於心理學的情緒發洩，克魯克博士希望透過禪的方

式來接引西方人士，週末以自己家中聚會來傳播佛法。

親近聖嚴法師，令他大有啓發，他計畫回去後，把他在威爾斯一座四百年歷史的農舍加以整修，改爲可容納二十到三十人的禪堂，恭請法師前去主持禪七。

聖嚴法師則希望他再來參加至少兩次禪七，對法師的方法有所瞭解之後，再談赴英國傳法之事。

克魯克博士答應。並向法師請教：在西方弘揚佛法，與東方有無不同？

「西方人接觸禪法的，多半已有哲學思辨的基礎，並且著重於實用，所以弘揚方式有所不同，」聖嚴法師回答。

他跟著又請法師比較在弘法對象及內容上，東西方的差異。

「西方人重視開悟見性，往往把禪修中一時的特殊經驗，視爲解脫及悟境。西方人在短期修行期間，能夠精進，效果也比較快速，可是由於平常的生活環境，以及生活習慣與俗人無異，」法師回答他：「要想突破較深的禪障，比較困難。」

至於中國的禪修者，法師認爲大都不以開悟爲目標，而是以明心見性後的「了生脫死」爲著眼，比較重視信心，不在於急求獲得身心的特殊經驗。

「我對西方人多用理性的疏導，對禪理的說明，注重思想的層次，在方法的傳授方面，也重於實

用有效爲原則，對東方人則比較重於信心的奠立，以及正知、正見的啓發。」

克魯克博士同意現代西方人學禪的目的，多是爲了悟境的開發，開悟之後如果僅有智慧，而無濟度眾生的悲心，則不是禪的表現。

「如果沒有慈悲心而說開了悟，那不是眞的開悟。禪法即是佛法，佛法的慈悲與智慧，如鳥有兩翼，車有二輪。」

聖嚴法師跟著又就佛法的空性、無神論，與印度教接受全神的信仰做一比較，短短的一席話，令克魯克博士對法師的睿智佩服得五體投地。

法師問他在這次禪七中，以心理學的觀點而言，學到了些什麼？

「學到了不少東西。但是最感新鮮的，是師父教我們以面對困難接受困難，便是對治困難的妙法。」

克魯克博士以腿痛做爲例子：「師父說，腿痛不是問題，若能任它痛，痛到後來便不是痛，而是清涼，可見如《華嚴經》所說：一切唯心造，不論苦境、樂境，不是客觀的事實，都是主觀的自心作用。」

隔年五月，克魯克博士又回到東初禪寺打禪七。家庭難以解決的問題，令他心力交瘁，加上肩膀僵硬，影響手背疼痛，使他禪七一開始，就身心俱疲，勉強參「無」字話頭。

心漸漸沉靜下來之後，一個與道元禪師有關的話頭，自然而然地浮現出來，得到法師的許可，他參著從潛意識浮現的話頭。

微塵裡轉大法輪

這位英國心理學教授求法的誠心，感動了悲心弘揚佛法的聖嚴法師，一九八九年一個風雨交加的四月天，法師一行人踏足大不列顛，來到威爾斯，克魯克博士由牧場羊舍改裝的禪修精舍，透過濛濛煙雨，眼前一片廣袤的草原，丘陵起伏，遍野的綿羊，一大片牧場。

車子沿著當地牧人走出的崎嶇小路，在雨水匯集的河溝中困難爬行，寸寸艱辛，象徵著修行道路之艱難。好容易抵達禪修的道場，那是座四百年前的破舊老屋，佇立於兩個山崗中間的小溪之旁的兩棟農舍，其中一棟是克魯克博士平時修行或寫作之用。

「另一棟羊舍分爲兩層，下層原本是關羊的，上層堆集牧草和飼料，羊舍已不畜羊，改爲住人。十位男眾兩位女眾睡在羊舍上層的草堆上，克魯克博士自己則在下層席地而臥，」聖嚴法師在〈歐洲播種〉一文中如此敘述：「我和兩位隨員被安置在樓上後邊的小房，前面的空間用來做禪堂。羊舍屋頂會漏雨，牆壁會透風，當然也無法生火取暖，那些英國佬卻能住得甘之如飴，使我十分感動。」

二十位打七的男女眾，大多數是醫生，好幾位心理學教授、社會學家，還有一位雕塑家。

「英國人身材高大，居然能夠在這樣狹小古舊的農舍中從事禪七的修行，使我聯想到《華嚴經》的世界，『須彌納芥子，芥子納須彌』也想到《楞嚴經》的世界，『於一毛端現寶王剎，坐微塵裡轉大法輪』。」

聖嚴法師描述打禪七的環境。

「空間的大小實在只出於人的心量，而不在乎客觀的事實，因此我開示說：大家雖然尚未成佛，已經能在一毫端上修行佛法，同時勉勵禪眾，雖小而大，雖大而小，大小自在，就是解脫。」

羊舍禪堂沒有電燈，只靠兩盞煤油燈照明，彼此

羊舍道場打禪七

之間不僅沒有鼻子碰鼻子，更沒有手腳互撞，連聖嚴法師都覺得不可思議。

「他們在院子裡做運動，不需要照明，也能找到自己要站的位置。抬頭看到滿天繁星，清楚得似乎伸手可及，舉足踩著遍地的霜針，也好像柱杖見鋒，這是少有的經驗。」法師寫道：「因此我相信，縱然是盲人，如果心地寧靜，雖不能見東西，也能體會到光明是什麼。」

心裡的光明才是最可靠的。無怪乎德山宣鑑禪師參遇龍潭崇信禪師時，龍潭於黑夜點起燈籠，交給德山，德山正要伸手去接，又被龍潭吹熄，因而使德山開悟。

女眾們在六天中沒有洗澡，倒是有幾位男眾在寒風凜冽的溪底脫了上衣洗身，這對怕冷的聖嚴法師是難以想像的。他問克魯克博士作何感想，卻被反問當年虛雲老和尚，在冰天雪地中三步一拜朝禮五台山的過程，是不是比他們這種修行方式更艱苦？說得聖嚴法師感到慚愧。

這次禪七，法師以釋亡名的歌偈〈息心銘〉做為開示教材，指出《六祖壇經》所標示的「佛法在世間，不離世間覺，離世覓菩提，恰如求兔角。」強調佛法的人間化。

修行的原則，法師提出：孤立、獨立、不執著。孤立是把自己跟過去的生活經驗，人、物、事孤立起來，把自己的前念與後念孤立起來，最後只賸無所攀緣的現前一念。獨立就是獨立於現前的一念，最後連這一念都要放棄。所以，能孤立、獨立，最後才能不執著。

小參時，克魯克博士告訴師父，身為心理學家，總是在思索找尋解釋，這次禪七打坐，他又感

覺到時間、空間全然停止，身心世界全都不見了，這樣過了半個多小時，他把這從未有任何人披露過的經驗，第一次向法師說了。

「過後，我不知道發生了什麼事，只覺對佛法充滿了感激，對眾人有無限的慈悲，」克魯克博士道出他的感受：「想要做點什麼，可幫助別人，卻又好像天下已無事可做。」

他向法師請教：怎麼辦？

法師聽了，毫不遲疑地說他見了本性，向他恭賀，叫他向師父拜了三拜，得到法師的印可。終於遇見了明師，印證了他從少年時代就發生過的對空性的體驗。克魯克博士長跪師父面前，感恩得涕泣泫零。

小參過後，法師教禪眾跪拜懺悔，他深深悔悟從前之過，感到前世業力排山倒海而來，他為今生前世贖罪，淚流滿面，對佛法、師父感激莫名。

法師在陰寒的雨天抵達，禪七一開始，雨就停了，一連六天都是晴天，禪眾每天到戶外經行，與羊群為伍，在星羅棋布的羊屎間經行。

禪七圓滿，最後一天早上，法師授三皈五戒。禪眾們在陽光下，指著樹梢綻出的新綠嫩芽，感嘆春天的腳步近了，讚佩師父的道力，為他們帶來一連七天的好天氣。

法師趁機開示，告訴禪眾，為了期待春天而過冬是錯誤的，要四季如春，春在心中而不在心

外，四季平等無別，才是所謂日日是好日，季季是春天，到達生死一如，凡聖平等的境界。

離開威爾斯之前，法師准許克魯克博士代替他在英國主持禪七。法師說：

「你並未大徹大悟，煩惱心還在，只是少了一點自我的執著，對佛法的信心打下基礎而已。然而，在英國能有像你這樣禪修經驗的人，相信並不太多。」

爲了推廣佛法，成就歐洲的有緣人，法師讓他在英國主持禪七，但是不能偏離佛法的原則，不可跟神教混同。克魯克博士是繼馬來西亞的繼程法師之後，第二位經法師允許，可以帶領禪修的人。兩人的共同特色是，對三寶有信心，對師父的尊敬，以及都具有深厚的悲心，和無所求的願心。

法師爲克魯克博士祝福。

結束英國第一次禪七，克魯克博士將禪七開示，釋亡名的〈息心銘〉講錄，以及禪眾的心得整理成書出版，書名爲《用扇捕羽》（*Catching the Feather on a Fan*），這是法師對方法的譬喻：意思是當心放在方法上時，就像把羽毛放在扇子上，不是用扇子搧羽毛，那麼羽毛就會永遠在空中飛舞，而是應該用扇子輕巧地接著羽毛，慢慢地移動，這樣，在扇子上的羽毛是不會動的，心自然會安定下來。

《用扇捕羽》由英國出版社 Element Press 負責發行，這是聖嚴法師繼《禪》（*Chán*）、《佛心》、

《開悟的詩偈》(*The Poetry of Enlightenment*)、《信心銘》(*Faith in Mind*)、《牧牛》(*Ox Herding at Morgan's Bay*) 之後的英文著作。

第一個默照禪七

一九九二年四月，聖嚴法師第二度到威爾斯主持禪七，仍舊是在克魯克博士的羊舍道場。

舊地重遊，天上飄著雪花，羊舍前的黃色水仙花，像三年前一樣盛開，夾道歡迎遠來傳法的禪師。

二十八位慕名而來的修行者，主要來自克魯克博士執教的布利斯朵大學禪坐會的成員，有醫生、教授、心理學哲學博士，以及日本曹洞宗的禪僧、印度教古魯、畫家、作家，多半有五至十年以上的禪修經驗。

由於人數不多，一半的人睡在羊舍的乾草堆裡，另有十三位是睡在戶外的個人帳篷，幕天席地，聽風聲、水流聲入眠，早晚用僅比冰水溫度高一點的溪水洗澡，這種求法若渴的精神，令法師感佩。

參加此次禪七的修行者，仍是以學科學的知識分子居多，據聖嚴法師觀察，西方社會的學佛風氣，有一種明顯的趨勢，是學科學的較容易接受佛法和禪的修行，倒是一般文史哲學的人士，比較

不易投入。

「學科學的人之所以容易接受佛教，」克魯克博士提出他的觀點：「是因爲佛教與科學的尖端發現不相違背，實際上彼此呼應。不過，科學僅是及於物質的分析考察，而佛法的修持深及於心靈世界的無限開拓，一旦科學不能滿足視野之時，接受佛教從事禪法的實踐，是非常自然的事。」

克魯克博士的眞知灼見，令法師點頭贊同。

這次禪七，法師全用默照禪來帶。

「這應該是師父的第一個默照禪七。」克魯克博士以相當肯定的語氣說。

在此之前，法師主持禪七，一向是依禪眾的心性，分別以話頭、默照指導。

默照禪是聖嚴法師最擅長的禪法，他早年山中閉關，最得力的修行法，由於宗教界對明末後失傳的默照禪極爲陌生，因之起意了解研究，早在一九八〇年，便以宏智正覺的《默照銘》開示，經過幾十年深入鑽研，法師得到正覺禪師精髓，第二次威爾斯之行，便正式以翻譯成英文的《默照銘》爲講本，復活了中國曹洞宗的這種禪法。

「師父知道我學過日本曹洞宗只管打坐的禪法，」克魯克博士說：「這次全部用默照禪，好像是爲我而教的，讓我好感動，也受益匪淺。」

禪七期間，有天氣溫上升，法師帶領大家在戶外山谷的溪流兩側露天打坐，他自己也在精舍背

後的大樹根下靜坐，樹梢風聲、澗底水聲、鳥鳴聲，令他有大地與我同根，萬物與我一體之感。

禪眾中，有五年禪修經驗的醫生博士柴爾德（Simon Child），小參時告訴法師，他誦心經後喜極而泣，進入空靈狀態，無來亦無去，無動亦無靜，長達兩炷香以上。

抱病而來的法師，對這位得力最多的弟子道喜，覺得不虛此行。他鼓勵克魯克博士與柴爾德兩人，學佛的重點在於發菩提心，廣度眾生，報三寶恩。

「這次默照禪七，我自覺

女畫家Ros Cuthbert為法師畫像

約翰・克魯克博士手持聖嚴法師肖像

心與師父相印。」克魯克博士說。

禪眾中有一位女畫家寇絲柏（Ros Cuthbert），她爲法師精心繪製了一幅半身肖像油畫，作品中生動地捕捉了師父的神情內涵。

「特別是眼神，」克魯克博士形容：「師父有一種疑問、探詢的眼神，嘴角帶著贊同的微笑，眼睛卻在尋問：你究竟是什麼樣的人？畫家成功地表現了師父的特質。」

這幅肖像畫掛在禪修道場的小參室旁，禪七期間，修行者必須先向師父的肖像頂禮，再進小參室。

離開英國前，聖嚴法師特地到倫敦大英博物館，觀賞當年匈牙利考古學家史坦因從敦煌帶去的與禪宗有關的卷子、木刻及拓片、絹質的佛畫藝術品。

在博物館三樓的特別展覽室，法師被准許用戴白手套的手，將經卷逐卷打開，逐字逐行的欣賞研究。

「閱覽之時，就像面對千年之前的古人，把手談心。中國先人留下的文化遺產，能在異國相逢，彌足珍惜。」法師感慨萬千。

看到一件唐代手抄敦煌卷子的背面，是一家大寺院的僧侶名錄，其中有一位比丘，法名叫聖嚴，俗家姓張，法師當場楞住了。

「在敦煌文獻裡，竟然有與我的法名和俗姓完全相同的古人！」

傳法克魯克博士

一九九三年六月，紐約東初禪寺舉行第六十七次禪七，參加者分別來自英、法、瑞士、美國各州，其中有一位來自人口不及三萬的小國列支登士敦，法師每晚以博山禪師參禪警語開示。圓滿日，特別為約翰．克魯克博士舉行隆重的傳法脈儀式。

「解七的那個早上，果谷師告訴我，師父要傳袈裟給我，最好知道怎麼穿。」

克魯克博士複述傳法儀式上，當著打七的禪眾，聖嚴法師開示：

……過去禪宗的歷史，禪師們都是行將入滅前，傳法脈給繼承者，然後完成使命去世，我人還在，傳法給克魯克博士，到歐洲去教禪法，是為了減輕我的負擔。除他之外，無人能勝任此重任，我允許他代表我，一如我繼續弘揚佛陀傳授的教義。

聖嚴法師跟著回憶當年他得到靈源老和尚的傳法，感到既歡喜又快樂：

歡喜的是師父認定我有能力傳禪法，快樂的是傳揚佛法的重任有幸落到我的肩上。然而，如果不盡心盡力，有辱使命，會愧對佛陀及歷代祖師、眾生，今天我將這些感覺與約翰分享。

克魯克博士對師父的傳法，也感到既歡喜又快樂嗎？

「當時我的第一個反應是意外，傳法給既不出家，又非中國人，不懂中文，也不怎麼懂佛法的我，而且人又住在英國，離紐約師父的禪中心那麼遠，怎麼會挑中我？」

他的第二個反應是慚愧，自覺煩惱心未斷，何德何能，能得到師父的信任，獲此殊榮。第三個反應是，師父託付的責任太過重大，如何來承擔？令他惶恐之至。

「最後的反應，才是感到喜悅，覺得得到此生最大的榮譽。」

聖嚴法師道出他傳法脈的條件是：

此人必須對佛法有正知正見，用功修行，有見性的體驗，願度眾生的心量，符合時間、空間的需要。

選中了克魯克博士，法師強調絕非偶然。

過去七年，我仔細觀察他的言行，他懂佛法，也有破參見性的體驗，本身是位教授，有傳法的

能力，而且提供威爾斯的道場給禪眾修行，他的種種表現符合了我傳法的條件。

克魯克博士謙虛地回應：「師父印可我的見性，他同時告訴我，沒什麼好驕傲的，我的煩惱仍未斷，缺陷多多，加上我慢心，會令自己退轉。如果我是生在禪法興盛的年代，高明的修行者比比皆是，這項榮譽絕不可能落到我身上，只有在現代，雖然表面上科技進步非凡，凡夫的心是如此的黑暗，才有可能讓我這道心薄弱的人獲此殊榮。」

修行之道何其漫長，克魯克博士與禪眾們共勉，又將他來紐約之前的閉關修法心得與大家分享。

披上袈裟，約翰．克魯克博士成為臨濟宗法脈的第五十八世，聖嚴法師給他傳燈見諦的法名。

「儀式過後，我向師父請益，如何在英國、歐洲傳法，師父回答我：你是英國人、我是中國人，你到英國教禪七，怎麼做，自己去發現。」克魯克博士搖搖頭：「師父把歐洲傳法的擔子全交給我了。」

傳燈見諦一肩挑起歐洲弘法的重任，追隨師父指示的三個原則：

一、傳授的一定是師父所教的方法。

二、不許混雜其他教派的教理。

三、不違背佛法緣起性空、因果不空的基本思想，絕對不可涉及神通、感應及特異功能的現象。

他不辱使命，回英國後，成立了西方人的中國禪學會，選出幾十位核心人員，分布到英國各地八個點，訓練幹部，指導他們如何帶領推廣禪修，又教導正確的中國禪的觀念、佛法。

克魯克博士除了每年在威爾斯羊舍道場主持兩至三次的禪七外，還將禪法弘揚到歐洲各國，已先後到波蘭華沙、德國柏林、俄國的聖彼德堡指導過禪七。

「最近還接到一個電話，從希臘打來的，說想來參加禪七，我問他聽懂英語嗎？他說懂。我歡迎他。」

身爲心理學家，又一向樂於助人，克魯克博士眼見眾生受苦，萬分不忍，總想竭盡其能幫助眾生離苦得樂。他讚嘆佛陀之偉大，不是空談宇宙神秘奧妙的哲理，而是佛法可當做解決眾生之苦的良藥，正如話頭禪大師大慧宗杲語錄所說的：

「佛是眾生藥」。

聖嚴法師也說：

「佛法既然是苦海的慈航，應該是從現實人間的苦難疾苦做爲救濟的重點。」

在克魯克博士的心目中，聖嚴法師是當今世上最偉大的禪師。

「師父不走極端，他把佛法的理論和實踐配合無間。」

克魯克博士在威爾斯道場供奉的，是尊救苦救難的地藏王菩薩。

第十二章

將法鼓送到每個人手上

做了生平最大膽的事

農禪寺所在地的關渡平原，是在台北市政府都市計劃土地徵收重劃區內，將來有可能一半以上的地方被徵收爲公共設施用地，農禪寺的搬遷勢在必行。

長期以來，聖嚴法師一直在找尋一塊土地，以供建設一個比較有長久性、安定性和未來性的道場。

而北投光明路的中華佛教文化館，位處聞名的溫泉旅遊地，終年遊客如織，環境並不適合師生上課、做研究之用，加上佛研所一直在增加設備和工作人員，文化館五層樓的建築也早已不夠敷用，所以跟農禪寺的遷建同等迫切重要。

聖嚴法師有意找一塊地做爲教育、研究、弘法、修持的綜合性佛教園區。

佛教文化館的護法、東初老人的弟子，也是中華佛學研究所董事兼研究教授方甯書先生，也覺得爲佛研所找一塊隔絕塵世、幽靜獨立的山坡地建校，是刻不容緩的事。

一向對聖嚴法師苦學、苦修、苦幹的精神佩服讚嘆不已的方甯書教授，爲了使法師的悲願早日達成，他與中華佛學研究所的護法會的理事長楊正居士，組織了一個購地小組來負責，代表聖嚴法師從台北到南投、宜蘭、頭城，幾乎跑遍了台灣每一個縣的山村，看過無數的山水。奈何人覓山、

山尋人，八年下來，總是因緣不具足，找不到一塊人傑地靈，地勢天成的山坡地。

民國七十八年（一九八九）三月底，台北市政府計畫將關渡平原開發為低密度住宅區，而購地小組尋覓的那一塊風水靈地，仍是一點眉目也沒有，使得農禪寺的住眾，以及幾千信徒著急不已。

熊清良居士建議聖嚴法師親自領導僧俗四眾弟子，共同持誦大悲咒二十一遍，祈求觀世音菩薩加被指引。三月二十五日晚上的念佛會，一千多信眾來到農禪寺，是歷來人數最多的一次。

當晚信眾們跪滿了大殿內外，一個個合掌，以最虔誠的心一遍又一遍，祈求觀世音菩薩。千人的聲音融為一體，個個熱淚盈眶，場面之動人，筆墨無以形容。

「全場那種氣氛，大家一條心的凝聚力，令人覺得觀世音菩薩，應該會滿足眾生的願。」一位當時仍為信眾，後來隨法師出家的尼師，提起那個千人用盡全部心力，持誦大悲咒求感應的晚上，猶是眼眶濕潤，感動不已。

大慈大悲的觀世音菩薩，果真又一次回應了聖嚴法師的祈求。

法師發心的弟子林顯政居士，在農禪寺持誦大悲咒，那個驚天地、泣鬼神的晚上之後第二天的一個早晨，突然為一種無以名之的靈感所驅使，要他去他公司對面一個叫佛恩寺的道場，說有一塊地可以轉讓給聖嚴法師。

「金山有一塊山明水秀的地，可建道場，要我去接頭，」一向對靈異感應深信不疑的林顯政居士

回憶：「但是，我和那塊地的地主全度法師，只在北投佛恩寺見過面，並不很熟，而且土地在哪裏也不知道。」

正在著急，忽然靈光一閃，透過佛恩寺住持通度法師，請全度法師下山研討。一談之下，無獨有偶，全度法師也在同一天持大悲咒，希望菩薩指引，使他金山那塊山坡地能夠早日找到理想的人。

一個求土地，一個求人才，不約而同共持大悲咒，菩薩眞的是千處祈求千處應。這一來，連相信靈異的林居士，也不禁讚嘆：

「多麼不可思議的感應事蹟啊！全度法師一聽是聖嚴法師要建道場，馬上一口答應，約我第二天上山看地理環境。」

林居士上山一看，山清水秀，覺得很清涼，立刻找方甯書教授、錠心、鑑心二位師伯去看。

「我看了覺得這塊地有完好的格局，回來向聖嚴法師報告，」方甯書教授說：「因爲法師立刻就要到美國弘法去了，所以當天下午我再陪法師去看，同一天裡跑了兩趟金山。」

聖嚴法師親自前往，發現那裡一共有十八甲地，靠近海邊，但見不到海，也吹不到海風，左右及後方都有隆起的山崗做爲屏障，像一把太師椅，那塊地就在椅座上。向前展望，是金山鄉的平原，平原遠處，是萬里鄉起伏的重巒，有千山來朝之氣勢。

「看其脈象，是從台北縣最高的七星山迤邐而下，從地理名詞來說，可以稱它爲側蒂的蓮花，」聖嚴法師如此形容：「而且有兩條清溪，終年綠水長流，圍繞合抱著這塊地，在正前方匯成一條形同九曲三彎的主流。」

法師看了，非常歡喜，他告訴弟子們說：

「這塊地在這裡等我們許久了！」

當初全度法師看中金山這一塊左鐘右鼓，地勢天然形成，視野寬廣的寶地，第一個反應就是：「如此佳地，爲何無人來興建佛教道場？」

當下買了一部分的土地，那時他還是一個教太極拳的居士，附近的地主聽說他要買地蓋寺廟，紛紛要求他解囊相助購買他們的土地，於是面積逐漸擴張。

民國七十六年，山上的觀音殿落成，他爲找不到住持而煩惱。因緣成熟，全度法師自己出家，連當時七十七歲的老母親也落髮修行，母子全力護持道場。

當初購地時，全度法師首經公開表示：買地並非留爲己用，而是代爲保管，等機緣成熟，再請高僧大德來主持開發。

就這樣，聖嚴法師在因緣契合下，尋得了法鼓山。結束了長達八年來，人尋山、山尋人的過程。

找到地之後，方甯書教授、楊正理事長、林顯要居士盼望聖嚴法師立刻做決定，他們擔心因緣稍縱即逝。

法師赴美在即，結果眞的在三天之內談好價錢，辦妥土地轉讓的條款契約。全度法師及李昭男居士各自將名下所持有的一份土地慨然捐出，共襄盛舉。

「雖然如此，我們需要付出的款項還是很多，以我們當時的財力，這是不可能負擔的，而且我立刻就要出國，也無暇爲之籌款，契約書中訂定三個月內付清全部款項，這又是一件不可能的事。」

聖嚴法師決定聽林、楊居士的主張，先買了再說。

「他們說錢自然會由菩薩送來，地也自然可以找到人來過戶。我就在這樣的形勢下，接受了這樣的事實！這也是我有生以來所做的一件最大膽的事。」

聖嚴法師爲這一塊山坡地命名爲「法鼓山」。

「法鼓」這個詞的典故，出自佛經，藏經中有一部大乘經就叫《大法鼓經》，而《妙法蓮華經》中也有好幾處用到「法鼓」兩個字。通常的用法是降法雨、震法雷、擊法鼓、吹法螺，指的都是弘揚佛法，滋潤眾生，降伏萬魔的意思。所謂晨鐘暮鼓與佛法宣導人世，普化人間，就是擊法鼓。

法師從金山的地形上看，左邊隆起像懸空的古鐘，這塊地在兩個山谷之間隆起如半島形的丘陵，就像縱臥在兩山之間的大鼓。

無獨有偶，聖嚴法師於一九八二年，在紐約成立的出版社，很湊巧就以「法鼓」爲名，又從一九七九年開始計畫將法師之著作編輯成一套全書，名稱也預定爲《法鼓全集》。

基於各種因緣的趨勢，聖嚴法師把它稱爲法鼓山。

關於法鼓山的建設，法師的構想是建成一所現代化、國際化的佛學學術研究中心，使佛學院、佛研所一貫制，並成爲一座國內外極具規模的禪修道場。所謂「一大使命、三大教育」，一大使命是推動全面教育，三大教育即：大學院教育、大普化教育、大關懷教育。

最初購買的十八甲土地，到了民國七十九年（一九九〇）年底爲止，面積增加到三十二甲。

第一期的開發工程是中華佛學研究所，共十五甲土地，建設大殿、齋房、圖書館、教育行政大樓及國際會議廳、禪堂、關房、男女寮房、宿舍等，主要工程預計於公元二〇〇一年完成。

師父就像一盞明燈

建設法鼓山，需要極龐大的經費，聖嚴法師一不善化緣，也不好意思向人開口，幸好許多護法居士的熱忱及各界善心人士對法鼓山教育和弘法事業的認同，紛紛自動組成護法會代爲勸募。

聖嚴法師在念佛共修結束後，首次向信眾宣佈：我們在金山找到了一塊十八甲的土地，即將建設法鼓山，在場的佛弟子個個額手稱慶，歡喜異常。

資深悅眾陳秀梅在她「一路摸索卻累得歡喜」的勸募過程中，回顧師父宣佈消息的那一天，當時擔任念佛會活動組組長的施建昌居士站出來，以虛雲老和尚開創道場的殊勝為例，鼓舞在場每個人當種子，用財布施為自己種福田，護持師父。

「施居士說他願意捐出三十萬元拋磚引玉，許多人舉手認捐，當場就募了一百萬元。」

隔天禪坐會，正好是植樹節，施居士在聖嚴法師面前下跪發願：生生世世都要全力護持農禪寺法鼓山，當做他生命的一部分。

「那天正好是植樹節，施居士以種樹成

因緣契合下，尋得了法鼓山

林做比喻，他說：一個人發心是不夠的，少數人發心也不足以成就法鼓山，它需要千千萬萬人的參與認同和推動。」

施居士的發願令在場的禪眾為之動容，被感動得熱淚盈眶，陳秀梅居士秉著「他能做我也能做」的精神，加入勸募行列，成為第一批勸募會員。

「我那天發的願，師父還糾正我，開導我們擴展心胸，他說，不光是護持農禪寺、佛研所，而是要護持一切正信的佛法，師父實在太偉大了！」

施建昌居士對法師佩服得五體投地。學佛虔誠的他，為了找有關戒律的著作找到農禪寺，在入慈悲門下見到聖嚴法師，笑出那一臉溫馨，令施居士終生難忘。

「師父看我一眼，說，我們不是第一次見面吧！他要我留下來參加念佛，我忘了自己還有別的約，就留下來了，」施居士回憶與法師初次見面的情景：「師父的眼神很銳利，把我整個人看透了，可是，他的笑容又是那麼眞摯溫暖人的心！」

第一天他依聖嚴法師之言留下來念佛，自此，施居士幾乎以農禪寺為家，成為聖嚴法師最發心、最得力的弟子。他一直留到今天。在他心目中，師父等於是佛陀化身，是位貫穿時空的高僧，師父以無我的奉獻精神，全力傳揚正信的佛教，包容不同教派的寬廣胸襟，博大精深的佛學研究，都令他景仰崇拜不已，施居士以能為法鼓山盡心盡力當義工為榮。

信眾熱烈響應法鼓山的建設，念佛會好些熱心的阿媽們，等不及果梵尼師完成勸募文宣的設計，自動拿起一疊紙，釘成一本本充當勸募簿，難爲不識字的阿媽們，憑著她們的精神感動了無數人。第一個月，就有了三百多位勸募會員。

緊接下來，當時擔任護法會理事長的楊正居士，成立勸募小組，徵求勸募會員及護持會員，負責籌款工作，才半年多時間，北部已有三十六個勸募小組，台中、高雄、台南、花蓮等地也成立特別小組。

聖嚴法師不辭辛勞，親自南來北往，造訪各個小組長的家，親切慰問，說明法鼓山的理念。「我告訴他們，不是以勸人捐款爲目的，更重要的使命是每一位護法會的成員，都是法鼓山理念的實踐者和宣揚者，在勸募之前，先想到能不能用佛法來幫他們的忙，勸募的對象不僅是已經學佛的人，更要使不懂佛法的廣大社會人士接觸佛法。」

因此法鼓山的弘法活動，並不一定要到山上去，法鼓山的鼓聲，應該響遍所有護法會成員的家庭，每一位都應該擔任擊法鼓的責任，是自利利他的菩薩道的實行者和佛法之輪的推動者。

聖嚴法師訪問北部春暉小組的翁嘉瑞居士夫婦，當天到了一百多人，該會以純金觀世音菩薩的項墜義賣，是護法會重要捐款來源。士林山崗上的慈安寺，住持是法師剃度的果然比丘尼，該寺信徒全部成了法鼓山的護持會員。這一組的人數最多，募得金額也最多，而且月月如此，使法師讚嘆

不已。

「他們多是家庭主婦及年長的信徒，把每天的菜金和零用錢累積起來，做最虔誠的奉獻和護持，他們這種錢，一塊應該當做十塊百塊來用，好重好重！」

台中的唐家珪居士是法師當年在軍中服役時的同學和同事，與他妻子皈依三寶，爲法鼓山奔走募捐，一個人拿了三本勸募簿，別人問他何以如此熱心，唐居士回答：

「我不熱心怎麼可以？聖嚴法師的事就是我的事！」

法師聽了，感動得紅了眼眶。

台南的負責人楊黃玉淑居士，是楊正理事長的長媳，在她的帶動下已有千人以上護持法鼓山，在聯誼會上有居士以隱名方式慨然捐了一百萬元，並有顏淨一居士主動發心，願在有生之年盡力推動勸募工作。聖嚴法師在高雄公開演講，介紹法鼓山的理念，高雄負責人之一的陳志傑居士的妻子鄭朱素瓊，爲了搬結緣的書而閃了腰，演講結束後，再度搬書，想不到把扭傷的腰搬好了。

每天法師早出晚歸，經常連午餐都在車子裡吃便當，雖然疲累不堪，但他覺得這樣的訪問，對宣揚法鼓山的理念來說，要比做十場大型演講還有用。每一個人對師父的慰問，都覺難能可貴，對他的開示也覺得稀有難聞。大家都異口同聲地說：

「師父已經把法鼓送到每一個人的手上。」

聖嚴法師視眾生平等，學佛只取決於有心無心而已，並不在於身分學歷高低，一次報恩佛七結束後，他請只會講閩南語、不識字的黃詹愛居士當念佛會的副會長，這決定使不少人感到詫異。

事實證明法師眼光獨到，法名果慈的詹老居士，是位最稱職的人選，幾年下來，她不僅學會了誦唱經典，還到文化館當義工，教導信眾誦經，以自己為例現身說法，鼓勵別人天下無難事。

果慈居士形容師父就像一盞明燈，不斷燃燒自己，照亮別人，她發願緊隨師父，做個終身的法鼓人，她所勸募的會員多達五百多人，其中有四個榮譽董事。

「勸募不僅能幫助自己修行，」果慈居士說：「更能提供他人植福田的機會。」

內向羞澀的家庭主婦李惠居士，利用每個可勸募的機會，例如：等候清潔車來收取垃圾時，與鄰居寒暄問候，並以法鼓山的文宣與他們結緣。第一次勸募的經驗，令她難忘：

「我從住的五樓走到一樓，上上下下走了三次，最後鼓起勇氣去敲鄰居的門，沒想到第一次，就順利募到，使我有了信心！」

得知自己患了淋巴癌，李惠居士有如被判死期，在全然無助中，想起聖嚴法師的開示：

「了悟生死，身體不過是個臭皮囊罷了。」

心念一轉，盡量讓自己以無罣礙之心勇敢承受，病痛來襲時，以念佛度過苦厄。人在醫院，心裡記掛為法鼓山勸募之事，打電話請蓮友代理，許多會員得知她住院，紛紛前往慰問關懷，令李居

士感動極了。

法鼓山義工團接待組的宮曉麗居士，曾因車禍而全身癱瘓，在病痛中重燃生命火焰，以復健後的雙手，做出一批批紙雕作品，捐給法鼓山義賣。

台南的蔡鳳腰居士，早年守寡，自己罹患重病，在果舟法師的鼓勵下，雖不識字，念佛拜佛，早晚課不斷，每天將一小時三十五元的工資，佈施法鼓山台南分院，蔡居士這種難行能行的事蹟，法鼓山信眾感動之餘，更受到激勵。

膺選爲八十七年「全國十大傑出農家婦女」的謝張楣居士，七十幾歲的她，是法鼓山永不退休的義工。她在「如果大家都來學佛，社會一定可以變得很好」的願心下，加入勸募護持的行列，她的熱心腸感動了台南謝厝寮大多數的人，紛紛加入護持的行列。

每個月，因粗重的工作，使得她背駝、雙腿彎曲的謝張楣老太太，一定親自將護持金送到台南護法會來。

在法鼓山的勸募手冊印就之前，雙和（中和、永和）地區的召集委員林世偉居士，爲了解說方便，蒐集有關師父及法鼓山的資料，整理在檔案夾，隨身攜帶，產生了勸募的方便與效果。

爲了凝聚會員的力量，林居士還央請兄長提供房舍做爲區域會員共修及聚會之處。

土城、板橋地區的召集人楊紀梅居士，也提供自己土城的家做爲共修場所，並結合埔墘國小老

師們的力量舉辦禪修活動。擔任三屆大新莊地區的召委林武雄居士皈依師父後，找到生命的依歸，積極加入勸募義工行列，接引家人及親友學佛，建立佛化家庭。

楊紀梅與林武雄居士，爲地區的信眾提供貼心的服務，每週六安排念佛專車到農禪寺，更積極參與法鼓山的活動。

盡心盡力開闢福田，協助法鼓山從無到有，立下汗馬功勞的發心信眾，實在罄筆難書。

靈山盛會儼然未散

爲了建設法鼓山的龐大工程，凝聚護法會主要成員的向心力，從一九八九年十月起，聖嚴法師一連幾次，帶領僧俗弟子到佛教的遺蹟、名山聖蹟朝聖。第一次以十五天的時間，到尼泊爾、印度巡禮佛陀的遺蹟，做了一趟佛國之旅。

美國、台灣八十幾位弟子，跟隨師父從尼泊爾邊界至藍毗尼園，朝聖釋迦佛陀降臨地，師父率團在摩耶夫人廟前列隊禮拜。來到印度的尼連禪河，當年釋迦太子出家苦修六年而未得道，走出苦行林，入尼連禪河沐浴，在河邊接受牧羊女以乳糜供養，恢復健康後，來到一棵畢波羅樹下，用吉祥草舖成坐墊，結跏趺坐證道，成爲無上正覺的佛陀，那棵畢波羅樹被稱爲菩提樹，那座位稱爲金剛座。

聖嚴法師一行人朝拜佛陀得道佛陀伽耶的正覺大塔，在大塔苑外阿育王石柱下，法師頂禮涕泣，感激佛陀成道後，受梵天王之請，住世說法度眾生。

「如果佛不說法，」法師讚嘆：「我們怎會有佛法可信，所以生了大感動。」

繞過大塔後方，聖嚴法師與幾位弟子坐在菩提樹下，面對金剛座的方向跏趺靜坐。

「……感到非常寧靜清涼而舒暢，坐在石板上，既不覺得冷，也不覺得硬，倒是覺得非常安定，好像被磁石所吸，被一股無形的力量所攝，坐下後便不想起坐。」

也許是由於法師的誠敬之心得到感應，從菩提樹上飄下兩片青綠的樹葉，一片掉在法師身旁，一片在

他手前。感謝佛陀大恩，法師泫然欲泣，想到自己何幸能夠成爲佛教徒，能出家修行，甚至還有因緣來到佛陀成道的菩提樹下靜坐。

「這兩片菩提葉雖然並不等於佛的正法，但我會把它當成佛的肉身舍利來供養和禮拜，好讓我見到樹葉，不忘佛法。」

佛陀徹悟後，從佛陀伽耶徒步跋涉到婆羅奈斯的鹿野苑，初轉法輪講四聖諦八正道，度五比丘。聖嚴法師以求法學法的心情，帶團員來鹿野苑體會佛陀說法的苦心和悲願，面對歷經回教徒、印度教徒蹂躪破壞後，成爲斷瓦殘垣的一片廢墟，找不到佛陀爲五比丘說法的地點究竟在哪裡，一團人心情沉重，不禁唏噓。

到王舍城朝拜印度佛教史上最繁盛的大寺院——那爛陀寺的遺蹟，梵文「那爛陀」是「施無厭」的意思，當地人稱寺院爲那爛陀大學。從殘存的四周大小僧房和講堂的基腳遺跡，聖嚴法師想像當年曾有上千的教授、上萬的學生在這大學研究學習瑜伽、中觀、眞言密教，弘揚大乘佛法的盛況，而今昌隆不在，一行人深深爲佛教在印度的式微而感傷。

法師領著大家在舍利弗紀念塔前誦心經，跪下來禮拜，登上紀念佛陀弟子的紀念塔，那爛陀寺的最高點，傳說智慧第一的舍利弗出生於此，也在此入涅槃，佛陀說《阿彌陀經》的主要對象就是舍利弗尊者，團員們無不熟悉這部經，感覺特別親切。

王舍城外不遠的迦蘭陀竹園精舍，是佛經中常見「千二百五十人俱，皆是大阿羅漢」的佛教僧團，就是在這裡形成的。聖嚴法師在水池邊綠竹叢下，爲團員講解竹林精舍的歷史：「我們所到之處，都應該是釋迦世尊及一千二百位大阿羅漢走過、坐過、站過的地方，」法師說：「每一吋泥土都值得我們恭敬禮拜，五體投地。佛在世時，弟子爲了恭敬而以髮布地請佛履髮而過，也有弟子凡是佛陀踩過的地面，不敢踐履其上。」

法師要大家珍惜這難得殊勝的因緣。

離開了王舍城，就到靈鷲山腳下，聖嚴法師新剃的頭，曬著印度午後熱辣的烈日，爲了對靈山聖地的恭敬，他不敢戴帽子遮陽，而且腳步迅快無比地登上鷲峰，迫不及待地上去一睹佛陀說法最多最久的聖地。法師忘了疲倦，也沒想到口渴，全團的人都加緊腳步，跟在飛奔也似的師父的後面迎頭趕上。

在佛陀說法台上，法師深切感到一行人能夠有幸身臨靈山，實在是多生多劫的善根福德所積，他向團員們解說佛陀在宣說《法華經》時，曾有一萬二千大比丘眾、八萬大菩薩，以及無量無數的諸天善神參加盛會。只要是有緣人，到了靈山，就是進入佛的淨土。

天台智者大師誦《法華經》至〈藥王菩薩本事品〉的「是眞精進，是名眞法供養如來」句，突然進入法華三昧，親見釋迦如來的靈山盛會儼然未散。

親到靈山，對佛陀生大信心的聖嚴法師，也感覺到似乎見到了佛陀還在靈鷲山說法，當年靈山盛會未散。

「我在佛陀說法台上向鷲頭山四周眺望，遠近的山坡和山下的平原之間，遍佈翠綠大小樹木，然而叢叢分明，就像是《法華經》中所說的八萬人天及諸大菩薩的方便示現。我們這八十位團員，頓時似乎也成了其中的一小部分，這不是靈山聖會，又是什麼呢？」

法師當時的心情「雖然嚴肅，但又極其輕靈」。

佛陀在舍衛城感化了大富翁須達長者，因經常布施貧窮，賙濟孤獨而被尊重爲給孤獨長者，他發心建了一座精舍來供養佛陀，於是有了祇樹給孤獨園。佛陀在世說法四十多年，周遊當時十六大國，在祇樹給孤獨園結夏安居高達二十一次之多，不難想像佛陀在這道場教化多少信徒，產生多大的影響。

法顯三藏到印度取經時，七層高的祇園精舍，仍然非常隆盛。國王和信徒供養幡蓋、散花燒香點燈，日日不絕，玄奘西遊時，所見的僧伽藍皆已荒廢。

聖嚴法師一行人一入祇園精舍大門，迎接他們的只有一株幾百年樹齡，已經大部分中空，枝葉依然繁茂的大菩提樹，以及一口僧眾汲水的井。精舍俱毀，而古樹猶在。

法師向精舍中央佛陀說法台遺址禮拜致敬，並走遍每個角落，品味祇園精舍及諸大阿羅漢當時

禮拜祇園精舍佛說法台

生活環境及體驗，聖地的靈氣仍在，卻也逃不出無常生滅，法師深深嘆息了！

遍走佛國八大佛教聖蹟，總會在附近見到二次戰後興建的中國寺院：佛陀伽耶的中華大覺寺、鹿野苑的中華佛寺，另一處就是祇園精舍附近的華光寺。

原籍湖北的僧人仁證法師，於一九三七年遊化到印度，發願在祇園精舍創建寺院，得到新加坡、馬來西亞檳城華僑捐款，建了華光寺。

仁證法師圓寂後，寺院無人照管，任其荒廢。

聖嚴法師率團造訪了這既無香火，也無僧人的寺院。

「當我離開華光寺，總覺得還有什麼事情沒有辦而需要辦，回頭看了又看。這是華人的心血，是中國佛教徒的努力和希望，爲什麼沒有人去照顧它？」

這是法師在印度朝聖的行程中，最傷感的一天：

「好像那座廟本來就是我建的，而被人家遺棄了一樣。我在那爛陀寺見到福金喇嘛所遺留的中華佛寺，還沒有這種感覺，因爲至少那兒還有一位緬甸比丘在照顧。」

一九八八年法師回到一別四十年的大陸探親，到了上海，經過他當小沙彌時趕經懺的大聖寺時，發現那座寺院已被共產黨改成工廠，華光寺給他的感覺和大聖寺一樣。

懷著深沉的傷感，來到佛陀涅槃的所在地拘尸那羅，位居釋尊時代十六大國中，一個叫末羅力

士國，然而，今日印度地圖，遍尋不獲拘尸那羅，早已換名爲科拉波，可見佛陀的聖跡已在印度人心中湮沒。

玄奘大師當時所見的佛涅槃地已是十分荒涼，聖嚴法師一行人在黃昏時分抵達涅槃地，看到兩株新種的娑羅樹，一高一矮分別聳立佛陀涅槃堂之前。當年佛陀在這兩株樹中間涅槃，因之涅槃場又稱之爲雙林。娑羅樹的葉子是墨綠色的，當佛涅槃時，樹神悲痛，樹葉全部變白，一片片化做群群白鶴……

聖嚴法師在佛陀的火化場一座紀念磚塔前燃燭、誦經禮拜，天色昏暗了下來，偏僻荒涼的鄉間，沒有電燈，也少有人家，法師想去造訪附近中國人所建的雙林寺，也未能如願。

據說雙林寺現由一位中國老婦人照料，一想到萬一老婦人離世，雙林寺可能遭逢的命運，聖嚴法師不禁暗自流淚神傷。

「爲什麼我們對佛的聖地如此冷落？沒有人發大願心去那裡陪伴佛陀的遺蹟呢？」法師問。

佛國之旅，李美慧（後來剃度的果雲法師）跟隨師父踩著當年佛及眾多阿羅漢走過的每一寸土地，感受到佛的住世是那麼眞實，活生生地活在她的心中。

「印度幅員廣闊，我們坐車從一處到另一處都要坐上好幾個小時，佛陀步行遊化人間，那種艱辛

無法想像！」

李美慧眼見師父朝拜聖地過程中，不時流露出大慈悲的感傷：

「師父那種要把佛教傳回印度的大悲心，讓我們感受到了，更能深刻的體會到師父續佛慧命的悲願心，因此凝聚出團員們一股要建設法鼓山的理念。」

果祥尼師感受到師父對佛陀至深的感恩之情，爲師父的情操感動得涕泣不已。佛國之旅，她印象最深刻的是：

「走過佛陀走過的土地，感覺到他整個活了過來，好像昨天才入涅槃。在尼連禪河眺望南岸的苦行林，彷如見到他走了出來！」

從靈鷲山的說法台放眼望去，果祥尼師覺得那些樹一株株，好像一個個人頭，還在那裡聽佛陀說法似的。

到了竹林精舍，那裡的竹子長得像傘蓋一樣，彎彎的垂了下來，坐在竹子下打坐，那種感覺，果祥師說她終生無法忘懷。

負責安排行程的施建昌居士，感嘆師父眞是位隨緣度化的大修行者。

「有些地點師父並不眞的想去，既然安排了，他也很自在，實在佩服師父對環境的適應能力。」

第一次缺乏經驗，聽從旅行社安排最後到喀什米爾的船屋度假，施居士心想讓辛勞過度的師父

去休息一下也好。結果一趟聖地遺蹟走了下來，等於是趟修行之旅。

「師父每到一地，以佛法向團員印證菩提心，根本不會想去渡假，因緣不可思議，整團人到了新德里，碰到喀什米爾附近有暴亂，飛機停飛，結果眞的沒去成。」

施居士記得參訪靈鷲山那天，是個炎熱的午後。

「雖然天熱，內心卻很清涼，站在說法台，像我這個凡夫，看出去只看到一片廢墟，師父卻說：靈山一會猶未散！」

施居士搖頭讚嘆的神態，令人想起聖嚴法師當年軍中的同事唐家珪先生口中的師父：不一樣就是不一樣！

十四天的佛國之旅，團員與師父行住坐臥都在一起，變成一個整體，成爲推動法鼓山的鼓手。離開印度之前，護法會理事長楊正居士召開檢討會，聖嚴法師提醒大家：

將朝聖精神以及在聖地的經驗感受帶回去，將貪、瞋、痴心改變成施捨心、慈悲心和智慧心。

火宅中建清涼世界

一九八八年，聖嚴法師率領出家、在家弟子，渡海回到闊別四十多年的大陸，回到了他血源的源頭，與俗家的親人重聚，一起搭船至長江南岸的張家港，祭拜祖父母、父母，由法師領著族人，

焦山定慧寺東初老和尚塔前上供

合掌在祖塋前念佛誦經。

法師此行的另一個目的，是回來做探尋法緣源頭的尋根之旅，將東初老人的舍利，分供於焦山的慧定寺，做爲永久紀念。本來東老人在遺言中，明確交代囑咐弟子聖嚴法師將其骨灰，和麵成團，拋入大海，結水族緣。建塔不是老人的遺願，而是做弟子的追念感恩的一種表示。

焦山定慧寺爲東初老和尚的祖庭，該寺住持茗山法師因爲迎接東初老人舍利，特設靈堂、盛供，由二十多位僧眾，以隆重之禮恭迎，虔誠上供，聖嚴法師並委請茗山法師，起建舍利塔供奉。

拜別東初師父的祖庭，聖嚴法師率領弟子們往北走，參訪中國佛教法脈的源頭——洛陽城外的白馬

寺，佛教從印度傳到中國，有歷史記載的最早寺院。聖嚴法師在攝摩騰及竺法蘭兩位大師的像前及墓前，深深頂禮三拜，感謝早期由西竺涉險來華諸大師們，譯經弘法的大恩大德。

隨後一行人來到禪宗的法源所在，中國佛教的祖庭──少林寺，位於鄭州登封縣叢山密林之中的少林寺，創建於北魏孝文帝，傳說以遊化爲務，不測所終的菩提達摩，沿海路來到中國，一葦渡江到北方，曾在少林寺五乳峰的洞中面壁，終日默然，長達九年之久。至今峰下有初祖庵，寺內亦可見有二祖立雪求法的立雪亭。

達摩所傳之禪學，以《楞伽經》爲依據，提出「理入」和「行入」的修行方法，所謂「理入」就是壁觀，比喻通過修行，使人心如牆壁，「壁觀」被理解爲面壁靜坐，於是有了達摩面壁九年的傳說。

少林寺歷經破壞，一場大火將禪房、達摩面壁影石等文物焚爲灰燼，民國以來又遭軍閥、共產黨逐僧毀寺，大肆摧殘，到了聖嚴法師參訪時，古蹟只賸進門後一長排石刻碑林及祖塔林。法師不由得嘆息感慨：「少林寺僅具武術形貌而無昔日禪教及戒律的家風了！」

少林寺的住持是八十二歲的德禪長老，雖在病中，仍然穿起黃海青，坐在椅子上由幾位青年僧侶抬到客堂，表示接待。

「德禪長老是一位僧醫，也練得一手好大紅拳，我本想跟他談談心法與佛法，眼見他枯瘦如柴，

病弱猶如風中殘燭，便不忍啓口了。」

聖嚴法師感喟。

此次探尋法源之行，竟然會在西安臨潼縣博物館，讓法師親眼目睹釋迦尊者佛陀的舍利。博物館陳列唐代慶山寺出土的石雕釋迦如來舍利寶帳，石棺裡面有一銀槨，銀槨之內是貯藏佛舍利的金棺，出土時以錦帶縛纏。

「大陸、日本歷史考古學家，讚頌這是唐代佛教文物中，最精美珍貴的一批，卻忽視了促使這些文物產生的是佛教的信仰力量。」聖嚴法師悲哀的感嘆：「他們只知重視安置佛陀舍利的容器，竟將數百顆晶瑩閃亮、透明如細珠的佛陀舍利，從金棺銀槨中倒出，隨便放在一個塑膠質的餅乾盒中，擺在玻璃架下。」

本末倒置到這個地步，聖嚴法師見了，心疼猶如被刀刺，也不管地下有多髒的塵土，他五體投地地拜了下去，淚如泉湧。含著淚，法師向博物館長建議：

「重視文物，更要尊敬舍利，應將舍利以精緻的容器單獨供奉，供人瞻仰，並說明舍利的來源，及在佛教信仰中崇高的位置。」

姓趙的館長微微點頭，未置可否。

大陸的尋根之行，法師所到之處，每每觸景生情，令他老淚縱橫，特別是參訪一些昔日香火鼎

盛的寺廟，而今卻淪爲收門票供遊客觀光的公園，只安插幾名年老的尼僧照顧門庭當樣板，法師看在眼裡，已是欲哭無淚。

結束這一趟血源、法源尋根之行，聖嚴法師與俗家親人在上海機場分別時，頗有一種生離死別，過了陰陽界的感覺。

爲了法鼓山佛研所的建設，一九九一年聖嚴法師率領了一個專業性的考察團，到中國大陸考察佛教建築的特色，一行十二人，包括陳柏森建築師、冉雲華教授等。

法師說明此行的目的是爲法鼓山的建設，尋求中國佛教的古代精神，以期承先啓後，保存傳統佛教建築藝術的精神，創新現代佛教建築特色。

爲期三個星期的考察，一行人在緊密的行程中，由大陸建設部派古建築專家陪同，足跡遍及十四處佛教的古道場，以及雲崗、麥積山、敦煌三大佛窟。

考察團沿途做討論，報告心得，聖嚴法師認爲此行對法鼓山的建設，從空間配置到架構佈局，均有莫大作用，「法鼓山雖有古代寺院的功能，卻是以一個現代學府的形象跟世人見面，所以我們只能從美觀、幽靜、樸質等方面，吸取古建築的長處。」

沿途所見，聖嚴法師對古代高僧大德，不畏艱辛困難，本著對佛陀的尊敬，開創了廣度眾生的道場的悲心，生大感動，然而，眼見一處處寺院遭到破壞，歷經滄桑，法師又感慨萬千。尤其是在

五台山發現建於「清涼聖境」的古道場，被摧殘殆盡，法師寫下兩句話激勵自己：

「凡夫以煩惱製造了苦樂無常的三界火宅，聖者以慈悲建設了廣渡眾生的清涼世界……那些在此火宅之中建設清涼世界的大德高僧，一定已經知道，將來會有因緣，把他們所建的寺院摧毀破壞，但他們還是努力的建設。」

法師以「火宅清涼」爲書名的這本中國古建築考察，出版以後，被此間建築界稱讚不絕，甚至譽爲「可當建築系教材的好書」。

考察團的顧問，加拿大的冉雲華教授，專研印度佛教史，爲此書作序，這位與法師相交甚深的道友寫道：

「……聖嚴法師是我首次遇到的一位碩學大德，他是道德與學問兩方面的高手，我先是以學界同行的心情，與法師相交，直至到台灣來，才看到他在主持農禪寺寺務中，所顯示出的高僧風範。這次大陸之行，才有機會觀察他以僧界領袖的身分，與大陸宗教界的大德碩學，相互交往，既含眞情，又具威儀，又圓通，又有所執。」

法師的著作，請人作序，此書爲絕無僅有，可見冉雲華教授在法師心目中的份量。

値得一提的是一行人在敦煌鳴沙山，法師聽了他老友冉教授的遊說：

「從鳴沙山，選好最陡的沙坡往下滑，不但可聽到沙鳴如奏樂的奇異現象，又能享受武俠小說中

駕劍飛騰，或西遊記中孫悟空駕觔斗雲飛行的經驗。」

這番生動的描繪，令法師心嚮往之，禁不住誘惑，眞的一溜，從鳴沙山滑到山下。

考察了中國大陸的古代佛教建築，聖嚴法師回想多年前留學日本時，所見的奈良和京都古寺院，都保持著中國唐、宋以及元、明時代的風格，其建築形式和空間佈局，都使他印象深刻。

一九九二年，法師帶領法鼓山的建築師、遷建委員、佛研所的李志夫、惠敏法師正副所長，到日本考察寺廟建築的特色。

此行的另一目的，是參觀學習明治維新晚期建立的佛教大學，漸漸擴展成佛教學院，甚至普通大學，以這種從小規模到大規模過程中所遇到的挫折，做爲佛研所辦學的借鏡。

一行人抱著到日本尋寶挖寶的心情，造訪日蓮宗、淨土宗的本山、寺院，以及各宗派屬下的佛教大學，向立正大學的渡邊校長、京都佛教大學的前任校長水谷幸正博士請教辦學經營之道，參訪奈良的東大寺、唐招提寺及藥師寺，到宇治走訪中國高僧隱元隆琦所建造的黃檗山萬福寺，並在興聖寺禪堂打坐，體會其建築配置。

為法鼓山盡心盡力

從一九八九年三月購得金山那一塊地，自此聖嚴法師的所作所爲，心中所念的無不是法鼓山的

法師頭戴斗笠、腳穿雨鞋，詳細踏勘法鼓山的一草一木

建設。他頭戴斗笠、腳穿雨鞋，手持木杖，在崎嶇的山路中，詳細踏勘山上的一草一木，對當地的景物景觀瞭如指掌。聖嚴法師特別珍視山上的兩道溪水及數處活泉，一再拜託工程人員及設計專家，千萬不要破壞現在的地形、地貌，非不得已，絕不可砍掉一樹，截掉一枝，不可移山填壑，並且珍惜原有的資源。

聖嚴法師建設法鼓山的理念，強調硬體建築的配置佈局，必須與整體的佛教精神、中國文化背景，有血肉相連的關係，必須站在現代人的立足點上，一方面回顧歷史文化的優良傳統，同時展望未來文化的帶動創新，保存傳統佛教建築藝術的精神，創新現代佛教建設特色，富時代性和地域性，在風格形式上，不主張採取宮殿式的建築，而是希望儘量做到技術和建材的現代化，形象、顏色的本土化。

負責佛研所設計的陳柏森建築師，家住天母，常到農禪寺聽經，與法師結緣，參與了法鼓山的設計。

「我曾經和師父談到，不要房子蓋得愈大，離佛愈遠，」陳建築師的構想是：「群山之間很安靜的一座道場，大整體的環境是寧靜，與自然融合的，小空間也各有美麗的景致，讓人可以安心地在建築物裡用功辦道，做研究。」

陳建築師追求一種配合地形、氣候、自然界的各種因素，達到天人合一的境界，很受到聖嚴法

師的認同。可惜陳居士因健康因素而離去，設計工作由建築界備受尊崇的資深建築師陳邁先生，推薦張國洋、陳俊宏兩先生接任，他自己當顧問。

陳邁建築師喜聽法師開示講經，每天用毛筆抄《金剛經》修行，爲人謙和，憑著專業的經驗，對法鼓山的建設做客觀的判斷和整合，深受僧團及工程人員的敬重。

工務室由劉明山經理接掌，現任總工程師的陳洽由居士，本來和黃燦輝、陳榮河、葉榮嘉等先生擔任工程顧問。皈依法師之前，陳總工程師自稱對佛法盲修瞎練，直至讀了《正信的佛教》，對這位有博士學位的一代高僧肅然起敬。

爲法鼓山的地質探勘立下汗馬功勞的台大地質系陳宏宇教授，以陳洽由工程師對山坡地建設的專才，招攬他當法鼓山的工程顧問，法師看中他的爲人和長才，欲聘爲專職工程師，沒料使他陷入長考。

「在私的方面，能夠因工作親近這位大善知識，是可遇不可求的機會，公的方面，卻擔心難以落實師父的理念，害怕他的期待落空，不敢接這工作。」

正在猶豫不決，師父一句：「我這麼大年紀，每天還在學習。」使陳洽由工程師抱著學習的心情，隔天就走馬上任。

預計民國八十二年（一九九三年）動工，五年完工的法鼓山第一期工程建設，由於法師步步要

合法，講求一勞永逸的品質，光整地、環保就花了兩年時間，又遇到林肯大郡慘劇發生，政府不鼓勵山坡地的開發，法令愈來愈嚴苛，種種因素延緩了工程進度。陳總工程師把遭遇到的逆境壓力，當做增上緣，幫助他成長。

「師父要求慢工出細活，教我們要趕不要急，說我們要的是佛法，不是硬體建設，師父安慰我們，自己卻承受所有的壓力，」陳居士滿心的不忍，「師父看我們受不了了，就建議打個禪七，或參加共修，對道心有幫助，他很簡單的一句話，都是用心深刻。」

陳居士讚嘆師父的願力不可思議，不止一次，好像走不下去了，總是柳暗花明。

「官員們聽到是法鼓山，就主動幫忙，師父以他的謙虛、毅力和慈悲感化了好幾個官員，使他們變成了佛教徒，護持法鼓山。」

僧團也積極參與了法鼓山的建設，其中果品法師因爲精於園藝，擔任景觀工程輔導師。現任僧團都監的果品師，聽師父講《六祖壇經》，得到尋覓久矣的人生答案，他謙稱雖對園藝有些涉獵，但對工程一竅不通，開始時感到困難。

不過，果品師十分感謝這一個寶貴的學習機會，他眼看法鼓山從無到有，各種設施逐步展開，感恩佛菩薩的護佑，以及所有工作人員無怨無悔的付出，深刻感受到有願必成、同心同願的力量。

一路跟著果品師上山當義工的大溪人游日昇，做完了法鼓山的工作，現在到齋明寺種花蒔草當

全職義工，他期盼有朝一日可追隨師父出家。

法鼓山信眾中，被譽爲「走入師父內心世界」的大師姊廖雲蓮，是法師早期皈依的弟子之一，到農禪寺來念佛打坐，她形容「那時的大殿只有現在的四分之一大」被選爲念佛會會長，在佛研所擔任會計一職的她，也是法鼓山遷建委員之一，廖居士戲稱師父沒牛駛馬，拿她這個外行充數。

法鼓山早期的事務，她的確一把抓，「做沒有人要做的事」，到地政事務所辦土地過戶，奔走於教育部、內政部、環保署、台北縣政府，常常有突然下西北雨，沒帶傘的困窘感覺。

開闢通往法鼓山的連外道路，廖居士挨家挨戶與地主們交涉，那才眞正是不可能的任務，過程之艱辛，筆墨無以形容：

「有的地主表示祖先沒賣過地，不肯破例，有些是國有地沒登記，也有條件談好了，沒簽約突然往生，還有無主的墳墓。」

廖居士苦口婆心，以法鼓山的理念、師父的著作感化地主們，有時壓力太大，承受不了挫折感，不免氣餒，起了退心。

「這時候轉念一想，最辛苦的是師父，我將心比心，如果師父也有退心，那佛法不就沒有了！一想到這裡，趕緊調整自己的心態，用念佛、打禪七充電，繼續堅持下去。」

廖居士鍥而不捨的精神感動了當時的尤清縣長，連外道路獲得縣政府的鼎力支持，出資鋪路，

她把挨家挨戶買來的農地過戶，形容代書爲了蓋幾千個圖章，蓋到要用護腕。廖居士讚嘆林玫卿律師，那種爲法鼓山任勞任怨，毫無怨言的態度，令她感動不已。

把自己全部時間、精力都用在法鼓山的廖雲蓮居士，說出一句意味深長的話：「在法鼓山，事情不是交給你，而是你要自己去找事做。」

爲法鼓山盡心盡力開闢福田的信眾，感人的故事罄筆難書，護法會的副會長郭超星師兄，以及葉益和、李世華師兄，臨終前還掛念著法鼓山的建設工程。

第十三章

四海慈悲行

釋聖嚴攝影

中南美洲、東歐弘法

聖嚴法師四海弘化之行，到香港、新加坡、菲律賓以華僑爲主，美國、加拿大、歐洲各國，則主要以西方人爲對象，九〇年代初期一次中美洲哥斯大黎加，以及一次南美巴西、阿根廷之行，都是應旅居當地的台灣皈依弟子之懇請而前去。

法師到中美洲弘法的因緣十分傳奇，先後有皈依弟子飛到紐約東初禪寺，專程懇請法師前去弘法，法師回答：「那邊建了道場我就去。」果眞在首都聖荷西有二十多位的信徒太太們，共同買了一塊地，蓋了精舍，還從台灣請去三尊佛像，成立佛學社。

信眾請法師爲精舍命名，並撰一副對聯，法師取了「福慧精舍」的名字，同時寫了「勤於照顧周遭眾生的苦難是大福報，善於處理你我及他的問題乃深智慧」對聯，又實現諾言，飛往聖荷西市，指導共修及舉行皈依儀式。

女信徒個個身穿特別設計的制服：墨藍色的旗袍，衣襟鑲鮮紅的祥雲圖案，看起來很是莊嚴。最令法師讚嘆的是沒有人教信徒們唱念，竟然也會打磬、敲木魚。

「雖然不太像，但這一種要學、要有的勇氣和熱心可嘉。」

法師應邀在哥斯大黎加工程協會的會議廳，舉行平生第一場在西班牙語系國度的演講，會場擠

滿了三百多人，除了華僑，當地人也來了一百多位，三位教授組成了一個翻譯小組，把法師「禪與人生」的開示逐句翻成西班牙文。

「當天晚上，我講得非常吃力，九個小時的空中飛行，中途四次起降，氣壓不均，以及地處高原的稀薄空氣，令我耳膜疼痛閉塞，演講之時，還是有被悶在水裡的感覺。」

饒是如此，《國家報》的記者隔天還來做專欄訪問，對法師的演講嘆賞不已。

一九九三年的巴西、阿根廷、巴拉圭之行，法師為南美洲求法若渴的信眾，灑下甘露法語，在巴拉圭福斯市巴拉納俱樂部的演講，聽眾反應熱烈，掌聲不絕。

九〇年代初，北投的中華佛學研究所，有位生在捷克的比丘性空法師，擔任梵文、巴利文的教學。這位歐洲人在錫蘭出家，學會了這兩種語言。性空法師介紹了一名捷克青年彌勒克．巴庫期到農禪寺出家，聖嚴法師給他取了法名果平，在剃度典禮中，因這外國青年而成為媒體注意的焦點。

性空法師有見於捷克在共產黨政權解體之後，人民對於宗教的追求，處於如飢如渴的狀態中，他請求聖嚴法師到布拉格傳揚佛法。法師繼達賴喇嘛及一位南傳的越南籍法師之後，第三位應邀到著名的布拉格大學的大教堂演講「禪對現代世界的作用為何」。

其後又在該大學的漢學部，與聽懂漢語的師生，以輕鬆的形式座談，討論道教與佛教的異同，東、西方宗教的差異，以及佛教僧侶的生活。最值得一提的是應邀到一個天主教修道院演講，原以

爲聽眾就是修道院內二、三十位神父修女，結果來了兩百多個不速之客，是前一天在布拉格大學的哲學院、禪學會聽演講的聽眾，趕來參與盛會。

修道院有位神父對佛法有興趣，讀過幾本禪宗的書，對台下提問，如佛教是否不需要道德而只講頓悟、輪迴等問題，均代法師回答。有位聽眾就法師所講的諸行無常及諸法無我的佛教基本觀念，向那位神父提出一個問題：

「佛教說一切都是無常的，那麼上帝怎可能是永恆的？」

神父引用中古時代神學家聖奧古斯丁的話，解釋了一大篇，卻跟無常接不上頭，令法師很爲他感到歉意。

聖嚴法師到布拉格的多場弘法演講，事先並未做太多宣傳，聞訊而至的人卻很多，有位青年讚嘆法師爲布拉格帶來春天。法師謙虛地說：「我想我只帶來一絲佛教的訊息，爲布拉格的春天增添了幾許溫暖的陽光。」

離開捷克，聖嚴法師帶弟子果谷法師到比利時訪問，被安排在布魯塞爾郊區的一座森林修道院過了兩夜，體會天主教神父的生活作息，並與全院的神父修士，作了一場東西靈性交流的座談，然後應邀到魯汶大學與研究東方的幾位教授交流。

從比利時飛回紐約，才休息一天，法師又趕往美國中西部及東部，九天之內，到了七個州，一

共在九所大學以及五個華人社區，作了十四場次的演講及佛學座談會。

聖嚴法師與東歐結下不解之緣，不久後應邀到波蘭首都指導禪七。人未到，華沙的禪眾對他已是十分熟識，這是因爲聖嚴法師傳法的英國弟子，約翰．克魯克博士，法名傳燈見諦，到過華沙主持了幾次禪七，用的是聖嚴法師的觀念和方法，作爲指導修行的內容。

波蘭的禪眾將東初禪寺的英文課誦本，以及法師剛出版的*Dharma Drum*（《法鼓集》），都翻成波蘭文，所以在機場接機，弟子們一見法師就恭敬合十，稱師父。

波蘭是個天主教國家，受到蘇俄共產黨長達五十年的高壓政策統治，目前還在療傷。聖嚴法師一到，立即感受到波蘭人有一種悲情難解的氣氛，氣宇不夠開朗，對外來的陌生人，好像在防著什麼似的，如同驚弓之鳥。

波蘭的佛教，是在一九七五年由美國日本禪系的凱普樓禪師，到波蘭一個髒亂、空氣污染的城市，以當時的嬉皮、頹廢吸毒青年、從高壓的政治環境中自我放逐的藝術家、作家們爲對象，舉辦了爲期四天的禪修，建立了簡陋的波蘭禪堂。

八〇年代初，韓國籍的崇山禪師也從美國到了波蘭，另外建立了一個韓國系統的禪修會，還有美籍華人，屬於日本曹洞宗的鄺寂照老師也曾來過。

邀請聖嚴法師到華沙的 Pawel Rościszewski，本來在華沙大學主攻心理學，接觸哲學，對唯物論

產生懷疑反感，參加了反俄共的政治活動，一度被政府列入黑名單，成了通緝犯，躲藏到凱普樓禪師所建的禪堂，才算逃過一劫。

就這樣開始接近禪法，親近凱普樓禪師，也曾遠赴加拿大多倫多凱普樓的禪中心的分支道場修行，卻漸漸對這個系統的禪法失去信心。

「總覺得缺了點什麼。」已經有十多年禪修經驗的Pawel，以波蘭腔的英語說。戒嚴令解除後，他回大學完成學業，現以工程師爲業。

當他讀到聖嚴法師的英文著作*Faith in Mind*，燃起了另一個希望：何不追求聖嚴法師繼續學佛法打坐？

跟隨法師的傳法弟子克魯克博士打過幾次禪七，Pawel覺得法師的方法清楚，放鬆才是正確的禪坐法，喜獲良師，透過克魯克博士，邀請聖嚴法師親自到華沙主持禪七。

另一位已有長時間修行經驗的安娜，告訴聖嚴法師，說過去二十五年來，凡是到波蘭指導過禪修的禪師們，她都跟他們打過禪七。

「包括您的弟子克魯克，」安娜質疑：「幾乎每一位老師都強調，只有他的方法是最正確的，您是不是也一樣？」

聖嚴法師懇切地回答她：

「我來這兒不是爲了否定任何人，而是爲了幫助大家修行。」

四十一名禪眾，波蘭人有三十三位，其餘來自德國、瑞典、法國，是一次國際性的禪七，參加者有大學教授、建築師、畫家、心理學家、工程師、經理、雜誌編輯等，半數已有超過十年的禪修經驗。

禪七的道場坐落在華沙郊外住宅區內，庭院前後都是參天的古木，第一堂課講完，除了少數幾人，仍保留他們原來的想法，大多數都讚嘆總算見到了他們想望中的老師，已經準備接受聖嚴法師這一系統的禪法，回歸到正統的中國禪。

一連三個晚上的開示，法師用《臨濟錄》裡的上堂法語，把禪宗的法脈源流、臨濟宗的家風宗旨，和直指人心的佛祖手段告訴禪眾。

「人心，就是指的無常、無我、空的無心，也就是不立文字，意在言外的第一義諦。」

聖嚴法師強調大乘佛法，必須有出離心和菩提心，彼此配合，才能夠去我執而得解脫，發悲願而度眾生。禪七中所學所行，都是一種練習攝心、安心、自安安人的方法和觀念，因此，一定也要在日常生活中使用。

由於旅途勞累，瘦弱的法師又被安排在禪堂正中央的風口上，使他第一晚就噴嚏連連，著涼感冒了。五月的華沙，到了深夜，氣溫驟降，冷得他全身發抖兩腿抽筋，頭痛咳嗽。

一連四天，法師抱病開示，禪七結束後，又被邀請到華沙歷史最悠久的一所農業大學的大講堂。

離開波蘭，法師搭機飛往克羅埃西亞首都扎葛雷勃，應當地「法集佛學會」之邀前來弘法，指導禪修。當晚於市中心的歐洲之家公開演講「禪悟之道」，五元美金一張的入場券，僅一百五十個座位，結果湧進三百多位聽眾。

打禪三的禪眾中，扎爾柯、桑雅等人均到過紐約東初禪寺打過禪七，並將法師幾篇重要文章，翻譯成克羅埃西亞文。由於三天時間緊湊，法師以禪修的角度，配合佛法，把禪眾從書本上所讀的佛法，變成可用禪修的方法來體驗。法師看出他們的共同問題是理路清楚，而方法模糊，因此給他們做了一些修正和指示。

「讓他們覺得，已被我拉上了車，上了路。」

參訪道場借境修心

聖嚴法師在護法會勸募會聯誼會上，提出法鼓山的共識：理念是提昇人的品質，建設人間淨土；精神是奉獻自己，成就社會大眾；方針是回歸佛陀本懷，推動世界淨化；方法是提倡全面教育，落實整體關懷。

法師向勸募會員開示，要用佛法的慈悲和智慧來教育自己，感動他人，做一個萬行菩薩。

一九九三年，法師率領護法會、勸募會的會員，念佛會、禪坐會的幹部，以及美國東初禪寺的董事及會員，十一位出家弟子，一團一百多位僧眾，前往中國大陸巡禮佛教聖蹟，參訪雲南雞足山、四川、西藏等地的佛教古寺，目的是爲凝聚法鼓山的共識，體驗名山大刹，建設工程的艱鉅，以之堅定建設法鼓山的信心，爲佛法負起承先啓後的大責重任。

十八天的行程，法師抱著重病走完三個高原的頂峰，是生平所遇最艱難的一次行程。

雲南雞足山的道場最早建於明嘉靖年間，相傳迦葉尊者在華首門入定，並建有迦葉殿，虛雲和尚五十歲那年第一次上山，在華首門進香禮拜時，忽聞大鐘三聲，當地人歡呼禮拜，聲稱來了異人。虛雲和尚以六、七十歲高齡，重建雞足山的祝聖寺，耗時五十年，使之成爲全山最大的寺院，接引了無數前往朝聖的僧俗四眾，復興了雲南的佛教。

聖嚴法師一行人抵達祝聖寺，隔天騎馬沿著陡峭的山路到迦葉殿，攀登陡坡上了金頂寺，是一段十分艱難的腳程。法師來到山頂，放眼望去，世人嘆賞的山光水色白雲之美，看在這大修行人的眼裡，卻又是另一番更深刻的體悟：

「……對於佛法的修行者而言，山能居住，水能活命，雲自出岫，水自下流，無所謂山光水色之美，不過是因緣聚散現象。雲不留定處，水不住定相，當來則來，當去則去，當隱則隱，當現則

現，自由自在，順應自然。所以出家僧侶把遊化生活，稱爲『雲水』。」

海拔三千多公尺的高山，入夜後氣溫驟降，法師及團員都陷入高山症的反應。在這樣嚴峻的自然環境，極端貧乏的物質條件，卻有古代祖師大德，不畏艱辛，憑著堅固的信心和崇高的願心，一磚一瓦建立寺院。聖嚴法師在法鼓山建設期間，率領僧俗四眾來朝聖，就是讓大家借境修心，體驗古代大德建設道場的苦心。

法師感嘆當初如果沒有虛雲和尚的到來，民國時代雲南的佛教史，幾乎要空白一片。遺憾的是，佛教在共產黨統治下，被摧毀消滅殆盡，文革後，才從虛雲和尚重建過的寺院的基礎，又一次恢復重建。

「空花佛事時時要做，水月道場處處要建，」虛雲和尚生前最愛用這兩句話，空花水月本是虛幻，只要對眾生有益，假戲也要眞做，至於以後縱然被再三夷爲廢墟，還會有人從這基地上重建、再重建的。對法鼓山的朝聖團，這是最好的啓示。

來到拉薩的哲蚌寺，聖嚴法師又一次觸景生心，對著自然的行雲流水，體悟禪思：

「山高水自流，不爲什麼，無心雲出岫，如來如去」，從這他引申到法鼓山的共識，像行雲流水那樣，不受時空、人爲的限制影響。

龍天護法，讓一團一百多人完成了一趟艱苦的朝聖之旅，團長施建昌率領團員禮拜感恩師父一

路抱病走完全程的辛苦，團員們無不個個感激得淚流如雨下。

法師以三個心：堅固的信心、大悲的願心、不退轉的長遠心鼓勵眾人絕不中止護持法鼓山的決心。

由於護法會會長楊正居士年事已高，這次朝聖團的團長陳嘉男居士，被法師提倡人間化、生活化的佛法精神所感動，毅然發心放下家業，擔起護法大業，接任護法會會長之職。

三年後，聖嚴法師又率領二百九十九位僧俗四眾，到大陸九華山、天台山、普陀山做十五天的尋根探源之行，每到一處寺院，法師介紹與法鼓山法脈淵源，期望大家走入祖師大德的內心世界，體驗祖師開山、弘法、護教智慧與大悲，進而體認創建法鼓山之時代意義與使命。

一行人到蘇州寒山寺，不是為張繼那首詩而去敲鐘，而是去拜見與法師同法脈同根同幹的師兄聖智性空。從天台山下來，法師聚集眾弟子，開示如何體驗智者大師、太虛大師的內心世界，強調兩位先賢大德皆是以凡夫身修菩薩行，法師自述亦以凡夫而在人間建立淨土。

參訪寧波的天童寺，它是日本曹洞宗派下諸寺之源頭祖庭，聖嚴法師對曹洞宗宏智正覺的默照禪法特別有心得，長年在世界各地傳揚此禪法，天童寺之行，他覺得意義特別深長。

近三百人的團體，全部以大型巴士為交通工具，領隊施建昌花了一年多的時間來籌劃這次朝聖之旅，行前還先走了一趟，打點安排膳宿，結果三百人秩序井然，被大陸形容為「比軍隊還要嚴

謹」。

的確，法師沿途訓示大家，不是來度假觀光的，而是要以打禪七的莊嚴心情參訪，發自內心來感恩、禮拜，進入祖師大德的內心世界。

果建法師敬佩師父「所講的佛法都是他應用的心得」，這次隨團朝聖：「整個過程，師父用心帶大家，讓我們心中有方向，不散亂，極為受用。」

社會菁英修行好

聖嚴法師為了接引台灣文教界、企業界、政商界的社會菁英，而創辦了適合忙碌的人士禪修，為期三天的社會菁英禪修營，法師以自我肯定、自我成長、自我消融三個主題，讓參與者得到好處，帶回去奉獻給親友、同事、員工，提昇每個人的品質，為社會環境帶來安定。

法鼓山舉行一年兩次的菁英禪修營，參加者受益良多，第一屆的徐重仁居士，從法師所教的消融自我、成就他人的觀念得到的啟發，把這態度運用到統一超商旗下的員工，促進了同事間工作環境的和諧。

歷屆最年輕的政治大學校長鄭丁旺，抱著懷疑批判的心態來參加禪三，他雖然經常到中和圓通寺聽經，卻不把它當宗教信仰，而是主張先解後信，從知識的認知去對待經書。

「經行時，我一步步跟在師父後頭，禁不住思索：前面走的這個人，何德何能，能夠讓這些人上山，因服氣他而皈依佛法，」丁校長說：「這些社會菁英下山後，把佛法傳揚開來，影響之大，不可估計。」

連一向以教育英才自豪的丁校長，都禁不住讚嘆法師才是偉大的教育家。他很認同法師推行的屬於精神層次、提昇心靈的佛教。

「師父談自我消融，讓我意會到其實一山還比一山高，也就不敢太傲慢了，學著把成就他人落實到現實生活，」丁校長說：「以私誼來化解公仇，處世更爲圓融。」

丁校長是歷屆菁英禪修營聯誼會法行會的會長，法行會會員每個月聚會一次，提供個人專長與人脈，做爲法鼓山的支援和協助。

第二屆的葉榮嘉居士，對法鼓山的護持不遺餘力，有個模範的佛化家庭，母親往生，以法師推動的佛化奠祭舉行葬禮，將所有奠儀捐獻法鼓山，一家捐了六個榮譽董事。葉居士除了是國內享有盛名的建築師，更是首屈一指的現代藝術收藏家，爲籌募法鼓山第一期工程費，他別出心裁，首創爲贊助宗教教育而舉行的藝術品義賣，將佛教與藝術結合，借用這種富有創意的方式籌款，透過拍賣，向社會大眾傳達法鼓山辦學的訊息，藉媒體宣揚聖嚴法師的理念，葉居士此舉令人喝采。

「藝術義賣，籌款之外，另一個意義是參與這項活動的收藏家、藝術家、記者們，都被師父的悲

心所感動，皈依成為佛教徒。」

葉居士說。由他一手策劃，別開生面的藝術義賣籌款，被其他佛教團體仿效，蔚為風氣。

本為天主教徒的劉偉剛居士，由立法委員丁守中的接引打禪三，為師父的智慧深深打動，他與葉榮嘉居士組織菁英高爾夫球隊，私下聯誼廣結善緣。

一九九六年的法鼓山奠基大典，劉偉剛居士一肩挑起這個法鼓山有史以來最大的活動，當天一萬多人上了法鼓山，參加奠基大典，並且目睹大殿基地正下方的地宮，由施建昌居士託人用千年不爛的鈦金屬製作的寶箱，存放當代佛教文物，以及《大藏經》等經典的光碟，埋於地宮，為台灣佛教歷史留下豐富的一頁。

奠基大典的節目及電視轉播，由第八屆的菁英陳麗華居士一手策劃，當天除了政界、教育界人士觀禮，陳居士以她豐沛的人脈請來影藝界的著名藝人共襄盛舉。

為了紀念奠基大典，也為法鼓山工程建設籌款，劉偉剛居士央請也是禪三菁英的王俠軍居士，特地製作琉璃佛像及法鼓山山徽，對於王居士不計成本的慷慨奉獻，令他感動不已。

法鼓山的榮譽董事會，由聲寶企業董事長陳盛沺擔任召集人，成立募款組，聖嚴法師為了讓這群發心護持的人，不僅只有財施，也能受到佛法之利益，希望他們成立聯誼會。「圓滿一千——法鼓山榮董十週年的感恩聯誼會」，劉偉剛居士除了發動企業界人士認捐當榮董，最難能可貴的是他使

二十多位企業家放下身段，粉墨登場在新舞台敲擊法鼓，傳揚法鼓山的法音，獲得一千名觀眾的熱烈掌聲。聯誼會節目，由陳麗華爭取到華視實況轉播，令法鼓山信眾從螢光幕上一睹師父及榮董擊法鼓的風采。

「榮董擊法鼓，他們不一定是有錢人，卻是有心人。」

劉偉剛居士肯定無比地說。他的一家人都是虔誠的佛教徒，連家中的大白貓都有法名，叫「常咪」，果項法師取的。

「師父教我靜下來！」

著名的特技演員，飛車飛越黃河的柯受良居士說。從事冒險工作的他，極度自信，不輕易相信別人。三天禪修幫助他拋開一切靜了下來。法師不講佛，講做人的道理，令他大爲受用，他到美國打禪七，受傷的腳踵得厲害，師父要他坐椅子打坐，他不肯。

「七、八十個外國人，聽一個中國和尚講道理，一定有它的道理，師父用禪來征服這些老外，我不肯坐椅子在老外前認輸，硬撐了七天，師父說：委屈你了，忍了過去。」

這位飛越黃河的硬漢，說到這裡，眼眶紅了起來。柯居士自小離家，想到父親，就想到師父，以這位師父爲榮。

聯電的董事長曹興誠先生，就科技的問題與聖嚴法師對談之後，參加三天禪修，據說對企業管

理的理念有著戲劇性的改變。

一九九四年，從週一到週五，華視頻道開始播出聖嚴法師電視弘法節目——大法鼓，該節目由趙大深精心製作，主播陳月卿主持，法師在節目中以佛法觀點，爲大眾解答生活及修行疑問。四年後，中視開播法師的另一個電視節目，每週一次與社會菁英對話弘法，借此激盪出大家想聽的「不一樣的聲音」。

贊助這兩個長期性的電視節目的，是台中的何太太周瑜芬居士，她是位鋼琴演奏家，與丈夫同赴美國留學，學成後回台定居，協助夫家經營龐大的企業。

聖嚴法師的著作、講經的錄音帶使她找到了正信的佛教，何太太請東初出版社印了一萬冊《正信的佛教》結緣書，接著用再生紙印行《叮嚀》、《智慧一百》、《智慧的花串》、《人行道》等法師的著作，贈與有緣人，以及捐印法鼓山每年的月曆。

何太太行善不爲人知，不忍心增加聖嚴法師的負擔，法師到台中弘法之前，從未見過他。那一次法師在精武路中興堂的演講，何太太擠在三千多位慕名而來的聽眾當中，連聽兩晚的開示，深感台上的法師爲她講出了心裡的全部經驗感受，也回答了她的諸多人生中的疑問。

「師父講佛法，現講現用現得利益。」

何太太說。她對法師有一個妙喻：「師父好比一道樓梯間的安全網，萬一掉下去了，由他接著，不致於跌得遍體鱗傷。」

她稱法師爲「環保和尚」，她自己這個環保弟子則亦步亦驅追隨師父的環保理念。

有鑑於台灣社會人心混亂，法師推廣生活與禪修合一的運動，提倡人間淨土的理念，響應環境衛生、保育自然生態、珍惜資源，同時發起心靈環保運動，法師創造了「心靈環保」的名詞，它的根源則來自《維摩經》所說的「心淨國土淨」，若想救世界，必須從救人心做起，法師運用佛教的理念及方法，積福惜福，推廣不良風俗的改革，以期提昇人的品質，弘揚人的尊嚴。

對環保的理念與師父不謀而合，何太太從住家到公司，由內而外，由近而遠推行環保。她在三義建了一座佔地一千三百多坪的心靈環保體驗營，提供給法鼓山的信眾做靜心修行之用，禪修營從屋內的生活空間到戶外花園，無一不符合環保的原則而設計，何太太說：

「我希望三義的禪修營，可以做正在建築的法鼓山設計的借鏡，體現師父的環保理念。」

第十四章

漢藏佛教世紀大對談

張光斗攝影

一九九八年是聖嚴法師行程極其繁重的一年，一月獲得《天下》雜誌遴選爲對台灣具有影響力的人物，之後便馬不停蹄地在世界各地弘法遊化。

六十九歲的法師，四月間第八度到香港弘化，講《華嚴經・淨行品》，五月在紐約與達賴喇嘛共同主持「漢藏佛教世紀大對談」，結束後，立即出發到波士頓，應劍橋南傳佛教的「內觀禪修中心」邀請，主持一個週末的演講及禪修指導。

回台灣召開「兩岸佛學教育交流博覽會、座談會」，八月飛到俄國聖彼得堡主持禪修，路經北京，在北京社科院參加「佛教與東方文化——紀念佛教傳入中國兩千年」之海峽兩岸學術會議，並發表主題演說。

法師是現代的玄奘大師

聖嚴法師護持佛法，向來以不分宗派爲有識者稱道，他對藏傳佛教不僅不存絲毫偏見，而且開風氣之先，早於一九六九年，在他浩瀚的「世界佛教通史」鉅著，便已完成了《西藏佛教史》一書，與印度、日、韓佛教史並列。

紐約東初禪寺、北投農禪寺，常見喇嘛、仁波切造訪法師，以西藏佛教的修學爲講題做公開演講，北投中華佛學研究所，尤其重視藏文語言訓練，藏傳經典的教學和翻譯，也列爲研究生必修之

課。

爲達賴喇嘛擔任翻譯的比丘弟子丹增諦深，敬佩聖嚴法師的學養道行，到東初禪寺執晚輩禮，隨眾聽法師講經，法師雖然法務繁忙，也撥空與丹增諦深討論漢藏南傳法義的同異，爲期兩個多月，完成《漢藏佛學同異答問》一書，爲佛教徒釐清了不少模糊的觀念。

聖嚴法師在一系列的朝聖佛教名山勝地之旅中，足跡遍至西藏的拉薩、甘肅南部的拉卜楞寺等藏民聚居之處，他發現當地藏民雖然衣著襤褸，食物粗糙，臉上卻帶著知足、友善、健康的笑容，不由得讚嘆：

「因爲他們有佛教信仰，是天下最大的財產，絕不是一般膚淺之士，用宗教的迷信可抹殺，那是一種至誠的恭敬與感恩之情。」

聖嚴法師與達賴喇嘛的因緣，始於一九九七年三月，中國佛教會的淨心長老邀請達賴喇嘛到台灣傳授觀世音菩薩的慈悲法門，五天弘法活動，法鼓山負責總務、醫療、環保三項工作，緊湊的行程中，達賴喇嘛邀請聖嚴法師到他下榻的福華飯店單獨交談，他想瞭解漢傳佛教的比丘尼戒，法師與他談起比丘尼戒的傳戒起源、傳承歷史，以及漢地所用「四分律」和道宣律師的觀點。

達賴喇嘛對南山宗「四分律」一無所知，但熟悉藏傳的有部律，彼此對戒律都有深入，所以一見如故。達賴喇嘛讚嘆法師：

「是一位非常謙虛，學問淵博的眞正修行人。」

相隔不到一個多月，五月下旬，兩位宗教領袖又在紐約沈家楨居士莊嚴寺的開光典禮上重逢。像見到老朋友一樣，達賴喇嘛主動向法師打招呼，還向他扮了個親切又滑稽的鬼臉，兩人相談甚歡。

「達賴喇嘛給人的印象，非常慈祥，平易近人，謙虛而有智慧，」法師說：「我原以為他不拘小節，常有些抓癢、摸鼻子、整衣服的小動作，可是，在隆重肅穆的法會上，達賴喇嘛安定莊嚴，始終雙目微閉，聲如洪鐘地領導他的弟子持咒誦經，好像一尊塑像。」

紐約哥倫比亞大學佛學教授羅勃．舒曼（Robert A. F. Thurman），是美國藏傳佛教的權威，邀請達賴喇嘛到紐約爲「西藏之家」新道場主持開幕儀式，主動找法鼓山美國分會合辦達賴喇嘛弘法。舒曼博士並贊同聖嚴法師的美國出家弟子果谷法師的建議，在法會最後一天下午，安排達賴喇嘛與聖嚴法師就漢、藏佛教無上智慧的教義，進行一場前所未有的對話。

舒曼博士十分景仰聖嚴法師，讚譽他：

「學識淵博，修行嚴謹，而弘傳佛法的悲願更令人敬佩。」

他將法師比喻爲「現代的玄奘大師」，因爲法師不但有厚實的學術基礎，並有不斷向外吸取新知的精神，致力於將各宗的精義與漢傳佛教做融合，重新發展出漢傳佛教的光芒，舒曼博士認爲這種

精神可比擬玄奘大師當年赴印度取經的精神。

這場佛教界跨世紀盛事的「文殊菩薩智慧法門——漢藏佛教世紀大對談」活動，消息一經發布，聖嚴法師原以爲憑達賴喇嘛在台灣造成的轟動，朝野上下以能夠見到他、聽到他演講爲稀有之事，估計購入場劵聽法的紐約華人一定極爲踴躍，特地保留大量的票，事實正好相反，華人不習慣買票聽聞佛法，反而是西方人士一票難求，只好把預留的票賣給洋人。

這場法會假百老匯玫瑰廣場音樂廳舉行，在場三千名人士，以藍眼紅髮的西方人爲多，法鼓山信眾從台灣組團飛去聽法，沾主辦之光，全都坐在前排中間最好的位置。

果谷法師從台灣高全德居士的佛教文物公司，商借大型唐卡和幡幢傘蓋，東初禪寺動用近百位東、西方義工，把會場布置得金碧輝煌，燦爛而又莊嚴。

開場時，聖嚴法師上台致開幕詞，他就達賴喇嘛傳授的文殊菩薩智慧法門說：

「人類之有苦惱，是因爲缺少了智慧；人間之有紛爭，是因爲缺少了慈悲，如果大家都願意開發心中的智慧和慈悲，佛國淨土的景象，便會在我們的人間展現開來了。」

達賴喇嘛講的主題是宗喀巴所著的《聖道三要》，本來大會在講台上爲他安排了高大的法座，請聖嚴法師坐在他右側的座位，達賴喇嘛謙虛不受，要求和法師平起平坐，直到第三天早上舉行灌頂儀式時，法王才坐了上去。

台下聽眾鴉雀無聲地聆聽達賴喇嘛細膩而有次第地講述出離心、菩提心、清淨心，一旁的聖嚴法師不時做筆記，虛心和精進不懈的態度令人肅然起敬。

當達賴喇嘛講到要寬恕你的敵人，甚至把打擊你的人當作恩人、菩薩來看，他突然哽咽落淚，泣不成聲，演講終止了約一分多鐘，才恢復常態。

全體聽眾都不知他為何落淚，聖嚴法師在陪他回旅館的車上才問他原因，達賴喇嘛回答：「我一想到龍樹菩薩，就會感恩，就會痛哭，曾經在印度一連哭過三天。」

西藏格魯派教義，主要以龍樹的中觀思想為本，達賴喇嘛飲水思源，每每對法的傳承者涕泣感恩。這點也頗令聖嚴法師感動。

兩人單獨相處時，談話的焦點，還是延續上回在福華飯店談論過的，有關戒律和比丘尼受戒的問題，像一對熟識的老朋友相互談心，達賴喇嘛對法師曾在山中閉關六年，極為讚賞，而他每天有三至四小時打坐修法，也令法師佩服。

第三天早上的灌頂，是聖嚴法師平生第一次參與，達賴喇嘛告訴法師，本來不想舉行灌頂法會，但是舒曼教授要求他，如果少了這儀式，來的人就不會這麼踴躍，可見以灌頂加持來吸引聽眾的風氣已然形成。

「灌頂並不是最重要的，」達賴喇嘛說：「法義的薰聞、思維、修習才是最重要的。」

第三天下午的漢藏佛教世紀大對談，把這場法會推向高潮。兩大顯密宗師一同出現台上，彼此合掌、握手有如兄弟般親切的肢體語言，三個小時下來，兩人深入淺出的佛理，珠璣妙語，贏得台下掌聲、笑聲不斷，讚嘆歡喜連連。

聖嚴法師首先介紹漢傳佛教的淵源，指出佛教傳入漢地，較藏地早六百年，早、中期的佛教經典，漢地的翻譯完整而有系統，因而，漢傳佛教對早期的，如《大毘婆沙論》、《大智度論》等，為藏地佛教所無。

法師引用去年三月達賴喇嘛到台灣時所說的：

「漢傳佛教是哥哥，藏傳佛教是弟弟，弟弟應向哥哥學習，也有足以讓哥哥學習的優點。」

漢藏兩個佛教系統，雖然各有傳承不同，地理環境和文化背景也不一樣，但既然都源自印度，有一個基本原則相通，那就是緣起性空的思想，濟世的慈悲觀念。

「漢藏佛教好比出自同一個母親，兄弟雖然分家，但仍是一家人。」

聖嚴法師接下來講述對漢民族影響最深、在漢文化中一宗獨大的佛教——禪宗學派。他闡述禪宗所說當下即是、頓悟成佛、明心見性的理論及方法，從唯心淨土及他方佛國淨土的思想和信仰，推展成為他一直在推動的建設人間淨土的社會運動。

「先從人的心意清淨，到行為清淨，再到環境清淨，」聖嚴法師說：「如果我們大家都願意開發

自己心中的智慧和慈悲，佛國淨土的景象，也會在我們人間展現開來了。」

介紹過話頭禪和默照禪兩派的禪修後，聖嚴法師的結論是：禪宗禪觀之法，與密宗來自印度教的瑜伽行，本屬同源。

達賴喇嘛回應時，首先說：「聖嚴法師是我的老友，他是一位很有學問的修行人，今天是我第一次正式與一位漢傳佛教的阿闍黎直接對談。」

對開悟，達賴喇嘛以藏傳佛教所用的修證次第和經驗做回應，禪宗所說的頓悟見性、見性成佛之說，他以藏傳大圓滿回應。達賴喇嘛誤以爲禪宗的徹悟，就是斷盡煩惱，所以有疑問。

「我講的斷煩惱有三個階段，」法師回答：「一是知煩惱，二是伏煩惱，三是斷煩惱，要把煩惱斷盡，那是到了佛位，所以禪宗的大悟徹底，並不表示煩惱斷盡，只是從此斷疑，不再從煩惱中迷失。」

達賴喇嘛形容密宗證得空性而現光明境，引得法師好奇地提出一連串的問題。達賴喇嘛以水做比喻，作了一番極富禪機的說明：

開悟後這種唯智唯明的光明是永續不斷的，光明有如水本身，清澈見底，一旦水被汙濁，透澈性便隱逝了，如何使汙水變清，便是安心在當下，思善或思惡都屬於水的汙垢，不思善不思惡，當下可體會最細微的思維。

聖嚴法師聽了，頻頻頷首贊同。

這一場對談的重點在於智慧，漸悟、頓悟，皆不能離開空慧的人間性及實用性，所以兩位宗師彼此都以空性的知見爲準則。

結束這場世紀性的對談，達賴喇嘛與聖嚴法師相約，下一輪在中國大陸的五台山，以空性爲主題，舉行下一回合的對談，台下幾千聽眾歡欣鼓掌，拭目以待。

聖嚴法師將法會入場券所得的結餘，湊成七萬美元整數，舉行一個簡單的捐贈儀式，捐給達賴喇嘛的辯經學院。

「有人問我，爲何不把這筆錢留給法鼓山自己用，我說：我的原則是，從哪裡來的錢，就用到哪裡去，不辦這次活動，也不會有這筆錢的！」

好萊塢影星李察・基爾護持達賴喇嘛，他特地要求聖嚴法師，就出離心提出探討，慚愧自己做不到。法師告訴他；

「大乘佛法的出離心，並不等於厭離現實的人間社會，而是和蓮花一樣，在汙泥中不被汙泥所染，也就是在現實環境中，用佛法的智慧來觀照，用慈悲做應對，心不隨境轉，還能協助他人脫離煩惱。所以出離心和菩提心是一體的兩面。」

李察・基爾聽了，非常歡喜，也希望有因緣學中國禪法，聖嚴法師送了他一本英文著作《完全

證悟——圓覺經講錄》。

南傳內觀中心指導禪修

聖嚴法師結束與達賴喇嘛的世紀大對談，隨即應麻省劍橋南傳佛教的「內觀禪修中心」負責人勞瑞．羅森貝爾博士（Dr. Larry Rosenberg）之邀請，去主持週末的演講及禪修指導。

羅森貝爾博士年輕時曾在韓國的寺院住過，參過話頭禪，卻不得要領，後來又赴緬甸，跟一位長老比丘修行了好幾年，自覺與南傳的內觀法門相應。雖然他曾在美國的大學任教，但發現自己適合教授佛法以及指導禪修，於是開始傳授內觀法門，即是用呼吸入門，而進入四念住的毘婆舍那（vipaśyanā）。

他是東初禪寺英文季刊《禪》雜誌的長期讀者，遇到修行的一些問題，在其他老師的書上得不到說明的，卻在聖嚴法師的著作中獲得答案，所以早有意願接近法師。

「然而，二十多年的南傳佛教信仰，使我覺得北傳大乘佛教的禪師是十分可怕的。」

這是羅森貝爾博士的自白。讀法師著作，覺得與他所遇的禪師大不相同，於是，鼓起勇氣與法師聯繫。

羅森貝爾博士向聖嚴法師吐苦水，在美國弘揚佛法，不止一次碰到同性戀者、女性主義者批判

佛教對他們的歧視，然而，他回應佛法本來相信眾生平等，對一切的人，給與慈悲關懷。

聖嚴法師參訪了他主持的內觀禪修中心，當晚演講默照禪的五個層次與修行法，法師配合南傳毘婆舍那內觀禪五停心、四念住的方法。五停心是修止，四念住就是修觀，觀身、受、心、法的苦、空、無常、無我，也就是緣起性空的道理，讓羅森貝爾博士以及其他禪眾覺得相當受用。

隔天又到劍橋西邊五十哩的「巴瑞內觀禪修中心」，這個中心是二十多年前，由傳承內觀禪法的第一代美國老師們，以區區十四萬美元的代價，買下巴瑞一處天主教建築物，改建為道場，舉辦定期的禪修活動，中心一共有十五位老師及助理輪流擔任禪修指導，老師們不管行政，各自有小型的禪修中心，如羅森貝爾博士在劍橋的內觀禪修中心便是。

六年前，他們又在巴瑞禪修中心附近的一座森林農場，發展出一個「佛教研究中心」，提供大小乘佛教的講座。佛教中心人才濟濟，成員皆擁有博士學位，有一位還是任教哈佛大學的南傳阿毘達磨。聖嚴法師應佛教研究中心之邀，特以《六祖壇經》的〈定慧品〉為題開示。

聽眾們的學歷如此頂尖卓越，個個是博士，負責為法師英文翻譯的果谷師，雖感榮譽，年紀仍輕的他，不免有點氣怯，更何況他不知師父所將講的內容是什麼，如何來帶這個週末的課程。

佛教中心的禪眾希望法師傳授與南傳佛教修行相近的默照禪法門，如何將它與《六祖壇經》的〈定慧品〉合起來演講，對聖嚴法師而言，也是前所未有的嘗試。

做師父的安慰弟子果谷，無需擔心，只要有心就行。法師胸有成竹，老神在在。他通達各項學問，熟練各種修持法門，大小融會左右貫通，自知隨手拈來都可自然成爲一個完整的主題。他先講禪佛教的發展，隔天上午闡述默照禪。

法師細膩無比地向禪眾介紹默照禪的五個修行階段，在座一位日本曹洞宗大本山永平寺的禪僧藤田先生，回應說：日本的曹洞宗，只知道只管打坐的頓悟法門，好像只相當於法師介紹的第二個層次：觀照全身。至於觀照環境、內外無限，到第五個層次，進入惺惺又寂寂，寂寂又惺惺，沒有和境界相對的我之存在，就是定慧均等、悲智相應的禪境，藤田先生則從未聽過，令他大開耳界。

由於法師細膩的講解，對修行這種法門的他而言，覺得十分受用，藤田先生請法師介紹默照禪的中國古籍。法師不厭其煩地回答這位日本禪僧：

默照禪的源頭始自《阿含經》的止觀禪數、《涅槃經》的佛性般若、《中論》的空觀中觀、《維摩經》的直心，《華嚴經》的一真法界，到了《六祖壇經》的不思善不思惡、六祖的弟子永嘉大師的〈止觀頌〉、石頭希遷的〈參同契〉，特別是宏智正覺的《默照銘》，他的《廣錄》共有九卷，對默照禪的修行和境界，介紹得相當明確。

「不過，我所講的五個默照禪的層次，在書本上是找不到的。那是經過我在修行中的體驗，加以分析條理組織而完成的，」法師說：「我覺得這樣子對於初學者比較方便。」

聖嚴法師相信只要不違背基本原則，則不一定必須拘泥於古代祖師的模式，一成不變。爲了順應時代所需，應該古爲今用，做條理的安排。

「不過日本的道元禪師，修只管打坐，也能有身心脫落悟境，我不能否定我的五個層次，其實也是連續完成的。」

到了晚上，賸下的時間已經不多了，預備要講的《六祖壇經．定慧品》尚未開始，果谷師擔心師父會講不完。師父安慰他，要他不必緊張，在兩次開示中，法師已闡釋了〈定慧品〉的內容和它的思想脈絡，晚上只要順著文字，逐段的念一遍，加以重點性的解釋，說明定慧均等、止觀同時、悲智雙運，那就是禪宗的精髓所在。

當晚，有一位印度籍的博士，原來是韓國嵩山禪師的弟子，目前正在巴瑞佛學研究中心擔任大乘佛學的課程，他接下來的講座就是要講「禪宗的無念法門」。印度博士請教法師詳加解釋〈定慧品〉中的無念、無相、無住，好讓他參考學習。

聖嚴法師於是就「不於境上生心」的無念，「於相離相」的無相，「應無所住，而生其心」的無住，深入講解，並結論道：

無念、無相、無住，都是即定即慧的定慧不二，這也就是〈定慧品〉的內容所在。

內觀中心的教師麥可．雷賓森及夫人娜拉央，對法師傳授直接清晰的方法極爲讚嘆，不止一次

夫婦連袂到象岡道場打默照禪七。

「師父教的默照禪法與我們的南傳內觀禪法極爲接近，能受教於像師父這樣偉大的修行者實在三生有幸，」雷賓森先生說：「在禪堂打坐，師父傳達一種特別的能量，有助我們修行，他的悲天憫人的心懷激發了修行者得道的決心。」

馴化俄羅斯的武術團員

早在一九九三年，就有一個俄國的佛學社團，邀請聖嚴法師前去主持禪修，結果因當時俄國政局動盪而作罷。法師傳法的英國弟子約翰・克魯克博士，於一九九五年應邀到聖彼得堡帶了一次禪七，當地佛教界有意將法師的英文著作，翻譯成俄文出版。

在克魯克博士的勸請下，和當地佛法中心的邀聘，促成了一九九八年八月，聖嚴法師的俄國之行。

出發之前，有信眾表示俄國人被稱爲北極熊，陰狠可怕，擔心師父此去的安全。

法師安慰他們：

「眾生都有佛性，北極熊也能成佛，何況他們是人，俄國居於佛法的邊地，更需要佛法去幫助他們，所以我並不擔心。」

現今聖彼得堡共有十二個佛教團體，多半隸屬藏傳佛教的蒙古系，少數屬日本、韓國系統的禪，佛教徒人數太少，辦活動不易，也得不到經費支援。

聖嚴法師在聖彼得堡唯一的佛教寺院演講，這座寺院形制與藏傳佛教接近，建於一九一三年，是爲蒙古系的喇嘛教而建，佛堂寬敞寬大，可容納五百人。

法師演講當天，正逢寺廟發生嚴重內訌，甚至還有一方向法師請願，希望他主持公道，助一臂之力趕走現任的管理人員。

就在警衛林立，氣氛凝重的場面下開始了演講。

聖嚴法師在這騷動的氣氛下，安之若素。來到俄國這佛法邊緣之地，面對席地而坐的聽眾講佛法，殊爲難能可貴，尤其是透過英語、俄語兩種語言翻譯，聽眾還聽得津津有味，頗令法師感動。

五天的禪修，是在距離城區一小時車程的郊外，當年彼得大帝爲他的王妃、公主所建的皇宮舉行。原本以爲在園林成蔭的皇宮進行禪修，將會是豪華的經驗，一到才知道是棟寬大牢固，設備很簡陋的磚砌二層建築，據說本來是警衛隊的營房。

二十四位禪眾都住在二樓，房內除了木床、木桌、木椅之外，便是氈子被單，此外什麼都沒有了。這令法師回憶起以往住歐洲修道院的經驗。

「做爲禪修道場來講，倒是非常適合，躲在房內沒有趣味，就逼著他們往禪堂內打坐去了。」

法師發現這次禪眾的身分極為特別，他們既非克魯克博士三年前所指導的那班人，也不是跟過日本、韓國系統的禪師打過禪七的那些人，而是多半來自一個屬少林派叫「無極門」的功夫武術學校，由俄國人的武術老師經常帶領著去練習和表演。

由於語言溝通困難，觀念的傳遞也不容易，禪眾只知道來了一位中國禪師教他們打坐，因此都抱著懷疑的態度、警戒的心情，雖然都用心在聽，並不表示願意接受。為法師翻譯的弟子覺得這些俄國人的面孔，好像一群不懷好意的狼犬，對師徒二人虎視眈眈。

法師問起，何以不見早期先後跟幾個禪師修學過的那批人來參加？得到的回答是；幾年才有一位禪師去，沒有老師留下來繼續指導，便退心了。如果跟中國的武術結合，應該會維持他們學佛的興趣，這些人對中國禪法，抱有高度的敬意和嚮往。

法師告訴他們，他當小沙彌時，學過基礎的少林拳法，他的老師秀奇法師論輩分，與少林寺以一指功聞名的海燈法師同門。

由於學過多年的武術，他們心念容易集中，禪修進步迅速，到了第三天就有人達到忘卻身心世界，進入統一心的境地。法師介紹默照禪的第五個層次——必須放下自我中心時，卻遭到抗拒。有一位練功的女士問法師：

「我們練武的人，保持警覺，以策安全，如果放下自我中心，不是很危險嗎？」

法師回答：「基礎的武術，必須有警戒，上乘的武術，是全不設防的，對方不知道你的弱點在何處，就無法下手攻擊你了。所以禪道是無我的，武術的最高招式是沒有招式，便能天下無敵，道理與禪法相同。」

五天禪修結束，佛法中心的鮑夫爾先生表示，這是第五次從外國請老師來，也是讓禪修者得到利益最多的一次，他請教法師，如何把傳授的方法留下，使不致中斷，法師建議「無極門」師生組織一個定期坐禪會，把法師五天中的開示，整理出來，認眞消化、研討練習，做爲默照禪在俄國流傳的一個起站。

法師應邀參觀「無極門」武術學校，種了一株蘋果樹，還留下墨寶。

「沒想到筆墨紙硯齊全，而且是粗筆、寬紙、濃墨都準備好了，我的毛筆字本來不敢獻醜，可是在他們印象中，中國禪師必定會幾手拳腳，也能夠舞文弄墨，寫得一手好字。」

法師在眾目睽睽下，寫下「禪心」兩個大字，留作紀念。

離開聖彼得堡前，還接受國家電視台的新聞採訪小組採訪，除了與禪修有關的問題外，法師還被請教對那幾天俄國金融風暴的看法。

上圖：在「無極門」武術學校種植蘋果樹
下圖：與俄羅斯武術團員

義賣籌建法鼓人文社會學院

繼上次藝術品義賣籌款，一九八八年葉榮嘉居士又一次主動策劃，爲法鼓人文社會學院籌募建設工程費用。聖嚴法師有鑑於政府的教育政策，一直只重視科技理工人才的培養，以致造成人文精神及社會品質的墮落，於是申請籌設法鼓人文社會學院，是法師「一大使命、三大教育」目標中大學院的教育。

應聘籌備學院的曾濟群校長，政治大學法學博士、美國喬治城大學後博士，原任國家圖書館館長，自稱受聖嚴法師言行感召，一個「緣」字使他毅然投入法鼓山體系。爲人謙和、作風嚴謹的曾校長讚嘆法師既是宗教家，更是位受學術界推崇尊重的教育家，他說：

「師父用宗教的方法來推動教育理念，用教育的思維來擴大宗教的領域與情操。」

第二次當代藝術品義賣會，除了繪畫之外，法緣會的柯瑤碧、謝璧玲等人負責珠寶義賣。柯居士爲法緣會會長，產後曾得血小板無法凝血症，令美國醫生束手無策，從死亡邊緣撿回生命，初見法師的印象：

「他看起來像鄰居的長者，親切平易近人，容易溝通，」柯居士自問：「怎樣才可以修得像師父那麼自在？」

她從師父得到的智慧是：不在乎生命的長短，而在乎它的寬度，以歡喜心來承受生命，生命是來受報與還願的。

法緣會六十六位會員，皆是企業界、醫生的太太們，她們穿上端莊的藍色制服，爲法鼓山的活動當招待，在安和分院安排策劃公益講座，組合唱團、讀書會，香積組則每個月到農禪寺爲僧眾燒煮齋飯。

「這次珠寶義賣，收件時有好多感人至深的故事，中南部好多老祖母把她們的棺材本金飾捐出來，有的捐珍藏的結婚禮物，或是兒女送給父母的紀念品……」

謝璧玲居士慨然捐出婚後醫生丈夫送的第一件禮物，「捐出這件玉墜子，爲了永遠與法鼓山同在。」她說。展覽的會場，由南到北都由長年來一直跟在法師身邊受教的蘇妧玲居士負責。

法師親臨的義賣會上，不少人把捐出來的珠寶，自己又買了回去，或是買進來的畫作，又捐出義賣。最值得一提的是陳進阿嬤的一幅觀音像的收藏者，感於法鼓山的理念捐了出來，爲生前信佛的阿嬤做了一次偉大的功德。義賣主持人之一的張小燕，也買了一幅名爲「禪」的油畫捐給法師，要他將來掛在法鼓山做永久紀念。

第十五章

利益眾生建設人間淨土

破冰之旅　德國教禪七

公元二〇〇〇年前的最後一年，聖嚴法師虛歲七十。

法師瘦弱的身體，經過長年累月的操勞消耗，加上有了年紀，體力加速衰退，他的健康頗令醫師們擔憂，又因治療牙病而誤傷舌頭，雪上加霜，消化吸收力極差的他，不能正常進食，用吸管吸取流汁，營養更是缺乏。

然而，法師憑著驚人的意志力，忍住舌頭劇痛，仍然早晚爲農禪寺打禪七的禪眾開示。雖然有一度衰弱到不能起身，臥病在床的法師，依舊心懸早已安排好的行程，如因他生病而取消，將影響到法鼓山團體的形象。

不顧體弱氣衰，法師毅然抱病弘化，從台北到新加坡、德國柏林，一路病著繞了大半個地球。

法師的新加坡之行，緣起於周鼎華、朱盛華夫婦，成立了「法鼓山佛學圖書館」，提供法師出版著作及錄音帶，並定期舉辦共修活動，周氏夫婦還積極爲法鼓山建設勸募。禁不起一再勸請，法師爲感謝新加坡弟子們熱心護法，答應前去，重訪一別十七年的獅城，也預定順道到馬來西亞弘法。

一九八二年，法師曾應新加坡佛教總會之請，前去擔任佛教課程的師資訓練，並做公開演講，後因感染帶狀泡疹而提前結束行程。這一次碰上法師健康惡化，使得南洋之行一波三折。吉隆坡、

新加坡早已各自租定三千多人的會場，獲悉法師可能因病取消，弟子們相繼飛回台北哭泣懇求師父如約前往，病中的法師苦笑地說：

「我的生命是用來報三寶恩的，還有一個地方爲了佛法非要我去不可，就是我死了也應該去了。到時能否上飛機，要看你們的福報。」

新加坡的信眾如願以償。法師一下飛機，摒絕外緣，由新皈依的吳一賢及夫人黃淑玲充當司機，每天帶法師到植物園、海濱公園散步，調養身體。兩場在威信史丹佛大飯店的弘法演講，總理吳作棟夫人及政府官員、工商界菁英均出席，原定三千人座位不僅座無虛席，還有上千人在走廊上看電視轉播。

聖嚴法師以幽默風趣的開示來攝伏入心，令場內、場外的聽眾聽聞佛法，學習如何調和理性、感性，過著和樂有智慧的人生。

抱著病弱之軀，聖嚴法師從新加坡飛往德國柏林主持禪七。邀請法師的柏林佛學社，成立於一九一七年，是歐洲最古老的佛教團體之一。

德國佛教界對日本及韓國的禪法早有接觸，也知道它們的源頭來自中國，對西藏的密宗、南傳上座部的內觀也不陌生，唯尙對中國禪法所知極有限，也沒見過一位中國禪師。有關中國禪的書，除了一本介紹虛雲老和尚的英文書，再就是聖嚴法師的英文著作了。

柏林佛學社的負責人諾艾克博士，經由法師傳法的英國弟子約翰．克魯克博士的引介，曾赴波蘭及克羅埃西亞參加聖嚴法師主持的禪七，當他獲悉法師為虛雲老和尚隔代的傳承者，對他更為傾心，於是促成了這次德國之行。

本來安排在柏林佛學社的大型演講，因法師身體違和，精力不足而取消，改為一場對少數聽眾的精簡開示。演講過程中，聖嚴法師感受到德國人喜怒不形於色，是個極為深沈內斂的民族。

「他們十分用心的聽，半數以上的人也不停的做筆記，又有點像是評審員在台下為我打分數……」

這是聖嚴法師對聽眾的觀感。一直到下半場，聽眾受到講者的真摯誠懇所打動，臉上那種審查評分的表情才漸漸緩和消失，氣氛不再那麼嚴肅緊繃了。

這場演講以三種語言進行，果谷師將師父的開示譯成英文，再由瑞士籍的醫生，也是法師德文書的譯者麥克斯．卡林翻譯成德文。法師講的主題是中國的禪，闡述禪修者如何調飲食、睡眠、身、息、心五事，以及分別講解話頭禪、默照禪的修行方法。

演講結束後，台下聽眾都覺得受用無窮，也為能瞻仰一位中國禪師的風采，而欣喜不已。

禪七的道場是借用東柏林一座復原重建的古堡舉行，距柏林約兩個小時的車程，這座古堡毀於二次大戰的戰火，東、西德統一後，根據古堡初建的構圖照原樣重建，落成後，規劃為休閒度假中

心。

四十九名禪眾，除十七位德國人之外，其餘分別來自十二個不同的國家，是聖嚴法師主持禪七以來，最國際性的一次，有的禪眾甚至遠自澳洲、沙烏地阿拉伯、南非、以色列等地，不遠千里萬里而來，這種跟隨師父，求法若渴、鍥而不捨的精神，令人感動。

不同國家的禪眾共聚一起，早晚課誦，雖以中、英、德等不同語言混合唱誦，西腔東調，竟也十分整齊，這得歸功於其中十幾位禪眾，多次跟隨師父打禪七，熟悉中文部份的梵唄腔。

禪七期間，聖嚴法師一再重複：

不論任何宗教的信仰者，都可練習修行，從中獲得利益，然而，如果沒依照佛法的原則如因緣觀，對無我、性空的認知不相應，即無從完成明心見性、頓悟成佛的目的。

「修行，只有往前走，不許停下來，更是後退不得，必須發長遠心和堅固心，勇猛精進，直到成佛為止。」

古堡環境安靜清幽，周圍古木參天，綠草如茵，每天戶外經行，春風拂面，鳴禽歌唱，一地蒲公英花盛開，有如置身化境修行一般。

最後一個下午，聖嚴法師在古堡後庭草地上，指導禪眾如何從直觀的觀法，進入中觀。不論用話頭或默照或數息，如果到了只有方法，沒有妄念的地步，參話頭不見疑團，用默照不能到自我中

上圖：施叔青與約翰・克魯克博士
下圖：柏林禪七法師已然心力交瘁

心脫落，用數息到了無息可數，或無數目可數，而「我執」依然之時，聖嚴法師開示：

「最好是採用直觀而進入中觀。所謂直觀是以心觀境之時，不給名字，不加以形容，不做比較。這個我和一切境界，本來是非常平安、了無差別的，直觀法便能使我把相對的境跟我合而爲一。」

這就是《金剛經》所說的「若見諸相非相，即見如來」，如來就是無我的大覺智海，是以般若的空慧，照見五蘊無我。

禪七結束，病弱的聖嚴法師已然心力交瘁，整個人虛脫了一樣，看在弟子克魯克博士的眼裡，萬分不忍。

「這次柏林的禪七，感覺到師父拚盡全力，傾其所有來教大家。」

克魯克博士說著，鏡片後的眼睛潮濕了起來。

柏林之行還發生了一段插曲，法師一行人到一家越南人開的素食餐廳吃飯，老闆兼主廚是一行禪師的弟子，發願在柏林推廣素食，免費供養聖嚴法師。

老闆拿出一本越文的書，給越南華僑的果元法師看，並且問他：

「這本書的釋聖嚴就是這位師父嗎？」

果元師一看，是越文版的《正信的佛教》，另兩本法師的著作《學佛群疑》、《明日的佛教》，亦被翻譯成越南文，不僅在越南境內廣爲流通，連散居世界各地的越僑佛教界也印刷發行，供信徒傳

閱，素食館老闆這本就是從同鄉借來的。

截至目前爲止，聖嚴法師的著作，除了英、法、德、日、義大利、西班牙文的翻譯之外，亦見葡萄牙文、捷克文、波蘭文、克羅埃西亞文等共近十種語文的譯書出版，其中流通最廣的是《信心銘講錄》、《開悟的詩偈》、《佛心》等，以及最近出版的《圓覺經講錄》、《牛跡》、《默照禪》等。

法師的英文著作以禪修爲主，日本的宮越嘉男以出版英文的中國臨濟禪師語錄著稱，在研讀聖嚴法師的英文著作《智慧之劍》後，從東京致函表達歡喜讚嘆，信中寫道：「大家說禪在今日的中國已經死了不存在了，我非常高興知道有一位中國禪師像聖嚴法師那般，已在美國活活潑潑地教授禪法。」

西方禪修重鎭——象岡道場

結束德國之行，法師抱病飛回紐約上州的象岡道場，在這遺世獨立的叢林調養身心。二十多年來，聖嚴法師在西方各地弘揚佛法指導禪修，早已建立了國際禪師的聲名，東初禪寺的禪堂早已容納不下世界各地前來求法的禪眾，經過果元法師及龔天傑居士聯袂的尋尋覓覓，終於在紐約上州的烏爾斯特郡，一個名爲象岡的小鎭，一座白山的山麓下，找到了一座有山有水的道場，讓師父培養

上圖：施叔青與聖嚴法師攝於象岡（謝啓文攝影）
下圖：西方禪修重鎮——象岡道場（謝啓文攝影）

龍象人才。

這一座佔地一百英畝的叢林，常見成群麋鹿徜徉草原，難怪有鹿野苑之稱，野兔松鼠出沒其間，還有一個魚兒悠遊水清如鏡的活水湖。擅長攝影的聖嚴法師，從四季變化中捕捉到如詩如畫的景色，他尤其嘆賞秋天紅葉：「美得像燦爛的油畫，令人陶醉。」

在東初禪寺當了十年義工，辭去會計專職，跟隨師父預備出家的果全行者，曾經獨自一人照料象岡道場達十個月之久，她把白天割草、掃雪等體力勞動當做修行，夜晚孤燈讀經，體會孤獨的況味。現在駐在象岡的果眞行者，放下經營成功的餐廳生意，千里迢迢從美國中部飛來依止師父。

洛杉磯的地產律師 Gilbert Gutierrez，自掏腰包往返東西兩岸，免費辦理象岡產權的法律手續，他與來自台灣的妻子魏愛倫，修行境界皆極高深，Gilbert 是法師唯一授權在美國西岸教禪法的傳法弟子。當初聖嚴法師在洛杉磯一下飛機，便未卜先知地宣稱 Gilbert 正是他要找的人。這件事在法師的美國弟子間廣爲流傳，引爲神異佳話。

一九九七年象岡第一次禪七，禪眾來自八個國家，去年的默照禪七，七位從波蘭飛來，爲了求法，其中一位舉債，另一位賣了車子湊旅費，把法師的兩本書翻成波蘭文出版的女建築師 Beata，追隨法師多年，她讚嘆：「從未見過一個如此敏銳、直接的心靈。」

這個波蘭禪眾，以及所有到了象岡道場的人心目中的人間天堂，最近正在大興土木，擴大禪

堂、齋堂及男女寮房，以期容納來自世界各地的求法者。擴建期間，象岡一年四次的禪七從未因工程而間斷，公元二千年的五月，聖嚴法師帶領四十九天的默照禪，最後一週是菩薩戒，分別來自十多個國家，一百多位資深禪眾前來報名，聖嚴法師這項創舉的總策劃，仍舊偏勞「師父趕不走我們的」專職義工吳淑芳居士。

現任象岡道場的經理，負責對外公關，以及安排禪修活動的Caloline Hansen，是位來自威斯康辛的女律師，曾在台北任職，她的環保理念與聖嚴法師不謀而合，積極參與農禪寺的活動，由法師授權讓她每週日指導英文禪坐班，對象是駐台的外交官員、外商公司經理及在台留學生。

「過去五年，一直想幫師父，兩年前，我辭去律師工作，到象岡來接受挑戰。」

Caloline與她的愛犬住在象岡，享受山川水色之美。

「象岡這麼美，師父太累了，為什麼不就在這裡住下來？」

關心師父日愈衰弱的弟子苦勸。

法師回答他身不由己，他說：

「我有選擇嗎？為眾生，哪個地方需要我，跟我有緣，我就去。」

一次菩薩戒中，今能長老讚嘆聖嚴法師：

「法鼓山是弘法、修行的重鎮。」

「我沒有做什麼，只是很努力的去做該做的事。」

法師謙虛地說。他定在悟境，安住心的本質，一雙眼睛懸掛空中，偏憐受苦受難的眾生，竭盡一己之力，運用各種方式來關懷極需撫慰的心靈。他憑著心力，不顧多病的身軀，長年累月，馬不停蹄地繞著地球跑，除了固定在台灣、美國四個道場講經、主持禪七之外，他應邀到世界各地出席佛學會議，在數百所的大學演講弘法、指導禪修，二十多年來足跡踏遍十九個國家。

跟時間賽跑的聖嚴法師，在如斯繁忙的行程中，仍然不忘記以另一種方式弘法——他完成一篇篇學術論文、出版一本本著作，以文字般若來弘法，接引無緣面見法師的信眾，果真如法師所說：忙人時間最多。

見識到師父分秒必爭的張光斗居士，敘述有次與師父搭機從英國回返紐約：

「師父應邀到威爾斯指導禪七，幫邀請的團體省旅費，六十幾歲的老人家，坐經濟艙，所有的乘客都睡了，只有師父就著燈，伏在小桌上低頭苦寫……」

一九九二年移民到紐約，在東初禪寺為法師清謄文稿的姚世莊居士形容：

「師父在紐約每兩個多月，我都會抄上十數萬字，可見著作量的驚人，他老人家經常趕稿趕到深夜一、兩點。」

姚居士覺得師父堅忍的毅力，「如果不是發了大悲願，如何還能以此病弱之軀，古稀之年，寫出這麼多正信的佛法，傳授給與佛有緣的眾生。」

短短幾年，她已幫師父謄寫了二十幾本書，姚居士的食指因抄寫而生了厚厚的繭。

難怪聖嚴法師得到四多的封號：多忙、多病、多產、多新聞。

體弱多病的法師，走起路來卻步履輕快敏捷，外出旅行，不論馬上顛簸，拾級走險梯，或徒步登高山，他都氣定神閑，腳程比弟子們還快。到巴西伊瓜素觀賞飛瀑，法師走在前面的飛快背影，令後面跟上的壯年弟子頻頻稱羨，法師到梵蒂岡晤見教宗若望保祿二世，贈送代表法鼓山精神的玉珮，參觀聖彼得大教堂，攀爬九百七十二台階，登上七十五公尺高的教堂中心圓頂，法師既不氣喘也未流汗，引起大家的好奇，紛紛問他有什麼秘訣？

「沒有。我只知道現在在攀登，不急不緩，往上一階，再上一階，不去想已經攀登了幾階，前面還有幾階，好好享受現在、現在、現在，觀察體驗現在所攀每一步動作的感覺。」

法師說這是極簡單的修行法，只要願意嘗試，人人都可做到。他在機場爲換機跑步，臉不紅氣不喘，腳下飛快，令跟不上的弟子大爲驚訝。法師是用修行的方法，並不以爲是在趕路，而是當做禪堂的跑香，心中只是一步一步往前跨出去，不管前面還有多遠，也不管已經走了多遠，只是不斷地把現在這一步走好。

法師無時不刻都把握住當下。然而，只此而已嗎？恐怕大多數的弟子都不肯相信師父只是位普通的人。一位有特異功能的大陸氣功師劉洪先生，在為法師做氣功治療時，發現他在丹田中有一粒比棗核更大的東西，力量強大。

「我每次運功到師父丹田的位置，就有一股強大的力量，把我的內力彈了回去。」這位有特異功能的氣功師斷定：「這應該是舍利吧！」

法師的弟子們知道他們的師父不是普通人。一九九六年，三百位僧俗四眾隨師父上了普陀山，到太虛大師閱藏樓舊址憑弔，當天下午滿天陰霾，可是當聖嚴法師在泥地上禮拜時，普陀山的戒忍當家師說：

「法師禮拜有感應，突然天空出現了陽光。」

法鼓山的僧俗四眾看到天空出現佛光瑞相的異景，有的見到法輪，有的見到飛天，有的見到蓮花，個個感動得涕泣不已。

陳慧劍居士讚嘆聖嚴法師「充滿哲學家的風範，宗教家的胸懷，與儒者的書卷之氣」，除此之外，法師還是位思路清晰、語出幽默，親和力強，最受歡迎的演說家，他文筆優雅，行文如雲水，寫出一篇篇雋永，令人回味無窮的好文章，尤其是法師以佛法來觀想山川自然界的一切，不僅富有哲思，境界高妙，更重要的，他寫出了一般文學家所體悟不到、無法企及的層次，導引讀者從另一

與中研院院長李遠哲

個更深刻的角度來凝視人世間的諸般情事。

世人喜日出，而厭日落，看在法師眼裡，卻是另外一番況味：

「觀日落可以得定可以發慧，落日柔和清涼有慈悲相，並可提醒是日已過的無常無我相。」

法師看出日出也是無常，落日不異永恆，生滅現象是世間常態，「日出奇景固然很美，但也未脫無常的淒美！」

聖嚴法師是位慧眼獨具的攝影家，紐約象岡道場的齋堂，以及法師出版的十幾種朝聖遊記裡，不難發現法師四海遊蹤時，透過他巨靈似的眼睛，所捕捉到的一幀幀人間風景。喜愛藝術的法師，看了林懷民編的《流浪者之歌》，他在色相的舞蹈世界中，看出了

佛法禪機。

聖嚴法師眞的不一樣就是不一樣，除了宗教、人文，他關懷未來世界的發展，不止一次與李遠哲院長就日新月異的科技、全球化本土化等議題交換意見，李院長在開場白中，幽默地形容：「自己像隻醜小鴨，由聖嚴法師這隻老母雞來帶領這場對談，雞同鴨講一番。」

李遠哲院長讚嘆：「聖嚴法師是位很容易接近並深談的人，我非常敬佩他的仁慈，更景仰他的學識涵養。」

陳水扁當選總統的第二天，即前去農禪寺向聖嚴法師請益，一早抵達，先在法師引領下至大殿禮佛、拈香祝禱，又在備好紙筆的方桌上書寫「利益眾生」四字。

「我在卸任台北市長的學習之旅中，聖嚴法師一句：『慈悲沒有敵人，智慧不起煩惱』，簡單的幾個字，令我豁然開朗，平復落敗的心情，勇敢的重新出發。」

法師勉勵陳水扁總統，「以慈悲的感性照顧所有的人，以智慧的理性處理一切的事」，被陳總統認爲是在擔代國家的重責大任、利益眾生時，應該遵循的最高原則，承諾爲實現法鼓山的理念——提昇人的品質，建設人間淨土，要積極精神建設。

早在民國七十八年，聖嚴法師即提倡人間淨土的理念，《維摩經》所說的「心淨國土淨」，《華嚴經》所說的「罪性本空由心造，心若滅時罪亦亡」，一切唯心造。法師的淨土觀念是一念心中有慈

悲及智慧，念念相應，就念念見到人間淨土，自心清淨就能見到自性淨土。凡夫如果念佛念到一心不亂，參禪參到明心見性，都可見到淨土，如果既不念佛，也不參禪，而修行五戒十善或盡責任、奉獻社會，能與慈悲心與智慧心相應，也能見到人間淨土。

聖嚴法師的人間淨土理念，如果追本溯源，遠自佛陀在世時，遊化人間，早就在建設人間的淨土，到了近代的太虛大師，主張人成即佛成，印順導師的人間佛教，聖嚴法師遵循先賢大德的主張，推行提昇人的品質，建設人間淨土的運動。

淨化人心的方法過程，聖嚴法師先從導正人類價值觀念的偏差的心靈環保、提高人格尊嚴的禮儀環保，確保生活儉樸的生活環保、保護生態的生生不息的自然環保這四環運動落實，以「心」五四運動，在人間遍弘生活佛法，於火宅中建設人間淨土。

聖嚴法師從來不准弟子信眾、朋友們爲他祝壽過生日，去年正逢法師七十大壽，日本立正大學的三友健容教授聯合歐、美、海峽兩岸的佛教學者，計劃出版一冊《古稀紀念論文》，以中、日、英三種語文，由日本山喜房出版社出版。

「聖嚴法師謙虛不肯接受，」三友健容教授說：「尤其是在台灣九二一大地震之後，他更希望大家忘記他的大壽。」

九二一地震是聖嚴法師心中的最痛，震災發生後，他老人家立即率領僧俗四眾，積極投入救災，尋思如何將智慧的話語，以最直接的方式儘快地傳達給災民，撫慰惶恐騷動不安的台灣人心，劉偉剛居士找到滾石唱片公司的段鍾沂先生，以最快的速度，製作「台灣，加油」廣告，法師雙手合十，爲台灣祈福的影像，頻頻出現在電視、報紙媒體，配合法師的智慧之語，適時安撫了最需要被安撫的人們。

法師把去年九月爲建設法鼓山募捐得來的捐款，移做賑災捐款。法師此舉，使廖雲蓮居士聯想到以刻《大藏經》聞名，日本隱元禪師的弟子鐵眼道光，爲了救濟大饑荒，他把刻經的錢拿去施粥做善事，恩澤一萬餘人，後來鐵眼道光經也刻了災也救了，日本人爲了感激，稱他爲「救世大士」。

廖雲蓮居士跟隨法師多年，「從來沒看到過師父如此動容過，」她指的是震災。

法師授命「法緣會」會長柯瑤碧等人，成立「百年樹人助學」專案，協助賑災中受災戶的清寒在學子女，一直到順利完成高中、大學畢業。

爲了使災民儘早走出悲情，走向希望，法鼓山除了散發漫畫家朱德庸配合法師的智慧語所繪製的平安卡，推動人心重建之外，又分別在竹山、埔里、東勢、南投設立四個「安心服務站」，希望能從生命、觀念以及信仰的立場，對災民做正面積極的鼓勵。

「安心服務站」的整個組織架構、工作目標的擬定策劃、義工的培訓，全由前救國團處長，擅長

辦活動的張葆樺居士一手擔綱，林知美居士從旁協助。年初服務站啓用，聖嚴法師帶領幾千信眾，到災區爲受創的大地灑淨行腳，在南投中興新村運動場舉行法會，爲家園祈福，誦彌陀經爲亡者超度。

無路中找出路來

「我沒有做什麼，只是很努力的去做該做的事。」

聖嚴法師振興佛法的方式，不光是大聲疾呼，要求大家來響應，他是以自己的行動來實踐理想，從親自深入三藏，勤讀群書，到赴日留學、辦佛學研究所，弘揚人間佛教，四海傳揚禪法，指導禪修，篳路藍縷一路走來，終於影響了一代的佛教徒們，爲社會大眾重塑佛教的形象，提高佛學研究的素質，在提倡人間淨土，淨化人心的心靈環保運動，尤其功不可沒。

縱觀聖嚴法師半個世紀以來的行腳，早年閉關閱讀《大藏經》，深入探索宗教學，受到太虛大師、印順長老的影響，留學日本，有鑑於當時歐美及日本學者，以研究古代中國佛學爲主，法師另闢蹊徑，專題研究明末佛教，在他以蕅益智旭爲主的博士論文問世之前，學術界對明末佛教所知有限，法師開風氣之先，爲佛學研究開闢另一個窗口，影響之深遠，自不待言。

學術上成就卓越的聖嚴法師，最難能可貴的是，他不停駐在佛學哲理的象牙塔，自願回到眾生

之中，為弘化利生推動佛教的人間化、普及化。

法師信心堅固，智慧無量，如果不是為了度化眾生，他也可以只顧修行，在此生中成就。然而，慈悲的聖嚴法師選擇以凡夫身來發菩提心、修菩薩行，使人人得以親近他所弘揚的佛法。

法師弘揚的禪學，屬如來藏系統的思想，回歸到緣起性空的原點。他傳授的方法和觀念，近深則深、近淺則淺，既可讓初心修行者得到入門的方法，也可以使持久修行者深入堂奧。

聖嚴法師對中國禪宗最偉大的貢獻，是在於他令曹洞宗宏智正覺的默照禪起死回生，給予這失傳久矣的禪法新的生命，隨著法師的世界行腳，將默照禪傳揚到地球的十幾個國家，令異國彼邦無以計數的禪眾受用無窮，讚譽聖嚴法師為國際間最德高望重的中國禪師。

在台灣，聖嚴法師除了度化一般念佛的信眾，他更將佛教的層次提高，以禪法修心來接引文教、政商、科學界的菁英，成效卓著。

近代佛教四位大師，印光的淨土、弘一的戒律、虛雲的禪定、太虛的教理備受有識者尊崇，聖嚴法師對淨土、戒律、禪學無一不精通，他不屬於任何宗派與學派，他回歸佛陀的根本思想，把自己跟全體佛教融合在一起。

聖嚴法師說他走的是第五條路。

聖嚴法師的一生，總是在無路中找出路來，在無可如何之際，在艱辛中堅毅的勇往直前，把逆

境當做增上緣，結果總是絕處逢生，柳暗花明。聖嚴法師在艱辛中見其悲願，在堅毅中見其禪慧，對他而言，生命即是一趟實踐佛法的旅程。

後記

從未寫過傳記，而傳主又是令海內外信眾及非信眾推崇景仰備至的一代高僧，動筆之前，我先行調理自己的狀態：早晚打坐靜心、臨帖寫書法描畫佛像，甚至重當老學生，到台大旁聽李玉珉教授的佛教藝術史課，除此之外，還有意識地特意將自己從長期浸淫的文學創作中抽離出來，一心只閱讀與佛教相關的文字。對我來說，佛學畢竟是屬於另一種的思維語言。

我嘗試沿著聖嚴法師長年來的人間行腳，逐一重踏他足跡所經之地，尋訪各地的護法弟子，重溫法師弘法、指導禪修的歷程，以閉關的美濃朝元寺為起點，東渡日本，走訪法師東瀛求學的故舊，也曾踏足香港、新加坡、馬來西亞、洛杉磯、紐約等地，訪談異地的信徒與禪眾。

然而，法師隨緣遊方，至今足跡遍至地球的十九個國家，相較之下，我所到之處不過是冰山之一角。可幸法師在紐約上州的象岡道場，已然成為國際重要的禪修中心，一年四次的禪七，招徠了世界各地求法心切之禪眾，其中不乏跟隨法師修行多年的老參們，借此良機深入訪談，彌補了我沒

能親赴華沙、莫斯科、柏林……的不足。

我把寫傳當做修行，以平常心對待，日子過得平淡，但極充實，情緒極少起伏波動，心境也一直保持前所未有的穩定，雖然長時間的離群索居，居然沒被虛空寂寞所噬咬，平生首次體味到佛法的妙用，寫作過程中，有如被一股無形的力量所攝，幾乎達到廢寢忘食的地步。

寫聖嚴法師傳記，並不覺得承受了任何的壓力，倒是感受到空前繁重的工作量，除了走訪傳主身邊的人與事，光是閱讀法師幾十種不同題材的著作，就已是一項龐大的工程。然而，我絲毫不以爲苦。早年聖嚴法師赴日本攻讀博士學位，每天精進用功長達十六個小時，日月如是，法師讚嘆：每天在經典裡聽到、看到佛陀、祖師的話語，太殊勝了，怎麼會累、會苦呢？

這也正是我的心情寫照。

感謝果位法師協助資料蒐集，李濰美女士追求完美的編輯態度，令我感動。

歷史與現場①②③

枯木開花

——聖嚴法師傳

著者——施叔青
董事長
發行人——孫思照
社長——莊展信
出版社——時報文化出版企業股份有限公司
台北市108和平西路三段二四〇號四F
發行專線——（〇二）二三〇六——六八四二
讀者服務專線——（〇八〇〇）二三一——七〇五
（如果您對本書品質與服務有任何不滿意的地方，請打這支電話。）
郵撥——〇一〇三八五四～〇時報出版公司
信箱——台北郵政七九～九九信箱
電子郵箱——cthistory@readingtimes.com.tw
主編——吳家恆
編輯——李濰美
校對——陳錦生・施叔青・聖嚴法師
排版 製版——凱立國際印前印刷股份有限公司
印刷——嘉雨彩色印刷有限公司
初版一刷——二〇〇〇年八月一日
定價——新台幣三六〇元

●本書照片除註明攝影者及提供者外，皆由法鼓山僧團提供

國家圖書館出版品預行編目資料

枯木開花：聖嚴法師傳／施叔青著.——初版.
——臺北市：時報文化，2000[民89]
面；公分.——(歷史與現場；123)

ISBN 957-13-3176-7（平裝）

1.釋聖嚴 - 傳記

229.386　　89009372

枯木開花

枯木開花